Drageløberen

Af samme forfatter:

Under en strålende Sol

Khaled Hosseini

Drageløberen

Oversat fra amerikansk
af
Alis Friis Caspersen

Cicero

Denne bog er tilegnet mine øjnes *noor*, Haris og Farah,
og børnene i Afghanistan.

TAK

Jeg står i dyb gæld til følgende kolleger for deres råd, hjælp og støtte: Dr. Alfred Lerner, Dori Vakis, Robin Heck, dr. Todd Dray, dr. Robert Tull og dr. Sandy Chun. Også tak til Lynette Parker fra East San Jose Community Law Center for hendes råd vedrørende adoptionsprocedurer, og til mr. Daoud Wahab for at dele sine erfaringer vedrørende Afghanistan med mig. Jeg er min kære ven Tamim Ansary taknemmelig for hans vejledning og støtte, og tak også til folkene i San Francisco Writers Workshop for deres tilbagemeldinger og opmuntring. Jeg vil gerne takke min far, min ældste ven og inspirationskilde til alt hvad der er ædelt i *baba*, og min mor som bad for mig og udførte et *nazr* – et offer – flere gange undervejs mens jeg skrev denne bog, samt min tante for at købe bøger til mig da jeg var barn. Tak til Ali, Sandy, Daoud, Walid, Raya, Shalla, Zahra, Rob og Kader for at have læst mine historier. Jeg takker også dr. og mrs. Kayoumy – mine andre forældre – for deres varme og urokkelige støtte.

Jeg må også takke min agent og ven, Elaine Koster, for hendes klogskab, tålmodighed og venlighed, og Cindy Spiegel, min kloge redaktør med det skarpe blik som hjalp mig med at låse så mange døre op i denne historie. Og jeg vil gerne takke Susan Petersen Kennedy for at tage chancen med denne bog og det hårdtarbejdende personale på Riverhead for at have knoklet med den.

Til sidst: Jeg aner ikke hvordan jeg skal takke min dejlige kone, Roya – hvis mening jeg er afhængig af – for hendes kærlighed og ynde, for at have læst, og genlæst, og hjulpet mig med at redigere hvert eneste udkast til denne roman. Roya jan, jeg vil altid elske dig for din tålmodighed og forståelse.

ET

December 2001

Jeg blev til den jeg er i dag, som tolvårig dreng på en kold, overskyet vinterdag i året 1975. Jeg kan huske det præcise øjeblik da jeg krøb sammen bag en smuldrende mur af lerklinede sten og kiggede ned i smøgen i nærheden af den tilfrosne bæk. Det er længe siden, men, ved jeg nu, det er forkert hvad de siger om fortiden, det om at man kan begrave den. For fortiden graver sig op igen. Nu hvor jeg ser tilbage, går det op for mig at jeg har kigget ned i den samme smøge i de sidste seksogtyve år.

En dag sidste sommer ringede min ven Rahim Khan til mig fra Pakistan. Han bad mig om at komme. Da jeg stod i køkkenet med telefonen for øret, vidste jeg at det ikke kun var Rahim Khan i den anden ende af røret. Det var min fortid med ikke-sonede synder. Efter at have lagt på gik jeg en tur langs Spreckels Lake i den nordlige ende af Golden Gate Park. Den tidlige eftermiddagssol glitrede i vandet som var fyldt med småbitte legetøjsbåde der blev skubbet af sted af en frisk brise. Så kiggede jeg op og så et par drager, røde med lange, blå haler, der susede rundt oppe på himlen. De dansede højt over træerne i den vestlige ende af parken, over vindmøllerne; sejlede af sted side om side som et par øjne der kiggede ned på San Francisco, den by jeg nu kalder for mit hjem. Og pludselig hviskede Hassans stemme inde i mit hoved: *For Dem, tusinde gange og mere*. Hassan, drageløberen med hareskåret.

Jeg sad på en bænk i nærheden af en hængepil. Jeg tænkte på noget Rahim Khan havde sagt lige før han lagde på, næsten som noget han pludselig var kommet i tanke om. *Det er muligt at gøre uret god igen.* Jeg så op på de to drager. Jeg tænkte på Hassan. Tænkte på baba. Ali. Kabul. Jeg tænkte på det liv jeg havde haft der indtil det blev vinter 1975, og alting ændrede sig. Og gjorde mig til den jeg er i dag.

TO

Da Hassan og jeg var børn, plejede vi at klatre rundt i poppeltræerne i indkørslen til min fars hus og irritere vores naboer ved at sende solstråler ind i deres hjem ved hjælp af en stump spejl. Vi sad over for hinanden på et par grene højt oppe, med dinglende, bare fødder og bukselommerne fyldt med tørrede morbær og valnødder. Vi skiftedes til at have spejlet mens vi spiste morbær, bombarderede hinanden med dem, fnisede og lo. Jeg kan stadig se Hassan for mig deroppe i træet, sollyset der spillede gennem bladene ned på hans næsten helt runde hoved, et hoved som en kinesisk dukke skåret i hårdt træ: hans flade, brede næse og skæve, smalle øjne som bambusblade, øjne der, afhængig af lyset, var gyldne, grønne, ja indimellem såfirblå. Jeg kan stadig se for mig hans små, lavtsiddende ører og spidse hage, et kødfuldt vedhæng der så ud som om det var sat på ved en tilfældighed. Og hareskåret, lidt til venstre for midten, hvor den kinesiske dukkemagers redskab må være smuttet, eller måske var han bare blevet træt og ligeglad.

En gang imellem, når vi sad oppe i et af træerne, overtalte jeg Hassan til at skyde valnødder efter naboens enøjede schæferhund med sin slangebøsse. Hassan var ikke meget for det, men hvis jeg bad ham, *virkelig* bad ham, gjorde han det. Hassan sagde aldrig nej, når jeg bad ham om noget. Og han var livsfarlig med sin slangebøsse. Når Hassans far, Ali, opdagede vores unoder, blev han gal i hovedet, så gal som den blide Ali

7

nu kunne blive. Han virrede med fingeren og kommanderede os ned fra træet. Han tog spejlet fra os og fortalte os det hans mor havde fortalt ham, nemlig at også djævelen legede med spejle og brugte dem til at distrahere muslimer når de bad. „Og han ler mens han gør det," tilføjede han altid og så vredt på sin søn.

„Ja, far," mumlede Hassan så og slog blikket ned. Men han sladrede aldrig om mig. Fortalte aldrig at spejlet, og det at beskyde naboens hund med valnødder, altid var min idé.

Poplerne flankerede rødstensindkørslen som førte op til et par smedejernslåger foran den videre opkørsel mod min fars store hus. Indkørslen endte i en gårdsplads, og huset lå til venstre for denne. Alle var enige om at min far, min baba, havde bygget det smukkeste hus i Wazir Akbar Khan-distriktet, et nyt og velstående kvarter i den nordlige ende af Kabul. En bred flisegang flankeret af rosenbuske førte op til huset, et omfattende kompleks med marmorgulve og brede vinduer. Ornamenterede mosaikfliser, personligt indkøbt af min far i Isfahan, udgjorde gulvene i de fire badeværelser. Guldbroderede vægtæpper som baba havde indkøbt i Calcutta, smykkede væggene, en krystallysekrone hang ned fra det hvælvede loft.

På første sal lå mit værelse, babas værelse og hans kontor, også kendt som 'rygeværelset', hvor der duftede stærkt af tobak og kanel. Baba og hans venner slog sig gerne ned deroppe i sorte læderstole efter at Ali havde serveret aftensmad. De stoppede deres piber – bortset fra at baba altid kaldte det at 'fylde piben' – og talte om deres tre yndlingsemner: politik, forretning og fodbold. En gang imellem spurgte jeg baba om jeg måtte sidde med, men så stillede baba sig i døråbningen. „Gå nu med dig," sagde han. „Det her er kun for voksne. Hvorfor går du ikke hen og læser en bog?" Og så lukkede han døren, og jeg stod alene tilbage og spekulerede på hvorfor det *altid* kun var for voksne, hvad ham angik. Jeg satte mig så ved siden af døren, trak knæene helt op til brystet, og en gang imellem sad jeg der i en time, måske to, og hørte på deres latter, deres snak.

Stuen nedenunder havde en buet væg med specialfremstillede skabe. Inde i skabene stod indrammede familiebilleder: et gammelt, grynet foto af min farfar og kong Nadir Shah, taget i 1931, to år før kongen blev myrdet. De står med en fod på et nedlagt dyr, iført knæhøje støvler og med geværer slynget over deres skuldre. Der var et billede taget på mine forældres bryllupsdag, baba elegant i sit sorte tøj og min mor, en smilende, ung prinsesse i hvidt. Her var baba og hans bedste ven og forretningspartner, Rahim Khan, uden for vores hus, ingen af dem smiler – jeg er kun en baby på det billede, og det er baba der med et træt og bistert ansigt holder mig. Jeg ligger i hans arme, men det er Rahim Khans lillefinger min hånd har lukket sig om.

Fra den buede væg kom man ind i spisestuen, og midtpunktet i den var et mahognibord som der med lethed kunne sidde tredive gæster omkring – og det gjorde der, på grund af min fars smag for overdådige selskaber, næsten hver eneste uge. I den anden ende af spisestuen var der en høj marmorkamin som om vinteren altid lyste med en orange glød fra et ulmende bål.

En stor skydedør af glas førte ud til en halvrund terrasse med udsigt over en én hektar stor baghave og rækker af kirsebærtræer. Baba og Ali havde anlagt en lille køkkenhave langs østmuren: tomater, pebermynte, peberfrugter og et bed med majs som aldrig rigtig blev til noget. Hassan og jeg plejede at kalde den 'Muren med den skrantende majs'.

I sydenden af haven, i skyggen under et mispeltræ, lå tjenerboligen, en beskeden lille lerklinet hytte, hvor Hassan boede sammen med sin far.

Det var der, i denne lille hytte, at Hassan kom til verden i vinteren 1964 blot et år efter at min mor døde i barselsseng.

I de atten år jeg boede i huset, skete det kun en håndfuld gange at jeg trådte ind i Hassan og Alis bolig. Når solen var forsvundet bag bakkerne, og Hassan og jeg var færdige med at lege, skiltes vores veje. Jeg gik forbi rosenbuskene op til babas store hus, og Hassan til hytten hvor han var født, og hvor han havde boet hele sit liv. Jeg kan huske at den var enkel, ren, svagt oplyst af et par petroleumslamper. Der lå to madrasser i hver sin side af rummet, et slidt Herati-tæppe med frynser imellem dem, og derudover stod der en trebenet stol og et træbord i hjørnet hvor Hassan sad når han tegnede. Væggene var nøgne bortset fra et enkelt billedtæppe med påsyede perler der dannede ordene *Allah-u-akbar*. Baba havde købt det til Ali på en af sine rejser til Mashad.

Det var i denne lille hytte at Hassans mor, Sanaubar, bragte ham til verden en kold vinterdag i 1964. Min mor forblødte da hun fødte mig, og Hassan mistede sin mindre end en uge efter sin fødsel. Mistede hende til en skæbne som de fleste afghanere regner for langt værre end døden: Hun stak af med en flok omrejsende sangere og dansere.

Hassan talte aldrig om sin mor, det var som om hun aldrig havde eksisteret. Jeg plejede at spekulere på om han mon drømte om hende, om hvordan hun så ud, hvor hun var henne? Jeg spekulerede på om han gerne ville møde hende, om han længtes efter hende sådan som jeg længtes efter den mor jeg aldrig havde set? En dag var vi på vej fra min fars hus til Zainab-biografen for at se en ny iransk film og tog genvejen gennem militærområdet i nærheden af Istiqlal Mellemskole – baba havde forbudt os at tage genvejen, men på det tidspunkt var han i Pakistan sammen med Rahim Khan. Vi forcerede hegnet omkring baraklejren, sprang over en lille bæk og kom ud på et åbent stykke jord hvor gamle, udrangerede kampvogne stod og rustede. En flok soldater sad i skyggen ved siden af en af disse kampvogne og røg og spillede kort. En af dem fik øje på os, stak en albue i siden på manden ved siden af og kaldte på Hassan.

„Du der," sagde han. „Dig kender jeg."

Vi havde aldrig set ham før. Det var en lavstammet mand med glatbarberet hoved og mørke skægstubbe i underansigtet. Den måde han grinede til os på, smiskende, gjorde mig bange.

„Bliv ved med at gå," mumlede jeg til Hassan.

„Du der! Hazara! Se på mig når jeg taler til dig!" glammede soldaten. Han rakte sin cigaret videre til manden ved siden af og dannede en cirkel med den ene hånds tommel- og pegefinger. Og stak så langfingeren på den anden igennem cirklen. Ind og ud. „Jeg kendte din mor, vidste du det? Jeg kendte hende rigtig godt. Jeg tog hende bagfra henne ved bækken derovre."

Soldaterne lo. En af dem udstødte en hvinende lyd. Jeg sagde til Hassan at han skulle blive ved med at gå, blive ved med at gå.

„Sikken stram, lille, liflig kusse hun havde!" sagde soldaten og gav skraldgrinende hånd til de andre. Senere, i mørket, efter at filmen var begyndt, hørte jeg Hassan hikste ved siden af mig. Tårer trillede ned ad hans kinder. Jeg rakte over sædet, slyngede min arm om ham og trak ham tættere ind til mig. Han hvilede sit hoved mod min skulder. „Han troede du var en anden," hviskede jeg. „Han troede du var en anden."

Jeg har hørt at ingen i virkeligheden var overrasket da Sanaubar stak af. Folk *havde* hævet øjenbrynene da Ali, en mand som kunne Koranen udenad, giftede sig med Sanaubar, en kvinde nitten år yngre end ham, en smuk, men notorisk letlevende kvinde som levede op til sit æreløse rygte. Ligesom Ali var hun shiamuslim og etnisk hazara. Hun var også hans kusine og derfor et naturligt valg til kone. Men ud over disse ligheder havde Ali og Sanaubar kun lidt tilfælles, mindst af alt deres respektive udseende. Hvor Sanaubars strålende grønne øjne og gavtyveagtige ansigt ifølge sladderen havde lokket mangen en mand ud i synd, havde Ali en medfødt lammelse i de nedre ansigtsmuskler, en tilstand der gjorde det umuligt for ham at smile og gav ham et bestandig bistert udtryk i ansigtet. Det var mærkeligt når man så Ali med stenansigtet lykkelig, eller bedrøvet, for kun de skæve, brune øjne glimtede med et smil eller blev fyldt med sorg. Folk siger at øjne er sjælens spejl. Aldrig har det været mere sandt end med Ali som kun kunne afsløre sine følelser gennem øjnene.

Jeg har hørt at Sanaubars æggende gang og vuggende hofter fik mænd til at drømme om utroskab. Men polio havde efterladt Ali med et forkrøblet ben – gusten hud over knogler med kun et papirtyndt lag muskler imellem. Jeg kan huske en dag – jeg var kun otte år gammel – da Ali tog mig med til basaren for at købe *naan*. Jeg gik bag ved ham, nynnende, mens jeg forsøgte at efterligne hans gang. Jeg så ham svinge sit tynde ben rundt i en bue; så hele hans krop hælde i en umulig vinkel til højre hver gang han satte denne fod ned. Det forekom at være et mindre mirakel at han ikke faldt hver gang han gjorde det. Da jeg forsøgte at abe efter, var jeg nær faldet ned i rendestenen. Det fik mig til at fnise. Ali vendte sig om og overraskede mig i at efterabe ham. Han sagde ikke noget. Ikke dengang, ikke senere. Han gik bare videre.

Alis udseende og hans gang gjorde nogle af de små børn i kvarteret bange. Men de største problemer havde han med de større børn. De løb efter ham på gaden og spottede ham når han haltede forbi. En var begyndt at kalde ham *Babalu* eller Bussemand. „Hvem har du nu spist, din fladnæsede Babalu?"

De kaldte ham 'fladnæset' på grund af hans og Hassans karakteristiske hazara-mongoloide træk. I mange år var det alt hvad jeg vidste om hazaraerne: at de nedstammede fra mongolerne, og at de lignede kineserne en smule. Der stod ikke meget om dem i skolebøgerne, deres oprindelse blev kun nævnt i forbifarten. Så en dag, da jeg befandt mig i babas kontor og snusede rundt, fandt jeg en af min mors gamle historiebøger. Den var skrevet af en iraner ved navn Khorami. Jeg pustede støvet af den, listede den med op i seng samme aften og fandt til min forbløffelse et helt kapitel om hazaraernes historie. Et helt kapitel om Hassans oprindelse! Jeg læste at mit folk, pashtunerne, havde forfulgt og dræbt hazaraerne. Der stod at hazaraerne havde forsøgt at gøre oprør mod pashtunerne i det nittende århundrede, men at pashtunerne havde 'slået oprøret ned med uhørt brutalitet'. Jeg læste at mit folk havde myrdet hazaraerne, jaget dem væk fra deres jorder, nedbrændt deres huse og solgt deres kvinder. Jeg læste at en af grundene til at pashtunerne havde undertrykt hazaraerne, var at pashtunerne var sunnimuslimer, hvorimod hazaraerne var shiaer. Der stod mange ting i bogen som jeg ikke vidste, ting som min lærer aldrig havde nævnt. Ting som heller ikke baba havde nævnt. Der stod også ting som jeg *godt* vidste, for eksempel at folk kaldte hazaraerne for *musædere, fladnæser, pakæsler*. Jeg havde hørt børn i kvarteret råbe disse navne efter Hassan.

Næste uge, efter skoletid, viste jeg min lærer bogen og pegede på kapitlet om hazaraerne. Han skimmede et par sider, fnisede og rakte mig bogen igen. „En af de ting shiamuslimer er gode til," sagde han og tog sine papirer op, „er at tegne et martyrbillede af sig selv." Han rynkede på næsen, da han sagde ordet 'shiamuslim'; som om det var en slags sygdom.

Men på trods af etnisk arv og slægtskab var Sanaubar sammen med kvarterets børn med til at håne Ali. Jeg har hørt at hun ikke gjorde nogen hemmelighed af sin foragt for hans udseende.

„Skulle det her være en mand?" kunne hun snerre. „Jeg har set udtjente æsler der var bedre egnet til at gifte sig med."

Til sidst mente de fleste at ægteskabet havde været et arrangement af en slags mellem Ali og hans onkel, Sanaubars far.

De sagde at Ali havde giftet sig med sin kusine i et forsøg på at rehabilitere onklens vanærede navn selv om Ali, der var blevet forældreløs i en alder af fem år, ikke havde nogen jordiske ejendele eller arv at tale om.

Ali hævnede sig aldrig på sine plageånder, delvis, tror jeg, fordi han ikke kunne fange dem med det forkrøblede ben slæbende efter sig, men mest fordi Ali var immun over for sine angriberes fornærmelser; han havde fundet lykken, modgiften, i det øjeblik Sanaubar bragte Hassan til verden. Det havde været en enkel nok affære. Ingen fødselslæge, ingen narkoselæge, ingen smarte overvågningsapparater. Kun Sanaubar der lå på en plettet, lagenløs madras med blot Ali og jordemoderen til at hjælpe sig. Hun havde ikke haft brug for nogen særlig hjælp, for selv under fødslen havde Hassan levet op til sin natur: Han var ude af stand til at påføre andre smerte. Et par grynt, et par presseveer, og ud kom Hassan. Ud kom en smilende Hassan.

Som den snakkesalige jordemoder havde betroet en nabotjener der derefter havde fortalt det videre til alle der gad lytte, havde Sanaubar kastet et enkelt blik på babyen i Alis arme, set hareskåret og gøet en bitter latter.

„Værsgo!" havde hun sagt. „Nu har du dit eget idiotbarn til at smile for dig!" Hun havde nægtet at tage Hassan i sine arme, og bare fem dage senere var hun væk.

Baba hyrede den samme amme til Hassan som havde givet mig bryst. Ali fortalte os at det var en hazarakvinde med blå øjne fra Bamiyan, byen med de gigantiske Buddha-statuer. „Hvor havde hun dog en sød sangstemme," plejede han at sige til os.

Hvad sang hun? spurgte Hassan og jeg altid, selv om vi godt vidste det – Ali havde fortalt os det utallige gange. Vi ville bare gerne høre Ali synge.

Han rømmede sig og begyndte:

14

På det høje bjerg jeg stod
og råbte Alis navn, løve blandt guder
O Ali, løve blandt guder, konge blandt mennesker
giv glæde til vore sorgfulde hjerter.

Derefter mindede han os om, at der eksisterede et broderskab blandt mennesker, der havde diet ved det samme bryst, et slægtskab som ikke engang tiden kunne bryde.

Hassan og jeg havde diet ved det samme bryst. Vi tog vores første skridt på den samme græsplæne i den samme have. Og, under det samme tag, sagde vi vores første ord.

Mit var *baba*.

Hans var *Amir*. Mit navn.

Nu hvor jeg ser tilbage, tror jeg at fundamentet til det der skete vinteren 1975 – og alt det der kom efter – blev lagt i disse første ord.

TRE

Ifølge en legende sloges min far engang med de bare næver med en sort bjørn i Baluchistan. Hvis historien havde handlet om enhver anden, ville den være blevet afvist som det rene *laaf*, den afghanske tendens til at overdrive – en desværre næsten national lidelse; hvis en eller anden pralede med at hans søn var læge, var sandheden formentlig at knægten engang havde bestået en biologiprøve i skolen. Men ingen tvivlede på sandfærdigheden i historierne om baba. Og hvis de gjorde det, nå ja, baba havde faktisk tre parallelle ar der i en ujævn linje løb ned ad ryggen på ham. Jeg har fantaseret om babas brydekamp utallige gange, sågar drømt om den. Og i de drømme kan jeg ikke skelne baba fra bjørnen.

Det var Rahim Khan der første gang omtalte ham med det

der med tiden blev hans berømte øgenavn, *Toophan agha*, eller 'hr. Tornado'. Det er et velvalgt øgenavn. Min far var en naturkraft, et tårnhøjt, pashtunsk eksemplar af en mand med et kraftigt skæg, en vilter manke af krøllede, brune lokker så uregerlige som manden selv, næver man kunne mistænke for at kunne rive en hængepil op med rode, et sort, borende blik der kunne få 'djævelen til at falde på knæ og bede om nåde', som Rahim Khan plejede at sige. Til selskaber rettedes opmærksomheden mod ham som solsikker der drejer sig efter solen, i samme øjeblik hans næsten to meter høje skikkelse kom buldrende ind.

Det var umuligt at ignorere baba, selv når han sov. Jeg plejede at stoppe vat i ørerne og trække tæppet op over hovedet, og alligevel trængte babas snorken – så lig en brummende lastbilmotor – gennem væggene. Og mit værelse lå lige over for babas. Det er mig en gåde hvordan min mor nogensinde fik lukket et øje med ham i samme rum. Dette var bare et af punkterne på den lange liste med spørgsmål jeg ville have stillet hende hvis jeg nogensinde havde kendt hende.

I slutningen af 1960'erne, da jeg var fem-seks år gammel, besluttede baba at bygge et børnehjem. Det var Rahim Khan der fortalte mig det. Han sagde at baba selv havde lavet tegningerne, skønt han overhovedet ingen erfaring havde med arkitektur. Skeptikere ivrede for at han skulle holde op med det vanvid og ansætte en arkitekt. Baba nægtede selvfølgelig, og alle rystede opgivende på hovedet over hans stædighed. Men så blev det en succes, og alle rystede ærefrygtigt på hovedet over hans triumf. Baba betalte med egne penge for opførelsen af det tre etager høje børnehjem lige for enden af hovedstrøget Jadeh Maywand syd for Kabul-floden. Rahim Khan fortalte mig at baba personligt finansierede hele projektet, betalte ingeniørerne, blikkenslagerne og arbejdsmændene, for ikke at tale om embedsmænd i byen hvis 'overskæg trængte til at blive smurt'.

Det tog tre år at bygge børnehjemmet. På det tidspunkt var jeg otte år. Jeg kan huske at baba dagen før det blev indviet, tog mig med til Ghargha-søen nogle kilometer nord for Kabul. Han bad mig om at hente Hassan, men jeg løj og sagde at Hassan havde diaré. Jeg ville have baba for mig selv. Og noget andet: Engang smuttede Hassan og jeg sten ved Ghargha-søen, og Hassan fik sin sten til at smutte hele otte gange. Baba var sammen med os, kiggede på, og han klappede Hassan på skulderen. Lagde oven i købet armen om ham.

Vi sad ved et picnicbord på bredden af søen, kun baba og mig, og spiste kogte æg med *kofta*-sandwicher – kødboller og pickles rullet ind i *naan*. Vandet var mørkeblåt, og solen glitrede på dets spejl – et helt roligt spejl. Om fredagen myldrede det ved søen med familier på udflugt i solen. Men det var midt på ugen, og der var kun baba og mig samt et par langhårede, skæggede turister – 'hippier' havde jeg hørt dem omtalt som. De sad på molen med fødderne dinglende ned i vandet og fiskestænger i hænderne. Jeg spurgte baba hvorfor de lod håret vokse så langt, men baba gryntede, svarede ikke. Han sad og øvede sig på sin tale til næste dag, bladrede gennem et virvar af håndskrevne papirer, gjorde et notat her og der med blyant. Jeg tog en bid af mit æg og spurgte baba om det var sandt, det en dreng i skolen havde fortalt mig, at hvis man spiste et stykke æggeskal, skulle det tisses ud. Baba gryntede igen.

Jeg tog en bid af min sandwich. En af de lyshårede turister lo og slog den anden på skulderen. I det fjerne, på den modsatte bred, rumlede en lastbil rundt i et sving på bakken. Solen reflekteredes i dens sidespejl.

„Jeg tror jeg har *saratan*," sagde jeg. Kræft. Baba så op fra papirerne som blafrede i vinden. Sagde til mig at jeg selv kunne hente sodavanden, jeg kunne bare se efter i bilens bagagerum.

Næste dag, uden for børnehjemmet, løb de tør for stole. En

masse mennesker var nødt til at stå op for at se indvielsen. Det var en blæsende dag, og jeg sad bag ved baba på et lille podium lige foran hoveddøren til den nye bygning. Baba var iført et grønt sæt tøj og en persianerhue. Midtvejs inde i talen slog blæsten huen af hans hoved, og alle brast i latter. Han gjorde tegn til mig om at holde hatten for ham, og det gjorde jeg med glæde, for nu kunne de alle se at han var *min* far, *min* baba. Han vendte sig igen mod mikrofonen og sagde at han håbede at bygningen var mere robust end hans hat, og igen lo de alle sammen. Da baba afsluttede sin tale, rejste folk sig op og råbte hurra. Nogle af dem purrede op i mit hår og gav også mig hånden. Jeg var så stolt af baba, af os.

Men på trods af babas succes tvivlede folk på hans evner. De sagde til ham at det ikke lå i hans blod at være forretningsmand, og at han hellere burde læse jura som sin far. Så baba gjorde deres tvivl til skamme ved ikke blot at blive forretningsmand, men også at blive en af de rigeste forretningsmænd i Kabul. Baba og Rahim Khan byggede en fantastisk succesrig tæppeeksport-forretning, to apoteker og en restaurant op fra grunden.

Da folk spottende sagde at baba aldrig ville gifte sig godt – han havde jo trods alt ikke blåt blod i årerne – giftede han sig med min mor, Sofia Akrami, en højtuddannet kvinde, almindeligt regnet for at være en af Kabuls mest respekterede, smukke og dydige kvinder. Og ikke blot underviste hun i farsi-litteratur på universitetet, hun nedstammede også fra kongefamilien, en kendsgerning min far fornøjet drillede skeptikerne med når han omtalte hende som 'min prinsesse'.

Med mig som en iøjnefaldende undtagelse modellerede min far verden omkring sig efter sin egen smag. Problemet var selvfølgelig at baba opdelte verden i sort og hvidt. Og det var ham der bestemte hvad der var sort, og hvad der var hvidt. Man kan ikke elske et menneske som lever på den måde, uden samtidig at frygte ham. Og måske også hade ham en lille smule.

Da jeg gik i femte klasse, havde vi en mullah som underviste os i islam. Hans navn var mullah Fatiullah Khan, en lavstammet, kraftig mand med en bøs stemme og et ansigt der var fyldt med bumsekratere. Han prædikede for os om at give *zakat* og om pligten til at drage på *hadj* til de hellige steder; han lærte os det indviklede mønster i de fem daglige *namaz*-bønner og fik os til at lære vers fra Koranen udenad – og selv om han aldrig oversatte ordene for os, understregede han, en gang imellem med en skrællet pilestok som hjælper, at vi var nødt til at udtale de arabiske ord korrekt så Gud bedre kunne høre os. En dag sagde han til os at det ifølge islam var en skrækkelig synd at drikke; de som drak, ville komme til at bøde for deres synd på *Qiyamat*, dommens dag. Dengang var det ret almindeligt at drikke i Kabul. Ingen blev offentligt pisket for at gøre det, men de fleste afghanere der drak, gjorde det af respekt hjemme hos sig selv. Folk købte deres whisky som 'medicin' i brune papirposer fra udvalgte 'apoteker'. De forlod apoteket med den brune pose gemt af vejen og tiltrak sig en gang imellem skjulte, misbilligende blikke fra dem som kendte butikkens ry for den slags transaktioner.

Vi sad ovenpå, i babas kontor, rygeværelset, da jeg fortalte ham om det mullah Fatiullah Khan havde lært os. Baba stod og var ved at skænke sig en whisky henne ved den bar han havde bygget i hjørnet af rummet. Han lyttede, nikkede, tog en slurk af sin drink. Så satte han sig i lædersofaen, stillede glasset fra sig og tog mig på skødet. Jeg følte det som sad jeg på et par træstammer. Han trak vejret dybt ind og pustede ud gennem næsen. Luften hvislede gennem hans overskæg i hvad der forekom mig som en evighed. Jeg kunne ikke gøre op med mig selv om jeg ønskede at give ham et knus eller springe ned fra hans skød i dødelig angst.

„Jeg kan se at du blander det du lærer i skolen, sammen med reel dannelse," sagde han med sin dybe stemme.

„Men hvis det han siger, er sandt, så er De en synder, baba."

„Hmm." Baba knasede et stykke is mellem tænderne. „Vil du gerne vide hvad din far tænker om synd?"

„Ja."

„Så skal jeg fortælle dig det," sagde baba, „men først er du nødt til at forstå dette, og forstå det rigtigt, Amir: Du vil aldrig komme til at lære noget af værdi af de der skæggede idioter."

„Mener De mullah Fatiullah Khan?"

Baba slog ud med hånden med sit glas. Isen klirrede. „Jeg mener dem alle sammen. Pis på de der selvretfærdige abers skæg."

Jeg begyndte at fnise. Tanken om baba der pissede på et abeskæg, selvretfærdigt eller ej, var for meget.

„De bestiller ikke andet end at pille ved deres bedekranse og recitere fra en bog, skrevet på et sprog som de ikke fatter en lyd af." Han tog en slurk. „Gud hjælpe os hvis Afghanistan nogensinde falder i kløerne på dem."

„Men mullah Fatiullah Khan virker rar," lykkedes det mig at få ud mellem fnis.

„Det samme gjorde Genghis Khan," sagde baba. „Men nok om det. Du spurgte mig om synd, og jeg vil gerne fortælle dig om det. Hører du efter?"

„Ja," sagde jeg og pressede læberne sammen. Men en kluklatter undslap gennem min næse og kom ud som en snorkende lyd. Det fik mig til at fnise igen.

Babas strenge blik borede sig ind i mine øjne, og med ét grinede jeg ikke længere. „Jeg vil gerne tale med dig som mand til mand. Tror du du for en gangs skyld vil kunne klare det?"

„Ja, baba jan," mumlede jeg og undrede mig, og ikke for første gang, over hvor slemt baba kunne såre mig med så få ord. Vi havde haft et flygtigt godt øjeblik – det var ikke ofte at baba talte med mig, for ikke at tale om at tage mig på skødet – og jeg fjols havde ødelagt øjeblikket.

„Godt," sagde baba, men hans øjne tvivlede. „Nå, uanset hvad mullaherne lærer dig, findes der kun én synd, kun én. Og det er tyveri. Alle andre synder er en afart af tyveri. Forstår du det?"

„Nej, baba jan," sagde jeg og ønskede desperat at jeg gjorde. Jeg ville ikke skuffe ham igen.

Baba sukkede utålmodigt. Også det sved, for han var ikke en utålmodig mand. Jeg kunne huske alle de gange han først var kommet hjem efter mørkets frembrud, alle de gange hvor jeg havde spist aftensmad alene. Jeg spurgte Ali hvor baba var, hvornår han kom hjem, selv om jeg udmærket vidste at han var henne på byggepladsen for at overvåge hvordan arbejdet skred frem. Krævede det da ikke tålmodighed? Jeg var allerede begyndt at hade alle de børn han byggede børnehjemmet til; en gang imellem ønskede jeg at de var døde sammen med deres forældre.

„Når du slår en mand ihjel, stjæler du et liv," sagde baba. „Du stjæler kvindens ret til sin mand, stjæler en far fra hans børn. Når du lyver, stjæler du en andens krav på sandhed. Når du snyder, stjæler du retfærdighed fra en anden. Forstår du nu?"

Det gjorde jeg. Dengang baba var seks år gammel, brød en tyv ind i min farfars hjem midt om natten. Min farfar, en respekteret dommer, konfronterede ham, men tyven stak ham i halsen så han døde på stedet – og stjal derved en far fra baba. Folk i byen fangede morderen ved middagstid næste dag; det viste sig at være en vagabond fra Kunduz-regionen. De hængte ham i et egetræ blot to timer før de gik til eftermiddagsbøn. Det var Rahim Khan, ikke baba, som fortalte mig den historie. Alt hvad jeg vidste om baba, havde andre mennesker fortalt mig.

„Der findes ikke noget mere gement end at stjæle, Amir,"

sagde baba. „En mand der tager noget som det ikke tilkommer ham at tage, det være sig et liv eller en skive *naan*... Jeg spytter på en sådan mand. Og hvis vores veje nogensinde krydses, så må Gud være ham nådig. Forstår du hvad jeg siger?"

Jeg fandt tanken om baba der bankede en tyv, både oplivende og frygtelig skræmmende. „Ja, baba."

„Hvis der er en Gud derude, håber jeg han har vigtigere ting at tage sig til end bekymre sig om at jeg drikker whisky og spiser svinekød. Og hop så ned. Al den snak om synd har gjort mig tørstig igen."

Jeg så ham fylde sit glas på ny henne ved baren og spekulerede på hvor lang tid der mon ville gå før vi talte sammen igen, sådan som vi lige havde gjort. For sandheden var at jeg altid havde på fornemmelsen at baba hadede mig en lille smule. Og hvorfor ikke? *Jeg* havde trods alt myrdet hans elskede hustru, hans smukke prinsesse, ikke sandt? Det mindste jeg kunne have gjort, var i anstændighedens navn at udvikle mig en smule mere i hans retning. Men det havde jeg ikke gjort. Langtfra.

Vi plejede at lege en leg i skolen kaldet *Sherjangi* eller 'Digterkrigen'. Farsi-læreren styrede slagets gang, og det gik ud på følgende: Man reciterede et vers fra et digt, og ens modstander havde tres sekunder til at svare med et vers der begyndte med det samme bogstav som ens eget sluttede med. Alle i min klasse kæmpede om at få mig på deres hold, for da jeg var elleve år, kunne jeg massevis af vers af Kahyyám og Hãfez udenad og fra Rumis berømte *Masnawi*. Én gang stillede jeg op imod hele klassen og vandt. Jeg fortalte baba om det senere på aftenen, men han nikkede blot og mumlede: „Fint."

Det var derhen jeg flygtede fra min fars manglende interesse: i min afdøde mors bøger. Dem og Hassan selvfølgelig. Jeg læste alt. Rumi, Hãfez, Saadi, Victor Hugo, Jules Verne, Mark

Twain, Ian Fleming. Da jeg havde læst alle min mors bøger – ikke de kedelige historiske bøger, de optog mig ikke særlig meget, men romaner, episke fortællinger – begyndte jeg at bruge mine lommepenge på bøger. Jeg købte en om ugen i boghandelen over for Cinema Park og lagde dem i papkasser da jeg løb tør for reolplads.

At gifte sig med en digter var én sag, men at være far til en søn der foretrak at begrave sig i lyrik frem for at gå på jagt... ja, det var vel ikke hvad baba havde forestillet sig. Rigtige mænd læste ikke digte – og gud forbyde at de nogensinde skulle begynde at skrive dem! Rigtige mænd – rigtige drenge – spillede fodbold ligesom baba dengang han var dreng. Se, *det* var noget at gå lidenskabeligt op i! I 1970 tog baba en pause fra opførelsen af børnehjemmet og fløj til Teheran i en måned for at se verdensmesterskabet i fodbold, eftersom der på det tidspunkt endnu ikke fandtes fjernsynsapparater i Afghanistan. Han meldte mig ind i fodboldklubben for at vække den samme lidenskab i mig. Men jeg var ynkværdig, en forkludrende belastning for mit eget hold, altid i vejen for en oplagt centring eller galt placeret ved en oplagt målchance. Jeg tumlede rundt på banen på radmagre ben og råbte på afleveringer som aldrig kom. Og jo mere ihærdigt jeg prøvede, viftede med armene over hovedet og skreg: „Jeg er fri! Jeg er fri!", jo mere blev jeg ignoreret. Men baba ville ikke give op. Da det stod indlysende klart at jeg ikke havde arvet en tøddel af hans atletiske talenter, slog han sig til tåls med at forvandle mig til en lidenskabelig tilskuer. Det måtte jeg da kunne klare, ikke sandt? Jeg foregav interesse så længe jeg kunne. Jeg jublede med ham når Kabuls hold scorede mod Kandahar, og råbte fornærmelser ned mod dommeren når han gav en af vores spillere det gule kort. Men baba fornemmede min mangel på interesse og affandt sig med den triste kendsgerning at hans søn hverken ville komme til at spille eller interessere sig for fodbold.

Jeg kan huske engang baba tog mig med til den årlige *buz-kashi*-turnering som fandt sted den første forårsdag, nytårsdag. *Buzkashi* var, og er stadig, Afghanistans nationalsport. En *chapandaz*, en dygtig rytter der som regel er sponsoreret af rige aficionadoer, skal snuppe et gede- eller okseskelet, beskyttet af en masse andre, og i galop bære skelettet hele stadion rundt og smide det fra sig i et mål mens et andet hold *chapandaz*'er jagter ham og gør alt hvad de kan – sparker, kradser, pisker, slår – for at tage det fra ham. Den dag brølede tilskuerne af begejstring da rytterne på marken udstødte deres krigsråb og kæmpede om skelettet midt i en enorm støvsky. Jorden skælvede under de dundrende hestehove. Vi så til fra de øverste bænkerader da rytterne kom farende forbi i fuld galop, råbende og skrigende, mens fråden stod om munden på deres heste.

På et tidspunkt pegede baba på en eller anden. „Amir, kan du se den mand deroppe med en masse andre mænd omkring sig?"

Det kunne jeg.

„Det er Henry Kissinger."

„Åh," sagde jeg. Jeg vidste ikke hvem Henry Kissinger var, og jeg skulle lige til at spørge, men i det samme så jeg til min rædsel en af *chapandaz*'erne falde af hesten og blive trampet ned under snesevis af hove. Hans krop blev sparket rundt og rundt som en kludedukke og lå først stille da hestene var kommet forbi. Det gav et spjæt i ham, og så lå han helt stille, med benene bøjet i en unaturlig vinkel, mens blodet sivede ned i sandet omkring ham.

Jeg begyndte at græde.

Jeg græd hele vejen hjem. Jeg kan huske hvordan babas hænder knugede omkring rattet. Knugede og slappede af. Jeg kan især ikke glemme babas tapre forsøg på at skjule et foragtende udtryk mens han uden at sige noget kørte af sted.

Senere samme aften kom jeg forbi min fars kontor og overhørte en samtale mellem ham og Rahim Khan. Jeg pressede øret mod den lukkede dør.

„… og taknemmelig over at han er sund og rask," sagde Rahim Khan.

„Jeg ved det, jeg ved det. Men han er altid begravet i de der bøger eller sjokker rundt i huset som om han er opslugt af en eller anden drøm."

„Og hvad så?"

„Sådan var jeg ikke!" Baba lød frustreret, næsten vred.

Rahim Khan lo. „Børn er ikke som malebøger. Man kan ikke udfylde tegningerne med ens egne yndlingsfarver."

„Jeg siger dig," sagde baba, „sådan var jeg ikke, og de børn jeg voksede op sammen med, var heller ikke sådan."

„En gang imellem er du et af de mest selvcentrerede mennesker jeg kender," sagde Rahim Khan. Han var det eneste menneske jeg kendte, der kunne slippe godt fra at sige den slags til baba.

„Det har intet med nogen at gøre."

„Ikke det?"

„Nej."

„Jamen, hvad så nu?"

Jeg hørte læderet på babas stol knirke da han skiftede stilling. Jeg lukkede øjnene, pressede mit øre hårdere mod døren, ville høre hans svar, ville ikke høre hans svar. „En gang imellem kigger jeg ud ad vinduet her, og jeg ser ham lege med nabodrengene. Jeg ser hvordan de skubber rundt med ham, tager hans legetøj fra ham, giver ham et puf, et slag. Og, forstår du, han slår aldrig igen. Aldrig. Han bare… hænger med hovedet og…"

„Han er ikke et voldeligt barn," sagde Rahim Khan.

„Det er ikke det jeg mener, Rahim, og det ved du godt," kastede baba tilbage i hovedet på ham. „Den dreng mangler et eller andet i sin karakter."

„Ja, et ondskabsfuldt træk."

„Selvforsvar har intet med ondskabsfuldhed at gøre. Ved du hvad der uvægerligt sker når drengene i kvarteret driller ham? Hassan træder til og jager dem bort. Jeg har set det med mine egne øjne. Og når de kommer hjem, siger jeg til ham: 'Hvordan fik Hassan den skramme i ansigtet?' Og han svarer: 'Han faldt.' Jeg siger dig, Rahim, der er et eller andet galt med den dreng!"

„Du er nødt til at lade ham gå sine egne veje," sagde Rahim Khan.

„Og hvor er han på vej hen?" sagde Baba. „En dreng som ikke vil kæmpe for sig selv, bliver til en mand der ikke vil kæmpe for noget."

„Som altid oversimplificerer du."

„Det tror jeg ikke."

„Du er vred fordi du frygter at han aldrig vil overtage forretningen efter dig."

„Hvem er det nu der oversimplificerer?" sagde baba. „Hør nu, jeg ved at I to holder af hinanden, og det glæder mig. Jeg er skinsyg, men glad. Og det mener jeg. Han har brug for en som... forstår ham, for guderne skal vide at jeg ikke gør det. Men der er noget ved Amir der bekymrer mig på en måde jeg ikke kan forklare med ord. Det er som om..." Jeg kunne se ham for mig, lede efter, række ud efter de rigtige ord. Han sænkede stemmen, men jeg hørte det alligevel: „Hvis jeg ikke med egne øjne havde set lægen trække ham ud af min kone, ville jeg aldrig have troet at han var min søn."

Næste morgen spurgte Hassan mig mens han stod og lavede min morgenmad, om der var noget galt. Jeg snappede ad ham, bad ham om at blande sig udenom.

Rahim Khan tog fejl hvad angik det ondskabsfulde træk.

FIRE

I 1933, det år baba blev født, og det år Zahir Shah indledte sin fyrre år lange regeringstid i Afghanistan, satte to brødre, unge mænd fra en velhavende og respekteret familie i Kabul, sig bag rattet i deres fars Ford roadster. Skæve af hash og *mast* af fransk vin ramte de og dræbte en hazaramand og -kone på vejen til Paghman. Politiet førte de på en vis måde angerfulde unge mænd og det døde pars fem år gamle, nu forældreløse dreng til min farfar, en højt respekteret dommer og mand af ulasteligt ry. Efter at have hørt brødrenes beretning og deres fars bøn om nåde beordrede min farfar de to unge mænd til straks at tage til Kandahar og lade sig hverve i en periode på et år – trods den kendsgerning at deres familie på en eller anden måde havde haft held til at få dem fritaget fra værnepligtstjenesten. Deres far protesterede, men ikke alt for voldsomt, og til sidst var alle enige om at straffen måske var hård, men retfærdig. Hvad angik det forældreløse barn, så optog min farfar ham i sin egen familie og bad de andre tjenere om at lære ham op, men være venlige imod ham. Den dreng var Ali.

Ali og baba voksede op sammen som legekammerater – i det mindste indtil polio forkrøblede Alis ben – ligesom Hassan og jeg en generation senere. Baba fortalte os altid historier om de gavtyvestreger han og Ali lavede, og Ali rystede så på hovedet og sagde: „Men, agha sahib, fortæl dem hvem der var ophavsmand til gavtyvestregerne, og hvem staklen var der måtte føre dem ud i livet." Så lo baba og lagde armen om skulderen på Ali.

Men i ingen af de historier omtalte baba Ali som sin ven.

Det mærkelige var at heller ikke jeg nogensinde tænkte på Hassan og mig selv som venner. Ikke sådan som man almindeligvis opfatter ordet. Pyt med at vi lærte hinanden at køre på cykel uden hænder og byggede et fuldkommen funktionsdygtigt, hjemmelavet kamera af en papæske. Pyt med at vi var ude at sætte drager op mange vintre i træk. Pyt med at Afghanistans ansigt for mig er en dreng med spinkel kropsbygning, glatbarberet hoved og lavtsiddende ører, en dreng med et kinesisk dukkeansigt som for altid lyser op i et hareskårssmil.

Pyt med alle disse ting. For historien er ikke så let at få bugt med. Det samme gælder religion. I sidste ende var jeg pashtun og han hazara, jeg var sunni, og han var shia, og intet ville nogensinde kunne ændre på disse ting. Intet.

Men vi var børn der lærte at kravle sammen, og historie, etnicitet, samfund eller religion vil heller ikke kunne ændre på dét. De første tolv år af mit liv gik med at lege med Hassan. En gang imellem forekommer hele min barndom mig som én lang, doven sommer sammen med Hassan hvor vi legede tagfat mellem virvaret af træer i min fars have, legede skjul, politi og røvere, cowboyer og indianere, pinte insekter – hvor kronen på vores bestræbelser unægteligt var dengang vi plukkede brodden ud af en bi og bandt en snor om staklen for at kunne hive den tilbage hver gang den forsøgte at undslippe.

Vi mobbede *kochi*'erne, nomadefolket, der passerede igennem Kabul på deres vej mod bjergene i nord. Vi hørte deres karavaner nærme sig vores kvarter, deres mæhende får, deres geders *baa*'en, de ringende klokker omkring deres kamelers hals. Vi plejede at løbe udenfor for at se karavanen bevæge sig ned gennem vores gade, mænd med støvede, vejrbidte ansigter og kvinder klædt i lange, spraglede sjaler og med perler og sølvarmbånd om håndled og ankler. Vi kastede småsten efter deres geder. Vi sprøjtede vand på deres muldyr. Jeg ville få Hassan til at sætte sig på Muren med den skrantende majs og skyde småsten efter kamelrumperne med sin slangebøsse.

Vi så vores første western sammen, *Rio Bravo* med John Wayne, i Cinema Park lige over for min yndlingsboghandler.

Jeg kan huske at jeg tryglede baba om at tage os med til Iran så vi kunne hilse på John Wayne. Baba begyndte at le sin dybe latter – en lyd der kunne minde om en lastbil der gassede op – og da han igen havde fået vejret, fortalte han os om det at synkronisere. Hassan og jeg var som lammede. Chokerede. John Wayne talte i virkeligheden ikke farsi, og han var ikke iraner! Han var amerikaner ligesom de venlige, langhårede mænd og kvinder som vi så strejfe om i Kabul iført deres lasede, farvestrålende skjorter. Vi så *Rio Bravo* tre gange, men vi så vores yndlingswestern, *Syv Mænd sejrer*, tretten gange. Hver gang græd vi over slutningen hvor de mexicanske børn begraver Charles Bronson – som, viste det sig, heller ikke var iraner.

Vi slentrede rundt i de krydderiduftende basarer i Kabuls Shar-e-Nau-kvarter, eller i den nye by vest for Wazir Akbar Khan. Vi diskuterede den eller den film som vi lige havde set, mens vi masede os igennem basarernes menneskemængder, forbi købmænd og tiggere, rundt i de smalle passager med række på række af små, tætpakkede boder. Baba gav os hver ti afghani i ugepenge, og vi brugte dem på lunkne coca-colaer og rosenvandsis med knuste pistacienødder som krymmel.

I skoleåret havde vi en daglig rutine. På det tidspunkt hvor jeg modvilligt var stået op og havde slæbt mig ud på badeværelset, havde Hassan allerede vasket op, bedt morgen-*namaz* sammen med Ali og lavet min morgenmad: hed sort te med tre sukkerknalder og en skive ristet *naan* med min yndlingsmarmelade, syrlig kirsebær, alt sammen nydeligt anrettet på spisebordet. Mens jeg spiste og brokkede mig over lektierne, redte Hassan min seng, pudsede mine sko, strøg det tøj, jeg skulle have på, pakkede mine bøger og skriveredskaber. Jeg kunne høre ham synge for sig selv mens han strøg, synge gamle hazarasange med sin nasale stemme. Så kørte baba og jeg af sted i hans sorte Ford Mustang – en bil der tiltrak sig misundelige blikke overalt fordi det var samme type bil Steve McQueen havde kørt i i *Bullitt*, en film der var på plakaten i en biograf i hele seks måneder. Hassan blev hjemme og hjalp Ali med dagens arbejde: vaske tøj og hænge det til tørre ude i gården, feje gulve, købe friskbagt *naan* i basaren, marinere kød til aftensmaden, vande græsplænen.

Efter skole mødtes Hassan og jeg så, fandt en bog og travede op på bakkeknolden lige nord for min fars ejendom i Wazir Akbar Khan. Der lå en gammel kirkegård på toppen af bakken med rækker af ukendtes gravsten og vildtvoksende buske langs gangene. Regn og sne havde gennem tiderne fået jernlågerne til at ruste og kirkegårdens lave, hvide stenmure til at smuldre. Der stod et granatæbletræ i nærheden af indgangen til kirkegården. En sommerdag tog jeg en af Alis køkkenknive og skar vores navne i stammen: 'Amir og Hassan, sultaner af Kabul'. Disse ord gjorde ejerskabet formelt, træet tilhørte nu os. Efter skoletid klatrede Hassan og jeg op i træet og plukkede de blodrøde granatæbler. Når vi havde spist frugten og tørret hænderne i græsset, læste jeg højt for Hassan.

I skrædderstilling og med sollys og skygger fra granatæbletræets blade dansende på ansigtet sad Hassan og trak græsstrå op af jorden mens jeg læste de historier for ham som han ikke selv kunne læse. At Hassan skulle vokse op og være analfabet ligesom Ali og de fleste andre hazaraer, var en afgjort sag lige fra fødslen, måske allerede fra det øjeblik han blev undfanget i Sanaubars ugæstfrie skød – hvad nytte havde en tjener trods alt af det skrevne ord? Men trods analfabetismen – eller måske på grund af den – følte Hassan sig draget af ordenes mysterium, forført af de hemmelige ord der var utilgængelige for ham. Jeg læste digte og historier for ham, gættede en gang imellem gåder med ham – skønt jeg holdt op igen da det gik op for mig at han var langt bedre til at løse dem end mig. Derefter læste jeg lettilgængelige ting, som for eksempel eventyr om kluddermiklen mullah Nasruddin og hans æsel. Vi sad i timevis under det træ, sad der indtil solen gik ned i vest, og stadig insisterede Hassan på at der var lys nok til en sidste historie, endnu et kapitel.

Det jeg især holdt af ved at læse højt for Hassan, var når vi stødte på et ord han ikke kendte. Så drillede jeg ham, udstillede hans uvidenhed til spot og spe. Engang da jeg læste en mullah Nasruddin-historie, afbrød han mig. „Hvad betyder det ord?"

„Hvilket ord?"

„Imbecil."

„Ved du ikke hvad det betyder?" spurgte jeg grinende.

„Nej, Amir agha."

„Men det er et helt almindeligt ord."

„Jamen, jeg kender det ikke." Hvis han følte sig ramt af min spot, kunne man ikke se det på hans smilende ansigt.

„Nå, men alle i min skole ved hvad det betyder," sagde jeg. „Lad mig se. 'Imbecil'. Det betyder smart, intelligent. Jeg kan sætte det ind i en sætning for dig. 'Når det drejer sig om ord, er Hassan imbecil.'"

„Åh," sagde han og nikkede.

Bagefter følte jeg mig altid skamfuld og forsøgte at gøre det godt igen ved at forære ham en af mine gamle skjorter eller et stykke ødelagt legetøj. Jeg fortalte mig selv at det var bod nok for en uskyldig spøg.

Hassans yndlingsbog var hævet over enhver tvivl *Shahnameh*, Kongebogen, et nationalepos om oldtidens persiske helte fra det tiende århundrede. Han holdt af alle kapitlerne, dem om de gamle shaher, Feridoun, Zal og Rudabeh. Men yndlingshistorien, hans og min, var 'Rostam og Sohrab', fortællingen om den store kriger Rostam og hans rapfodede hest Rakhsh. Rostam sårer sin tapre nemesis, Sohrab, dødeligt i et slag kun for at opdage at Sohrab er den søn han ikke har set i mange år. Lammet af sorg hører Rostam sin søns sidste ord:

Hvis I i sandhed er min fader, har I plettet jeres sværd med sønnens livsblod. Og I gjorde det i jeres hårdnakkethed. For jeg søgte at vende jeres sind mod kærlighed og tryglede i jeres navn, for jeg troede i jer at se de vidnesbyrd min moder fortalte om. Men jeg anråbte forgæves jeres hjerte, og nu er chancen forpasset...

„Vær sød at læse det igen, Amir agha," sagde Hassan så. En gang imellem steg tårerne op i Hassans øjne når jeg læste denne passage, og jeg plejede at spekulere på hvem han græd over, den sørgende Rostam som flår sit tøj i laser og strør aske ud over hovedet, eller den døende Sohrab som kun længtes efter sin fars kærlighed? Personligt kunne jeg ikke se det tragiske i Rostams skæbne. Nærede alle fædre trods alt ikke dybt inde et ønske om at dræbe deres sønner?

En dag i juli 1973 spillede jeg Hassan endnu et lille puds. Jeg læste højt for ham, og pludselig bevægede jeg mig væk fra den trykte tekst. Jeg lod som om jeg læste fra bogen, vendte jævnligt siderne, men jeg havde fuldstændig bevæget mig væk fra teksten, overtaget historien og lavet min egen. Det gik selvfølgelig hen over hovedet på Hassan. For ham var ordene på siderne kodesprog, umulige at tyde, mystiske. Ord var hemmelige døre, og jeg havde alle nøglerne. Bagefter spurgte jeg ham om han havde kunnet lide historien. En latter arbejdede sig op i min hals da Hassan begyndte at klappe i hænderne.

„Hvad laver du?" spurgte jeg.

„Det er den bedste historie De længe har læst for mig," sagde han og klappede videre.

Jeg lo. „Mener du det?"

„Ja."

„Fascinerende," mumlede jeg. Og mente det. Det var...

fuldstændig uventet. „Er du sikker, Hassan?"

Han klappede stadig. „Den var fantastisk god, Amir agha. Vil De læse videre af den i morgen?"

„Fascinerende," gentog jeg, en smule åndeløst, og følte mig som en mand der har fundet en nedgravet skat i sin egen baghave. Tanker eksploderede i mit hoved som fyrværkeri i Chaman-kvarteret da vi gik tilbage ned ad bakken. *Den bedste historie De længe har læst for mig,* havde han sagt. Jeg havde læst *mange* historier for ham. Hassan spurgte mig om noget.

„Hvad?" sagde jeg.

„Hvad betyder det, 'fascinerende'?

Jeg lo. Omfavnede ham og plantede et kys på hans kind.

„Hvad skulle det til for?" spurgte han, overrasket, rødmende.

Jeg gav ham et spøgefuldt skub. Smilede. „Du er en kammerat, Hassan. Du er en kammerat, og jeg elsker dig."

Samme aften skrev jeg min første novelle. Det tog mig en halv time. Det var en lille, dyster historie om en mand som fandt et tryllebæger og opdagede at hvis han græd ned i det, blev hans tårer til perler. Men selv om han altid havde været fattig, var han et lykkeligt menneske der sjældent fældede en tåre. Så han fandt på måder at gøre sig bedrøvet på for at hans tårer kunne gøre ham rig. I takt med at perlerne hobede sig op, voksede hans grådighed. Historien endte med at manden sad på et bjerg af perler med en kniv i hånden og græd hjælpeløst ned i bægeret mens han holdt sin elskede kones myrdede krop i sine arme.

Senere samme aften gik jeg op ad trappen og ind i babas rygeværelse med de to ark papir jeg havde skrevet min historie på. Da jeg kom ind, sad baba og Rahim Khan og røg pibe mens de nippede til en cognac.

„Hvad er der, Amir?" spurgte baba og lænede sig tilbage i sofaen med hænderne bag hovedet. Blå røg snoede sig rundt om hans ansigt. Hans blik gjorde mig tør i halsen, men jeg rømmede mig og fortalte ham at jeg havde skrevet en historie.

Baba nikkede og sendte mig et lille smil der tydeligt fortalte mig at hans interesse kun var påtaget. „Det var dygtigt, min dreng," sagde han. Og så ikke mere. Han kiggede blot på mig gennem en sky af røg.

Jeg blev måske stående der i mindre end et minut, men den dag i dag forekommer det mig som det længste minut i hele mit liv. Sekunderne slæbte sig af sted, hvert eneste adskilt fra det næste af en evighed. Luften blev tung, fugtig, næsten massiv. Jeg indåndede mursten. Baba fortsatte med at stirre på mig og spurgte ikke om han måtte læse historien.

Som altid var det Rahim Khan der kom mig til undsætning. Han rakte hånden ud og sendte mig et smil der på ingen måde virkede påtaget. „Må jeg læse den, Amir jan? Jeg vil vældig gerne læse den." Baba brugte så godt som aldrig den kærlige vending *jan* når han tiltalte mig.

Baba trak på skuldrene og rejste sig op. Han så lettet ud, som om også han var blevet reddet af Rahim Khan. „Ja, giv kaka Rahim den. Jeg går ind og skifter." Og med de ord forlod han værelset. Det meste af tiden tilbad jeg baba med en intensitet der nærmede sig det hysteriske. Men lige da ønskede jeg at jeg kunne åbne mine årer og lade hans forbandede blod sive ud af min krop.

En time senere, da det var blevet mørkt, kørte baba og Rahim Khan af sted til en fest. På vej ud til bilen satte Rahim Khan sig på hug foran mig og rakte mig min historie og et sammenfoldet stykke papir. Han smilede strålende og blinkede til mig. „Til dig. Læs det senere." Han tav et øjeblik og tilføjede så et ord som gjorde mere for at opmuntre mig til at skrive videre end nogen kompliment som nogen redaktør nogensinde har givet mig. Ordet var: *Bravo.*

Da de var taget af sted, satte jeg mig på min seng og ønskede at Rahim Khan havde været min far. Så tænkte jeg på baba og hans store, brede bryst og på hvor dejligt det føltes, når han holdt om mig, på hvordan han duftede af Brut om morgenen, og på hvordan hans skæg kildede mig i ansigtet. Jeg blev overvældet af en sådan skamfølelse at jeg styrtede ud på badeværelset og kastede op i håndvasken.

Senere samme aften lå jeg krøllet sammen i sengen og læste Rahim Khans brev igen og igen. Der stod:

Amir jan.

Jeg nød i høj grad at læse din historie. *Mashallah*, Gud har givet dig et særligt talent. Det er nu din pligt at finpudse det talent, for det menneske der spilder de ham af Gud givne gaver, er et æsel. Du har skrevet din historie med fejlfri grammatik og en interessant stil. Det mest imponerende ved din historie er imidlertid at den har ironi. Måske ved du ikke hvad det ord betyder. Men det kommer du til en dag. Det er noget som visse forfattere stræber efter i hele deres karriereforløb og aldrig opnår. Du har opnået det i din allerførste historie.

Min dør vil altid stå åben for dig, Amir jan. Jeg vil med glæde læse enhver historie du har skrevet. Bravo.

Din ven
Rahim

Opmuntret af Rahim Khans brev tog jeg novellen og skyndte mig nedenunder til hallen hvor Ali og Hassan lå og sov på en madras. Det var det eneste tidspunkt de sov i huset: Når baba var ude, og Ali skulle passe mig. Jeg ruskede Hassan vågen og spurgte om han ville høre en historie.

Han gned sig søvndrukkent i øjnene og strakte sig. „Nu? Hvad er klokken?"

„Pyt med klokken. Det er en særlig historie. Jeg har selv

skrevet den," hviskede jeg for ikke at vække Ali. Hassans ansigt lyste op.

„Så er jeg *nødt* til at høre den," sagde han og kastede tæppet af sig.

Jeg læste den højt for ham inde i opholdsstuen henne ved kaminen. Ingen drillende afvigelser fra teksten denne gang; nu handlede det om mig! Hassan var på mange måder det perfekte publikum, fuldstændig opslugt med et ansigt der skiftede udtryk i takt med stemningen i fortællingen. Da jeg havde læst den sidste sætning, mimede han klapsalver med hænderne.

„*Mashallah*, Amir agha. Bravo!" Han strålede over hele ansigtet.

„Kunne du lide den?" sagde jeg efter denne anden smagsprøve – og hvor smagte den sødt! – på en positiv anmeldelse.

„En dag, *Inshallah*, vil De blive en stor forfatter," sagde Hassan. „Og mennesker verden over vil læse Deres historier."

„Nu overdriver du, Hassan," sagde jeg og elskede ham for at gøre det.

„Nej. De vil blive stor og berømt," insisterede han. Så tøvede han; som om han skulle til at tilføje noget. Han vejede sine ord og rømmede sig. „Men vil De tillade mig at stille et spørgsmål vedrørende historien?"

„Selvfølgelig."

„Joh…" begyndte han og tav så igen.

„Sig det nu, Hassan," sagde jeg. Jeg smilede, men pludselig var den usikre forfatter inde i mig ikke sikker på at han ønskede at høre det.

„Altså," sagde han, „hvis jeg må have lov at spørge Dem: Hvorfor slog manden sin kone ihjel? Ja, hvorfor var han i det hele taget nødt til at være bedrøvet for at kunne græde? Kunne han ikke bare have lugtet til et løg?"

Jeg var lamslået. Lige netop dét, så indlysende at det var helt idiotisk, var simpelthen aldrig faldet mig ind. Jeg bevægede læberne uden at en lyd kom ud. Det så ud til at jeg den samme aften som jeg havde lært om et af skrivekunstens målsætninger, ironien, også skulle introduceres for en af de fælder man kan gå i: Et plot der ikke hang sammen. Og det var Hassan, af alle mennesker, der havde lært mig det. Hassan som ikke kunne læse, og som aldrig i hele sit liv havde nedfældet et ord på papir. En stemme, kold og mørk, hviskede mig pludselig i øret: *Hvad ved han om det, den uvidende hazara? Han bliver aldrig andet end en gemen køkkenskriver. Hvor vover han at kritisere dig?*

„Tja," begyndte jeg. Men jeg fuldførte aldrig sætningen. For pludselig forvandlede Afghanistan sig for altid.

FEM

Et eller andet bragede som torden. Jorden rystede en smule, og vi hørte skudild. *Rat-a-tat-tat.* „Far!" råbte Hassan. Vi oprang op og stormede ud af stuen og ud i hallen hvor Ali hektisk humpede rundt.

„Far! Hvad sker der?" skreg Hassan med hænderne rakt frem mod Ali. Ali trak os ind i sin favn. Et skarpt lys oplyste himlen og farvede den sølvhvid. Endnu et glimt, efterfulgt af en stakkatoagtig skudsalve.

„De er på andejagt," sagde Ali hæst. „Ænder er noget man jager om natten, det ved I jo godt. I skal ikke være bange."

En sirene satte i gang i det fjerne. Et eller andet sted gik et vindue i stykker, og nogen råbte op. Jeg kunne høre mennesker ude på gaden, revet ud af deres søvn og formentlig stadig i nattøj, med uglet hår og søvndrukne øjne. Hassan var begyndt at græde. Ali trak ham tættere ind til sig, omfavnede ham kærligt. Senere sagde jeg ofte til mig selv at jeg ikke havde været misundelig på Hassan. Slet ikke.

Vi blev siddende sammen på den måde indtil ud på de små timer. Skyderiet og eksplosionerne varede ved i mindre end en time, men vi var blevet forfærdelig opskræmte, for ingen af os havde nogensinde før hørt skyderi i gaderne. Det var en fremmed lyd for os. Den generation af afghanske børn hvis ører aldrig havde hørt andet end lyden af bomber og skudild, var endnu ikke kommet til verden. Som vi sad der og krøb sammen inde i spisestuen og ventede på at solen skulle stå op, havde ingen af os nogen anelse om at en levevis var forbi. *Vores* levevis. Hvis ikke lige i det øjeblik, så var det i hvert fald begyndelsen til enden. Enden, den *officielle* afslutning, kom først i april 1978 med det kommunistiske statskup, og derefter i december 1979 da russiske kampvogne rullede ned gennem de selv samme gader som Hassan og jeg legede i, hvorved de tog livet af det Afghanistan jeg kendte, og indvarslede en blodig epoke som endnu ikke er forbi.

Kort før solopgang kom babas bil hvinende ned ad indkørslen. Bildøren gik i med et brag, og løbende trin dundrede på trappen. Så kom han til syne i døråbningen, og jeg så noget i hans ansigt. Noget jeg ikke med det samme kunne genkende fordi jeg aldrig før havde set det: frygt. „Amir! Hassan!" råbte han da han med armene bredt ud løb hen imod os. „Alle veje var spærret, og telefonerne virkede ikke. Jeg var så bekymret!"

Vi lod ham feje os op i armene, og et kort, vanvittigt øjeblik var jeg glad for det der var hændt i løbet af natten, uanset hvad det måtte være.

Men de var ikke på andejagt, viste det sig. Faktisk var det ikke meget de fik skudt denne 17. julinat 1973. Næste morgen vågnede Kabuls befolkning op til et monarki der hørte fortiden til. Kong Zahir Shah opholdt sig i Italien. I hans fravær havde hans fætter, Daoud Khan, afsluttet kongens fyrre år lange regeringstid med et ublodigt kup.

Jeg kan huske at Hassan og jeg sad og krøb sammen næste morgen uden for min fars kontor, mens baba og Rahim Khan nippede til en kop sort te og lyttede til nyhederne om kuppet på Radio Kabul.

„Amir agha?" hviskede Hassan.

„Ja?"

„Hvad er en republik for noget?"

Jeg trak på skuldrene. „Det ved jeg ikke." På babas radio sagde de ordet 'republik' igen og igen.

„Amir agha?"

„Ja?"

„Betyder 'republik' at far og jeg skal flytte?"

„Det tror jeg ikke," svarede jeg hviskende.

Hassan tænkte lidt over mit svar. „Amir agha?"

„Ja?"

„Jeg vil ikke have at de sender far og mig væk."

Jeg smilede. „*Bas*, dit æsel. Der er ingen der vil sende jer væk."

„Amir agha?"

„Ja?"

„Har De lyst til at klatre op i vores træ?"

Mit smil blev bredere. Det var endnu en ting ved Hassan: Han vidste altid hvornår han skulle sige det rigtige – nyhederne i radioen var begyndte at kede mig. Hassan gik tilbage til sin hytte for at gøre sig klar, og jeg løb ovenpå for at hente en bog. Så gik jeg ud i køkkenet, fyldte lommerne med flere håndsfulde pinjekerner og løb ud til Hassan som stod og ventede på mig. Vi brasede gennem porten og løb i retning af bakken.

Vi krydsede vejen og var på vej hen over det ubevoksede stykke jord der førte til bakken, da en sten pludselig ramte Hassan i ryggen. Vi hvirvlede rundt, og mit hjerte gik i stå. Assef og to af hans venner, Wali og Kamal, var på vej hen imod os.

Assef var søn af en af min fars venner, Mahmood, en pilot i den civile luftfartstjeneste. Han boede nogle få gader syd for vores, i et velhaverkompleks med høje mure omkring og tilplantet med palmer. Ethvert barn i Wazir Akbar Khan-kvarteret i Kabul kendte Assef og hans berygtede knojern af stål med messingnitter, men forhåbentlig ikke af personlig erfaring. Den lyshårede og blåøjede Assef var søn af en tysk mor og en afghansk far og tårnede sig op over alle de andre børn. Hans velfortjente ry for voldelighed løb foran ham ned gennem gaderne. Ledsaget af sine lydige venner vandrede han rundt i kvarteret som en anden khan der spadserer rundt på sine jorder sammen med sit smiskende personale. Hans ord var lov, og hvis man trængte til en smule kyndig opdragelse, var knojernene et glimrende redskab. Engang så jeg ham bruge de knojern på et barn fra Karteh-Char-kvarteret. Jeg vil aldrig glemme hvordan Assefs blå øjne skinnede med et lys der ikke var helt tilregneligt, og hvordan han grinede, hvordan han *grinede*, mens han hamrede bevidstheden ud af kroppen på det arme barn. Nogle af drengene i Wazir Akbar Khan havde givet ham øgenavnet Assef *Goshkhor*, eller Assef 'Øregnasker'. Ingen af dem turde selvfølgelig kalde ham det op i hans åbne ansigt, medmindre de ønskede sig samme skæbne som drengen der uafvidende havde inspireret til dette øgenavn efter at have været oppe at slås med Assef over en drage og være endt med at måtte fiske sit højre øre op af rendestenen. Mange år senere lærte jeg et vestligt ord for det dyr Assef var, et ord som der ikke findes et dækkende farsi-ord for: 'sociopat'.

Af alle de drenge i kvarteret som mobbede Ali, var Assef langt den mest ihærdige. Han var faktisk ophavsmand til det spottende babalu-tilråb: *Hej Babalu, hvem fik du at spise i dag? Hva'? Kom nu, Babalu, smil til os!* De dage hvor han følte sig særligt inspireret, tilsatte han sine spotteord lidt ekstra krydderi: *Hej, din fladnæsede Babalu, hvem har du spist i dag?*

Sig det så, dit skævøjede æsel!

Og nu var han med hænderne i hofterne på vej hen imod os mens han sparkede små støvskyer op med sine gummisko.

„Godmorgen, *kunni*'er!" udbrød Assef og vinkede. 'Svans' var en anden af hans yndlingsfornærmelser. Hassan trak ind bag mig da de tre ældre drenge nærmede sig. De stod foran os, tre høje drenge i jeans og t-shirts. Tårnende sig op over os alle sammen lagde Assef armene over kors, og et bredt, ondskabsfuldt smil bredte sig på hans læber. Ikke for første gang fik jeg den tanke at Assef ikke var helt rigtig i hovedet. Det faldt mig også ind at jeg var heldig at have baba til far, for det, tror jeg, var den eneste grund til at Assef for det meste afholdt sig fra at plage mig for meget.

Han gjorde et tegn med hagen i retning af Hassan. „Hej, Fladnæse," sagde han. „Hvordan har Babalu det?"

Hassan svarede ikke og trak sig endnu et skridt om bag mig.

„Har I hørt nyhederne, drenge?" spurgte Assef uden at grinet på noget tidspunkt forsvandt fra hans ansigt. „Kongen er væk. Er det ikke skønt? Længe leve præsidenten! Min far kender Daoud Khan, vidste du det, Amir?"

„Det gør min far også," sagde jeg. Faktisk anede jeg ikke om det var sandt eller ej.

„Det gør min far også," vrængede Assef med hvinende stemme. Kamal og Wali klukkede. Jeg ville ønske at baba var hos os.

„Nå, men Daoud Khan var inviteret til middag hjemme hos os sidste år," fortsatte Assef. „Hvad siger du til det, Amir?"

Jeg spekulerede på om nogen ville kunne høre os skrige herude på det øde stykke jord. Babas hus lå godt en kilometer derfra. Jeg ville ønske vi var blevet hjemme.

„Ved du hvad jeg vil sige til Daoud Khan næste gang han kommer til middag?" spurgte Assef. „Jeg vil tage en lille snak med ham, mand til mand, *mard* til *mard*. Jeg vil sige det samme til ham som jeg sagde til min mor. Om Hitler. Se, det var en leder! En stor leder! En mand med visioner! Jeg vil bede Daoud Khan om at skrive sig bag øret at hvis de havde ladet Hitler gøre det færdigt han var begyndt på, ville verden være et bedre sted nu."

„Baba siger at Hitler var sindssyg da han beordrede en masse uskyldige mennesker myrdet," hørte jeg mig selv sige før jeg nåede at slå en hånd for munden.

Assef fnisede. „Han lyder som min mor, og hun er tysker; hun burde vide bedre. Men det er jo det de vil have jer til at tro, ikke? De ønsker ikke at I kender sandheden."

Jeg vidste ikke hvem 'de' var, eller hvad for en sandhed de holdt hemmelig, og jeg ønskede heller ikke at vide det. Jeg ville ønske jeg ikke havde sagt noget. Jeg ønskede igen at jeg kunne se op og se baba på vej op ad bakken.

„Men man er nødt til at læse bøger som de ikke giver en for i skolen," sagde Assef. „Det har jeg gjort. Og det har åbnet mine øjne. Nu har jeg en vision, og den agter jeg at dele med vores nye præsident. Ved du hvad den går ud på?"

Jeg rystede på hovedet. Han ville fortælle mig om den alligevel. Assef besvarede altid selv sine egne spørgsmål.

Hans blå øjne slog ned på Hassan. „Afghanistan er pashtunernes land. Det har det altid været og vil altid forblive. Vi er de sande afghanere, de rene afghanere, ikke ham fladnæsen her. Hans folk forurener vores fædreland, vores *watan*. De tilsviner vores blod." Han gjorde en fejende, grandios bevægelse med hænderne. „Afghanistan for pashtuner, det er min mening. Det er min vision."

Assef kiggede tilbage på mig. Han lignede en der lige var vågnet op fra en herlig drøm. „For sent for Hitler," sagde han. „Men ikke for os."

Han rakte tilbage for at tage noget i baglommen på sine jeans. „Jeg vil bede præsidenten gøre det kongen ikke havde *quwat* til at gøre. At rense Afghanistan for alle de beskidte, *kasseef* hazaraer."

„Lad os være i fred, Assef," sagde jeg og hadede den måde min stemme rystede på. „Vi generer jo ikke dig."

„Åh jo, I generer mig," sagde Assef. Og jeg så med dalende mod hvad det var han havde fisket op af lommen. Selvfølgelig. Messing og stål glimtede i sollyset. „Faktisk generer I mig rigtig meget. Og du generer mig mere end denne hazara her. Hvordan kan du overhovedet tale med ham, lege med ham, lade ham røre ved dig?" sagde han med en stemme der dryppede af gift. Wali og Kamal nikkede og gryntede bifaldende. Assef kneb øjnene sammen. Rystede på hovedet. Da han igen sagde noget, lød han lige så forundret som han så ud. „Hvordan kan du kalde ham 'din ven'?"

Men han er ikke min ven! var det lige ved at buse ud af mig. *Han er min tjener!* Havde jeg virkelig tænkt det? Selvfølgelig havde jeg ikke det. Det havde jeg altså ikke. Jeg behandlede Hassan godt, som var han en ven, nej bedre, som var han min bror. Men hvis det var tilfældet, hvorfor lod jeg så aldrig Hassan lege med når babas venner kom på besøg med deres børn? Hvorfor legede jeg kun med Hassan når der ikke var andre at lege med?

Assef lod knojernene glide på. Sendte mig et iskoldt blik. „Du er en del af problemet, Amir. Vi ville have været fri for dem nu hvis idioter som dig og din far ikke havde åbnet deres hjem for dem. De ville sidde og rådne op i Hazarajat hvor de hører hjemme. Du er en skændsel for Afghanistan!"

Jeg så ind i hans vanvittige øjne og så at han mente det. Det var *virkelig* hans mening at tæve mig. Assef løftede næven og gik til angreb.

Der skete et eller andet bag mig. Ud af øjenkrogen så jeg Hassan hurtigt bøje sig ned og rette sig op igen. Assefs blik gled videre til noget bag mig, og hans øjne blev store af forbløffelse. Jeg så det samme forbavsede udtryk i Kamals og Walis øjne da også de så hvad der skete bag mig.

Jeg vendte mig om og stod ansigt til ansigt med Hassans slangebøsse. Hassan havde trukket elastikken hele vejen tilbage. I katapulten lå en sten på størrelse med en valnød. Hassan sigtede direkte mod Assefs ansigt. Hans hånd rystede på grund af anstrengelsen med at holde elastikken spændt, og sveden brød frem som perler på hans pande.

„Vær rar at lade os være i fred, agha," sagde Hassan tonløst. Han havde tiltalt Assef med 'agha', og et øjeblik spekulerede jeg på hvordan det var at leve med en så indgroet fornemmelse for ens plads i hierarkiet.

Assef skar tænder. „Læg den fra dig, din moderløse hazara."

„Lad os være i fred, agha," gentog Hassan.

Assef smilede. „Måske er det ikke gået op for dig, men vi er tre mod to."

Hassan trak på skuldrene. For en uindviet så han ikke bange ud. Men Hassans ansigt var et af mine tidligste minder, og jeg kendte alle nuancer i udtrykkene, kendte alle trækninger og glimt der nogensinde var gået over det. Og jeg så at han var bange. Han var meget bange.

„De har ret, agha. Men måske har De ikke opdaget at det er mig der har slangebøssen. Én forkert bevægelse, og man vil være nødt til at omdøbe Dem fra Assef 'Øregnasker' til Assef 'Enøje', for jeg har stenen rettet mod Deres venstre øje." Han sagde det så tonløst at selv jeg måtte spidse øren for at høre den angst jeg vidste skjulte sig under den rolige stemme.

Assefs mund fortrak sig. Wali og Kamal fulgte med i optrinnet med noget der lignede fascination. Der var en der havde udfordret deres gud! Ydmyget ham! Og, værst af alt, denne person var en radmager hazara! Assef så fra stenen til Hassan. Han studerede intenst Hassans ansigt. Det han så, måtte have overbevist ham om alvoren i Hassans trussel, for han lod hånden falde ned langs siden.

„Der er noget du bør vide om mig, hazara,“ sagde Assef alvorligt. „Jeg er et meget tålmodigt menneske. Det her er ikke forbi i dag, tro mig.“ Han vendte sig om mod mig. „Og heller ikke for dit vedkommende, Amir. En eller anden dag kommer du til at stå ansigt til ansigt med mig alene.“ Assef trak sig et skridt tilbage. Hans proselytter fulgte efter.

„Din hazara begik en stor fejl i dag, Amir,“ sagde han. Så vendte de sig om og gik. Jeg så dem gå ned ad bakken og forsvinde bag en mur.

Hassan forsøgte at stoppe slangebøssen ned i bukselinningen med hænder der rystede voldsomt. Hans mund krøllede sig sammen i noget der skulle ligne et beroligende smil. Først ved femte forsøg fik han slangebøssen på plads. Vi var tavse da vi gik hjemad, skræmte ved tanken om at Assef og hans venner lå i baghold, hver gang vi drejede om et hjørne. Det gjorde de ikke, og det burde have beroliget os en smule. Men det gjorde det ikke. Overhovedet ikke.

I de næste par år begyndte ordene *økonomisk vækst* og *reformer* at danse på mange Kabul-indbyggeres læber. Det konstitutionelle monarki var blevet afskaffet, erstattet af en republik der blev regeret af en præsident. For en stund var det som om en følelse af fornyelse og målbevidsthed fejede hen over landet. Folk talte om kvinderettigheder og ny teknologi.

Og for størstepartens vedkommende gik livet videre som før, selv om det var en ny leder der boede på *Arg*, kongepaladset i Kabul. Folk gik på arbejde fra lørdag til torsdag og mødtes i parker, på Ghargha-søens bredder og i Paghmans haver til picnic om fredagen. Farvestrålende busser og lastvogne fyldt med mennesker blev dirigeret gennem Kabuls snævre gader af hjælpere der sad på kofangerne og råbende gav anvisninger til chaufføren på deres grove kabul-dialekt. På *eid*, de tre festdage efter at den hellige ramadan-måned var forbi, iførte kabulborgerne sig deres bedste og nyeste tøj og aflagde visit hos deres familier. Folk omfavnede og hilste hinanden med *'eid mubarak'*, glædelig *eid*. Børn pakkede gaver op og legede med farvelagte, hårdkogte æg.

Tidligt på vinteren 1974 løb Hassan og jeg rundt på gårdspladsen og legede, byggede en snefæstning, da Ali kaldte ham ind. „Hassan, agha sahib vil gerne tale med dig!" Han stod i hoveddøren, klædt helt i hvidt, med hænderne stukket op i armhulerne og hvid ånde dampende ud af munden.

Hassan og jeg smilede til hinanden. Vi havde ventet på dette råb hele dagen. Det var Hassans fødselsdag. „Hvad er det, far, ved du det? Sig det nu!" sagde Hassan. Hans øjne skinnede.

Ali trak på skuldrene. „Agha sahib har ikke talt med mig om det."

„Sig det nu, Ali," pressede jeg på. „Er det en malebog? Måske en ny skyder."

Ligesom Hassan var Ali ude af stand til at lyve. Hvert år lod han som om han ikke vidste hvad baba havde købt i fødselsdagsgave til Hassan eller mig. Og hvert år faldt hans øjne ham i ryggen, og vi lokkede det ud af ham. Men denne gang så det ud til at han sagde sandheden.

Baba glemte aldrig Hassans fødselsdag. Engang plejede han at spørge Hassan hvad han ønskede sig, men det opgav han, for Hassan var altid alt for beskeden til at foreslå noget. Så hver vinter valgte baba selv en gave. Et år købte han en legetøjslastvogn lavet i Japan, et andet år et elektrisk lokomotiv og togsæt. Året før havde baba overrasket Hassan med en cowboyhat af læder nøjagtig mage til den Clint Eastwood havde haft på i *Den gode, den onde og den grusomme* – som havde overtaget pladsen som yndlingswestern efter *Syv Mænd sejrer*. Hele den vinter skiftedes Hassan og jeg til at gå med hatten mens vi himmelhøjt sang filmens titelmelodi og klatrede rundt på kæmpe snebjerge og beskød hinanden.

Vi tog handskerne af og skubbede vores snetunge støvler af foran hoveddøren. Da vi trådte ind i hallen, så vi baba sidde ved brændeovnen sammen med en lavstammet, tyndhåret inder iført brunt jakkesæt og rødt slips.

„Hassan," sagde baba og smilede skælmsk, „værsgo, her er din fødselsdagsgave."

Hassan og jeg kiggede tomt på hinanden. Der var ikke en gaveindpakket æske at se nogetsteds. Ingen pose. Intet legetøj. Kun Ali der stod bag os, og baba med den lille inder der godt kunne minde om en matematiklærer.

Den brunklædte, indiske mand smilede og rakte Hassan hånden. „Mit navn er dr. Kumar. Det er mig en glæde at hilse på dig." Han talte farsi med tyk, rullende hindi-accent.

„Salaam alaykum," sagde Hassan usikkert. Han nikkede høfligt, men hans øjne søgte faderens bag ham. Ali gik nærmere og lagde en hånd på Hassans skulder.

Baba mødte Hassans vagtsomme og forvirrede blik. „Jeg har tilkaldt dr. Kumar fra New Delhi. Dr. Kumar er plastikkirurg."

„Ved du hvad det er?" spurgte inderen – dr. Kumar.

Hassan rystede på hovedet. Han så hen på mig for at få hjælp, men jeg trak på skuldrene. Det eneste jeg vidste, var at man gik til en kirurg hvis man havde blindtarmsbetændelse, og det vidste jeg kun fordi en af mine klassekammerater var død af blindtarmsbetændelse året før, og læreren havde sagt at de ventede for længe med at tage ham til en kirurg. Vi så begge hen på Ali, men heller ikke der var der nogen hjælp at hente. Hans ansigt var udtryksløst som altid, selv om der havde sneget sig noget højtideligt ind i hans blik.

„Nå, men," sagde dr. Kumar, „mit arbejde går ud på at fikse ting ved folks kroppe. En gang imellem deres ansigter."

„Åh," sagde Hassan. Han så fra dr. Kumar til baba og videre hen på Ali. Hans hånd lagde sig på overlæben. „Åh," sagde han igen.

„Jeg ved det er en usædvanlig gave," sagde baba. „Og formentlig ikke hvad du havde forestillet dig, men denne gave vil vare evigt."

„Åh," sagde Hassan. Han fugtede læberne. Rømmede sig. „Agha sahib, kommer det til… kommer det til—?"

„Overhovedet ikke," afbrød dr. Kumar med et venligt smil. „Det kommer ikke til at gøre det mindste ondt. Faktisk får du noget medicin af mig, og når det er overstået, vil du intet kunne huske."

„Åh," sagde Hassan. Han gengældte lettet smilet. Lidt lettet, i hvert fald. „Jeg var ikke bange, agha sahib, det var bare det…" Hassan lod sig måske narre, men ikke mig. Jeg vidste at når læger sagde at det ikke ville gøre ondt, så havde man problemer. Jeg mindedes med gru min egen omskæring året før. Lægen havde bildt mig det samme ind, forsikret mig om at det overhovedet ikke ville gøre ondt. Men da lokalbedøvelsen tog af senere på aftenen, var det som om nogen havde presset rødglødende kul ind mod mit skridt. Hvorfor baba ventede med at lade mig omskære indtil jeg var ti år gammel, fatter jeg ikke, og det er en af de ting jeg aldrig har kunnet tilgive ham.

Jeg ville ønske jeg havde et ar af en slags som kunne skaffe mig babas medfølelse. Det var ikke retfærdigt. Hassan havde ikke gjort sig fortjent til babas kærlighed, han var blot blevet født med det åndssvage hareskår.

Operationen gik godt. Vi var alle en smule forskrækkede da de tog forbindingen af, men blev ved med at smile sådan som dr. Kumar havde beordret os til. Det var ikke nemt, for Hassans overlæbe var en grotesk maske af opsvulmet, blodigt væv. Jeg havde troet at Hassan ville græde af rædsel da sygeplejersken rakte ham et spejl. Ali holdt ham i hånden mens Hassan længe og eftertænksomt kiggede på sig selv. Han mumlede et eller andet som jeg ikke forstod. Jeg lagde øret ned til hans mund. Han hviskede det igen.

„*Tashakor.*" Tak.

Så fortrak munden sig, og denne gang vidste jeg præcis hvad han lavede. Han smilede. Nøjagtig ligesom dengang han kom ud af sin mors mave.

Hævelsen forsvandt, og med tiden helede såret. Snart kunne man kun ane en lyserød, ujævn linje der løb op fra hans læbe. Vinteren efter var det kun et meget svagt ar. Skæbnens ironi. For det var også den vinter at Hassan holdt op med at smile.

SEKS

Vinter.

Her er hvad jeg hvert år gør efter den første snevejrsdag: Jeg træder ud af huset tidligt om morgenen, stadig i nattøj, med armene om mig selv for at holde varmen. Jeg lokaliserer indkørsel, min fars bil, mure, træer, tagtoppe og bakker der ligger begravet under et tykt lag sne. Jeg smiler. Himlen er skyfri, blå, og sneen så hvid at jeg bliver blændet. Jeg skovler en håndfuld nyfalden sne i munden og lytter til den indpakkede stilhed som kun brydes af krageskrig. Jeg går ned ad hovedtrappen, på bare fødder, og råber til Hassan at han skal komme ud og se.

I Kabul er vinteren alle børns yndlingsårstid, i det mindste de børn hvis far har råd til at købe en god jernovn. Grunden er indlysende: Skolerne lukker i den kolde tid. Vinteren betød for mig afslutningen på divisionsregning og svar på spørgsmål om hvad hovedstaden i Bulgarien hedder, og begyndelsen på tre måneder med kortspil foran ovnen sammen med Hassan, fri adgang om tirsdagen til russiske film i biografen og kålrabi-*qurma* og ris til frokost efter formiddagens arbejde med at bygge snemænd.

Og drager, selvfølgelig. Opsætning af drager. Og jagten på drager.

For nogle få uheldige børn betød vinteren ikke afslutningen på skoleåret. Der fandtes de såkaldt frivillige vinterkurser. Ingen jeg kendte, havde nogensinde meldt sig frivilligt til disse kurser; det var selvfølgelig forældrene der tilmeldte dem. Heldigvis for mig var baba ikke en af dem. Jeg kan huske en dreng, Ahmad, som boede på den anden side af gaden. Hans far var læge af en slags, tror jeg. Ahmad havde epilepsi og var altid iført en ulden vest og gik med briller med kraftigt stel – han var et af Assefs yndlingsofre. Hver eneste morgen så jeg deres hazaratjener skovle sne i deres indkørsel så den sorte Opel kunne komme ud. Jeg sørgede altid for at være oppe for at se Ahmad og hans far sætte sig ind i bilen, Ahmad i uldvest og vinterfrakke og med skoletasken fyldt med bøger og skrive-sager. Jeg ventede indtil de var kommet ud på vejen og rundt om hjørnet; så smuttede jeg i seng igen i min flannelspyjamas. Jeg trak tæppet helt op til hagen og så gennem vinduet ud på de snedækkede bjerge mod nord. Kiggede på dem indtil jeg døsede hen igen.

Jeg elskede vinteren i Kabul. Jeg elskede den på grund af den dæmpede lyd af snefnug mod vinduet om natten, på grund af den knasende lyd af nyfalden sne under mine sorte gummistøv-ler, på grund af varmen fra jernovnen mens blæsten hylede gennem gårdspladser, gader. Men især fordi kulden mellem baba og mig blev mindre i takt med at træerne frøs, og isen lagde sig på gaderne. Og grunden til det var dragerne. Baba og jeg boede i samme hus, men i parallelverdener. Drager var den papirtynde adskillelse mellem de to verdener.

Hver vinter afholdtes der drageturneringer i de forskellige kvarterer i Kabul. For en dreng i Kabul var dagen for turneringen simpelthen højdepunktet i den kolde sæson. Jeg kunne aldrig falde i søvn aftenen før turneringen. Jeg vendte og drejede mig, lavede skyggedyr på væggen, sad oven i købet ude på altanen i mørket med et tæppe om mig. Jeg havde det som var jeg en soldat i skyttegravene natten før et større slag. Og det var ikke en helt skæv sammenligning. I Kabul *var* drageturneringen lidt som at gå i krig.

Som i enhver krig er man nødt til at forberede sig op til slaget. Der var engang hvor Hassan og jeg byggede vores egne drager. Vi begyndte at spare op i løbet af efteråret og lagde ugepengene i en lille porcelænshest som baba engang havde købt i Herat. Når det begyndte at blæse koldt, og sneen faldt tæt, spændte vi buggjorden op på hesten og gik ned til basaren for at købe bambus, lim, snor og papir. Vi brugte timer på at høvle bambuspinde til skelettet og skære det tynde papir til så dragen hurtigt kunne komme i luften og lige så hurtigt hales ned igen. Og så var vi naturligvis nødt til at lave vores egen line, eller *tar*. Hvis dragen var geværet, var *tar*'en, den glasovertrukne skæreline, kuglen i kammeret. Vi plejede at gå ud på gårdspladsen og lade op til tyve meter line glide igennem en blanding af pulveriseret glas og lim. Derefter hængte vi linen op mellem træer så den kunne tørre. Næste dag viklede vi så den krigsklare line rundt om en træspole. Når sneen smeltede, og forårsregnen satte ind, havde alle drenge i Kabul afslørende flænger i hænderne efter en lang vinter fyldt med dragekampe. Jeg kan huske hvordan mine skolekammerater og jeg stimlede sammen den første skoledag for at sammenligne skader. Det sved i skrammerne som var flere uger om at læges, men jeg var ligeglad. De var minder om en elsket tid som endnu en gang var gået for hurtigt. Så fløjtede gårdvagten i sin fløjte, og vi marcherede i enkeltkolonne ind i klasseværelserne, allerede trætte ved udsigten til endnu et langt skoleår før det igen blev vinter.

Men det stod hurtigt klart at Hassan og jeg var bedre drage-kæmpere end dragebyggere. En eller anden brist i vores design endte altid med at blive dragens undergang. Så baba begyndte at gå med os til Saifo for at købe drager. Saifo var en næsten blind, gammel mand som af profession var *moochi* – skomager – men han var også byens mest berømte dragebygger. Saifos værksted var en lillebitte rønne i Jadeh Maywand, den travle gade syd for Kabul-flodens mudrede bredder. Jeg kan huske at man var nødt til at krumme sig sammen for at komme ind på værkstedet som ikke var meget større end en fængselscelle, og derefter løfte en lem og krybe ned ad en trætrappe til den klamme kælder hvor Saifo gemte de eftertragtede drager. Baba plejede at købe tre identiske drager til hver af os og dertil spoler med glasline. Hvis jeg skiftede mening og bad om en større og mere kunstfærdig drage, købte baba den til mig – men så købte han også en til Hassan. En gang imellem ønske-de jeg at han ikke ville gøre det. Ønskede at jeg var den han holdt mest af.

Drageturneringer var en gammel vintertradition i Afgha-nistan. Den begyndte tidligt om morgenen og sluttede først når kun den vindende drage var tilbage på himlen – jeg kan huske ét år hvor den først sluttede da mørket var faldet på. Folk stimlede sammen på fortove og hustage for at heppe på deres børn. Gaderne fyldtes med dragekæmpere der hev og sled i deres liner, kiggede op mod himlen og forsøgte at bringe sig i position til at skære modstanderens line over. Alle dragekæm-pere havde en medhjælper – i mit tilfælde Hassan – som holdt spolen og gav mere line.

Engang fortalte en snottet hindi-unge os at i hans hjemby var der strenge regler for drageturneringer. „Man skal stå på et indhegnet område, og man skal stå i den rette vinkel i forhold til vinden," sagde han stolt. „Og man må ikke bruge aluminium i sin glasline."

Hassan og jeg kiggede på hinanden. Og knækkede sammen af grin. Hindi-ungen, hvis familie først for nylig var flyttet til vores kvarter, skulle hurtigt komme til at lære hvad englænderne havde lært tidligere, og hvad russerne skulle komme til at lære i slutningen af 80'erne: at afghanerne er et egenrådigt folkefærd. Reglerne var ganske enkle: Der var ingen. Sæt din drage op. Nedlæg modstanderens. Held og lykke.

Bortset fra at der var mere. Rigtig sjovt blev det når en drage var blevet nedlagt. Her kom så drageløberne ind, de børn som jagtede den løbske drage der hvirvlede hen over kvarteret indtil den styrtdykkede ned på en mark, en eller andens gårdsplads, i et træ eller på et hustag. Jagten kunne godt blive hektisk; horder af drageløbere sværmede rundt i gaderne, skubbede sig forbi andre ligesom de der folk i Spanien som jeg engang har læst om, de som flygter fra tyrene. Ét år klatrede en dreng fra vores kvarter op i et pinjetræ efter en drage. En gren knækkede under hans vægt, og han faldt ti meter. Brækkede ryggen og kom aldrig til at gå igen. Men han faldt med dragen i sine hænder. Og når en drageløber havde en drage i sine hænder, kunne ingen tage den fra ham. Det var ikke en regel. Sådan var det bare.

For drageløberne var den mest eftertragtede drage den sidst nedlagte i hele turneringen. Det var et trofæ, noget som man udstillede i sit hjem så gæster kunne beundre den. Når himlen var ryddet for drager, og kun de sidste to var tilbage, gjorde drageløberne sig klar til at hale trofæet i land. De placerede sig på et sted hvor de mente de ville få et forspring. Med muskler der var spændte som fjedre, var de parat til at spurte af sted. Hoveder var bøjet bagover. Øjnene knebet sammen. Der udbrød slåskampe. Og når den sidste drage var nedlagt, brød helvede løs.

Jeg har i årenes løb set mange drenge løbe efter drager, men Hassan var simpelthen den bedste løber jeg har oplevet. Det var rent ud sagt uhyggeligt sådan som han kunne regne ud hvor dragen ville lande længe før den var på vej ned – det var som om han var i besiddelse af et indre kompas.

Jeg kan huske en overskyet vinterdag hvor Hassan og jeg jagtede den samme drage. Vi stormede af sted, rundt i kvarteret, sprang over afløbsrender, snoede os gennem smalle stræder. Jeg var et år ældre end Hassan, men han var hurtigere end mig, og jeg sakkede bagud.

„Hassan! Vent!" råbte jeg med pibende lunger.

Han snurrede omkring og gjorde tegn med hånden. „Denne vej!" svarede han før han drejede om endnu et hjørne. Jeg så op og så at den vej vi løb, var modsat den vej dragen drev.

„Vi får den ikke! Vi løber den forkerte vej!" skreg jeg.

„Stol på mig!" hørte jeg ham råbe langt foran mig. Jeg kom rundt om hjørnet og så Hassan storme af sted med bøjet hoved og uden på noget tidspunkt at se op mod himlen. Sveden gennemblødte hans skjorte. Jeg snublede over en sten og faldt – ikke blot var jeg langsommere end Hassan, jeg var også mere klodset; jeg har altid misundt ham hans medfødte smidighed. Da jeg vaklende kom på benene igen, fik jeg et glimt af ham før han forsvandt rundt om endnu et hjørne. Jeg humpede efter ham med smerter der jog op i benene fra mine skrammede knæ.

Jeg så at vi var kommet ud på en opkørt jordvej i nærheden af Istiqlal Mellemskole. Der lå en mark på den ene side hvor der om sommeren voksede salat, og på den anden side stod en række fuglekirsebærtræer. Jeg nåede hen til Hassan der havde sat sig i skrædderstilling ved foden af et af træerne hvor han sad og gumlede på en håndfuld morbær.

„Hvad laver vi her?" spurgte jeg hivende efter vejret mens jeg forsøgte at holde mavens indhold indenbords.

Han smilede. „Sæt Dem hos mig, Amir agha."

Jeg faldt omkuld ved siden af ham, på et tyndt snelag, og stønnede: „Du spilder tiden. Den var på vej i en anden retning, så du den slet ikke?"

Hassan proppede et morbær i munden. „Den skal nok komme," sagde han. Jeg kunne dårligt få vejret, og han lød ikke engang forpustet.

„Hvordan ved du det?" sagde jeg.

„Jeg ved det bare."

„Hvordan *ved* du det?"

Han vendte sig om mod mig. Et par sveddråber trillede ned fra hans skaldede isse. „Ville jeg nogensinde lyve for Dem, Amir agha?"

Pludselig besluttede jeg mig for at drille ham lidt. „Det ved jeg ikke. Ville du?"

„Jeg ville hellere spise jord," sagde han med indignationen lysende ud af øjnene.

„Ville du gøre det? Mener du det?"

Han så forvirret på mig. „Gøre hvad?"

„Spise jord hvis jeg bad dig om det," sagde jeg. Jeg vidste at jeg var tarvelig, tarvelig ligesom når jeg drillede ham fordi han ikke kendte et eller andet ord. Men der var noget ophidsende – om end på en syg måde – ved at drille Hassan. Lidt som dengang vi pinte insekterne. Bortset fra at han nu var myren, og jeg holdt forstørrelsesglasset.

Han kiggede længe på mig. Vi sad der, to drenge under et fuglekirsebærtræ, og så, virkelig *så* på hinanden. Og så var det at det skete igen: Hassans ansigt forandrede sig. Måske ikke ligefrem *forandrede* sig, ikke rigtig, men pludselig havde jeg det som om jeg så på to ansigter, det jeg kendte, det som var min første erindring, og et andet, et anderledes ansigt, et der lå og lurede lige under overfladen. Jeg havde set det ske før – og det gjorde mig altid lidt forskrækket. Det viste sig sådan bare, det andet ansigt, i brøkdelen af et sekund, men længe nok til at give mig en lidt uhyggelig fornemmelse af måske at have set det før. Så blinkede Hassan og var sig selv igen. Den gamle Hassan.

„Hvis De bad mig, ville jeg gøre det," sagde han til sidst og kiggede direkte på mig. Jeg sænkede blikket. Den dag i dag volder det mig problemer at se direkte på mennesker som Hassan, mennesker som mener hvert ord de siger.

„Men," tilføjede han, „mon De nogensinde ville bede mig om at gøre det, Amir agha?" Og sådan lykkedes det ham at sætte mig på plads. Hvis jeg ville drille ham og udfordre hans loyalitet, så ville han drille mig og udfordre min integritet.

Jeg ville ønske at jeg ikke havde startet denne samtale. Jeg tvang et smil frem. „Vær ikke dum, Hassan. Det ved du jeg ikke ville."

Hassan besvarede smilet. Bortset fra at hans ikke virkede tvungent. „Ja, det ved jeg godt," sagde han. Og det er netop problemet med folk som mener alt hvad de siger. De tror at det samme er tilfældet for andre.

„Der er den," sagde Hassan og pegede op mod himlen. Han kom på benene og gik et par skridt til venstre. Jeg kiggede op og så dragen styrtdykke mod os. Jeg hørte løbende skridt, råb, en horde af drageløbere der nærmede sig. Men de spildte deres tid. For Hassan stod med armene bredt ud, smilende, og ventede på dragen. Og må Gud – hvis Han findes – slå mig med blindhed om ikke dragen lige så nydeligt faldt ned i hans udstrakte arme.

Det var vinteren 1975 at jeg så Hassan løbe en drage op for sidste gang.

Normalt holdt hvert kvarter deres egen konkurrence, men dette år skulle turneringen finde sted i vores kvarter med deltagelse af Wazir Akbar Khan og adskillige andre kvarterer –

Karteh-Char, Karteh-Parwan, Mekro-Rayan og Koteh-Sangi – som alle var blevet inviteret til at deltage. Man kunne næppe røre sig uden at høre tale om den kommende turnering. Det forlød at dette ville blive den største i femogtyve år.

En aften den vinter, da der kun var fire dage tilbage til den store konkurrence, sad baba og jeg på hans kontor i overpolstrede læderstole ved siden af kaminen og nippede til en kop te og talte sammen. Ali havde serveret aftensmaden lidt tidligere – kartofler og blomkål i karry og dertil ris – og havde trukket sig tilbage for natten sammen med Hassan. Baba fyldte sin pibe, og jeg bad ham fortælle om den vinter hvor et kobbel ulve var kommet ned fra bjergene og ind i Herat og havde tvunget alle til at blive inden døre i en hel uge, men han strøg blot tændstikken og sagde: „Jeg tror at du måske kan vinde turneringen i år. Hvad tror du?"

Jeg vidste ikke hvad jeg skulle tro. Eller sige. Var det det der skulle til? Havde han netop rakt mig en nøgle? Jeg var en god dragekæmper. Faktisk var jeg rigtig god. Et par gange havde jeg været tæt på at vinde vinterturneringen – én gang havde jeg været blandt de tre sidste. Men at være tæt på var ikke det samme som at vinde, var det? Baba havde ikke været *tæt på.* Han havde vundet, for det var det vindere gjorde, og alle andre kunne bare pakke sammen. Baba var vant til at vinde, vinde alt hvad han satte sig for at vinde. Kunne han ikke tillade sig at forvente det samme af sin søn? Og tænk blot: Hvis jeg virkelig vandt...

Baba bakkede på sin pibe og snakkede løs. Jeg lod som om jeg lyttede. Men jeg kunne ikke koncentrere mig, ikke rigtigt, for babas henkastede, lille bemærkning havde sået et frø i mit hoved: en fast beslutning om at jeg ville vinde denne vinters turnering. Alt andet var umuligt. Jeg ville vinde, og jeg ville løbe den sidste drage op. Og så ville jeg tage den med hjem og vise baba den. Vise ham en gang for alle at hans søn var noget værd. Og bagefter ville mit liv som spøgelse i huset langt om længe være forbi. Jeg tillod mig selv at drømme: Jeg forestillede mig samtaler og latter hen over spisebordet i stedet for stilhed kun brudt af klirren med sølvbestik og et grynt indimellem. Jeg så for mig at vi om fredagen satte os ind i babas bil og kørte til Paghman og standsede undervejs ved Ghargha-søen for at spise grillet ørred med kartofler. Vi ville gå i zoologisk have og se løven Marjan, og måske ville baba ikke gabe og hele tiden stjålent se på uret. Måske ville baba oven i købet læse en af mine historier. Jeg ville have skrevet i hundredvis hvis jeg havde troet at han ville læse dem. Måske ville han kalde mig *Amir jan* ligesom Rahim Khan. Og måske, men kun måske, ville jeg langt om længe blive tilgivet for at have slået min mor ihjel.

Baba fortalte mig om dengang han havde nedlagt fjorten drager på én dag. Jeg smilede, nikkede, lo på de rigtige steder, men jeg hørte næppe et ord af hvad han sagde. Nu havde jeg en mission. Og jeg ville ikke svigte baba. Ikke denne gang.

Det sneede voldsomt aftenen før turneringen. Hassan og jeg sad under *kursi*'en og spillede panjpar og hørte træernes grene piske mod vinduet. Jeg havde tidligere på dagen bedt Ali om at sætte *kursi*'en op for os – som egentlig kun bestod af et elektrisk varmeapparat under et lavt bord dækket af et tykt, vatteret tæppe. Derefter lagde han madrasser og puder rundt om bordet, således at så mange som tyve personer kunne sidde der og stikke deres ben ind under det. Hassan og jeg kunne tilbringe hele dage der når det sneede, og hygge os under *kursi*'en med at spille skak, kort – især panjpar.

Jeg slog Hassans ruder ti og spillede to knægte og en sekser. I babas kontor ved siden af sad han og Rahim Khan og diskuterede forretning med et par andre mænd – en af dem genkendte jeg som Assefs far. Jeg kunne høre den skrattende lyd fra Radio Kabuls nyhedsudsendelse gennem væggen.

Hassan slog sekseren og tog de to knægte op. I radioen sagde Daoud Khan et eller andet om udenlandske investeringsplaner.

„Han siger at vi en dag får fjernsyn til Kabul," sagde jeg.

„Hvem?"

„Daoud Khan, fjols, præsidenten."

Hassan fnisede. „Jeg har hørt at de allerede har fjernsyn i Iran," sagde han.

Jeg sukkede. „De iranere…" Iran repræsenterede for mange hazaraer en slags fredhelligt sted – formentlig fordi de fleste iranere var shiamuslimer ligesom hazaraer. Men jeg mindedes noget min lærer havde sagt om sommeren om iranere: at de smilede og snakkede løs mens de med den ene hånd klappede dig på skulderen og med den anden snuppede din tegnebog. Jeg fortalte baba om det, og han sagde at min lærer var en af de her misundelige afghanere, misundelig fordi Iran var på vej til at blive en stormagt i Asien, hvorimod de fleste mennesker på jorden knap kunne finde Afghanistan på et verdenskort. „Det gør mig ondt at sige det," sagde han og trak på skuldrene, „men hellere føle smerte over sandheden end trøst over en løgn."

„Jeg skal nok købe dig et en dag," sagde jeg.

Hassans ansigt lyste op. „Et fjernsyn? Mener De det?"

„Selvfølgelig. Og ikke et sort-hvidt et. Til den tid vil vi formentlig være voksne, men så køber jeg bare to. Et til dig og et til mig."

„Jeg vil stille mit på bordet hvor jeg har mine tegninger," sagde Hassan.

Hans ord gjorde mig lidt ked af det. Ked af det over den Hassan var, over det sted han boede. For nu havde han affundet sig med at blive gammel i hytten ude i haven, ligesom hans far før ham havde gjort det. Jeg trak det sidste kort og spillede ud med et par dronninger og en tier.

Hassan tog dronningerne op. „Jeg tror De vil gøre agha sahib meget stolt i morgen."

„Tror du?"

„*Inshallah*," sagde han.

„*Inshallah*," gentog jeg, selv om 'Guds vilje ske' ikke lød lige så oprigtigt i min mund. Det var problemet med Hassan: Han var så pokkers uskyldig at man altid syntes der var noget falsk over ham.

Jeg slog hans konge og lagde mit sidste kort på bordet, spar es. Han var nødt til at tage det op. Jeg havde vundet, men mens jeg blandede til et nyt spil, havde jeg en tydelig fornemmelse af at Hassan havde *ladet* mig vinde.

„Amir agha?"

„Ja?"

„Forstår De… jeg kan *lide* at bo der hvor jeg bor." Det var noget han evig og altid gjorde: læste mine tanker. „Det er mit hjem."

„Hvis du siger det," sagde jeg. „Gør dig klar til at tabe igen."

SYV

Næste morgen fortalte Hassan mig mens han lavede te, at han havde drømt om natten. „Vi sad ved Ghargha-søen, De, jeg, far, agha sahib, Rahim Khan og tusinder af andre," sagde han. „Det var varmt, solen skinnede, og søen var blank som et spejl. Men ingen var ude og bade, for de sagde at et monster var flyttet ind i søen. Det svømmede rundt nede på bunden, ventende."

Han skænkede for mig, hældte sukker i og pustede på teen et par gange. Stillede koppen foran mig. „Så alle er bange for at gå i vandet, men pludselig sparker De skoene af, Amir agha, og tager skjorten af. 'Der er ikke noget monster,' siger De. 'Nu skal jeg vise jer det.' Og før nogen når at standse Dem, er De sprunget i vandet og begyndt at svømme ud. Jeg følger efter, og vi svømmer begge af sted."

„Men du kan ikke svømme."

Hassan lo. „Det var en drøm, Amir agha, man kan gøre alt muligt i drømme. Nå, men alle skriger: 'Kom tilbage! Kom tilbage!', men vi svømmer blot rundt i det kolde vand. Vi når helt ud til midt på søen, og der træder vi vande. Vi vender os om mod bredden og vinker til folk. De er små som myrer, men vi kan høre dem klappe. Nu indser de det. Der er ikke noget monster, kun vand. Efter det ændrer de navnet på søen og kalder den 'Sultanerne af Kabul, Amir og Hassans Sø', og vi får lov til at opkræve penge af folk før de må bade i den."

„Hvad betyder det?" sagde jeg.

Han smurte marmelade på mit *naan* og lagde det på en tallerken. „Det ved jeg ikke. Jeg havde håbet at De kunne fortælle mig det."

„Nå, men det var en dum drøm. Der sker jo ingenting i den."

„Far siger at drømme altid har en betydning."

Jeg nippede til min te. „Hvorfor spørger du så ikke ham, siden han er så klog?" sagde jeg mere kort for hovedet end det var meningen. Jeg havde ikke lukket et øje om natten. Mine nakke- og rygmuskler var som spændte fjedre, og det sved i mine øjne. Men alligevel, jeg havde opført mig tarveligt over for Hassan. Jeg var på nippet til at sige undskyld, men lod være. Hassan forstod at jeg bare var nervøs. Hassan forstod mig altid.

Jeg kunne høre vandet løbe i babas badeværelse ovenpå.

Gaderne glitrede af nyfalden sne, og himlen var strålende blå.

Sneen lå som et tæppe over alle tage og tyngede grenene ned på de stynede morbærtræer der voksede i vores gade. Sneen havde i løbet af natten lirket sig ind i alle sprækker og afløb. Jeg kneb øjnene sammen mod det blændende hvide da Hassan og jeg trådte ud gennem smedejernsporten. Ali lukkede lågerne efter os. Jeg hørte ham mumle en bøn – han bad altid en bøn når hans søn forlod huset.

Jeg har aldrig set så mange mennesker i vores gade. Børn kastede snebolde efter hinanden, skændtes, legede tagfat, jublede højt. Dragekæmpere krøb sammen over deres spoler og tog sig af de sidste forberedelser. Jeg kunne høre latter og sludren i de tilstødende gader. De flade hustage var allerede fyldt med mennesker der havde slået sig ned i havestole med varm te i termokanderne og musik af Ahmad Zahir drønende ud af båndoptagere. Den fantastisk populære Ahmad Zahir havde revolutioneret afghansk musik og gjort puritanere rasende ved at føje elektrisk guitar, trommer og horn til den traditionelle tabla og harmonium; på scenen eller til fester overstrålede han de asketiske, ja næsten gnavne ældre sangere ved faktisk at smile mens han sang – en gang imellem også til kvinder. Jeg kiggede op på vores eget tag og fik øje på baba og Rahim Khan der sad på en bænk, begge klædt i uldne sweatere, og drak te. Baba vinkede. Jeg kunne ikke se om det var til mig eller Hassan at han vinkede.

„Lad os komme i gang," sagde Hassan. Han var iført sorte gummivinterstøvler, en strålende grøn *chapan* over en tyk sweater og falmede fløjlsbukser. Solens stråler oplyste hans ansigt, og der, over munden, så jeg hvor fint såret over hans læbe var helet.

Pludselig ønskede jeg at trække mig ud af konkurrencen. Pakke sammen, gå hjem. Hvad havde jeg dog tænkt på? Hvorfor udsætte sig for alt dette når jeg udmærket kendte resultatet? Baba sad på taget og kiggede på mig. Jeg kunne mærke hans blik som heden fra en rødglødende sol. Dette ville ende i en fantastisk fiasko, selv efter *min* målestok. „Jeg er ikke sikker på jeg har lyst til at sætte drage op i dag," sagde jeg.

„Det er en smuk dag," sagde Hassan.

Jeg flyttede vægten over på det andet ben. Forsøgte at rive mit blik væk fra vores tag. „Jeg ved ikke. Måske skulle vi bare gå hjem igen."

Så trådte han hen til mig og sagde lavmælt noget der gjorde mig en smule bange. „Husk, Amir agha. Der er ikke noget monster, kun vand." Hvordan kunne jeg være som en åben bog for ham, når jeg selv halvdelen af tiden ikke anede hvad der foregik i hans hoved? Det var mig der gik i skole, mig der kunne læse, skrive. Jeg var den kloge. Hassan kunne ikke læse en bog for første klasse, men han havde ingen problemer med at læse mine tanker. Det var en smule foruroligende, men også på en måde bekvemt at have en der altid kendte ens behov.

„Intet monster," sagde jeg og følte mig til min egen overraskelse en smule bedre tilpas.

Han smilede. „Intet monster."

„Er du sikker?"

Han lukkede øjnene. Nikkede.

Jeg så hen på børnene der løb rundt i gaden og kastede snebolde efter hinanden. „Det er en smuk dag, ikke?"

„Lad os komme i luften," sagde han.

Det faldt mig pludselig ind at drømmen var noget Hassan havde fundet på. Var det tænkeligt? Jeg besluttede mig for et nej. Så klog var Hassan ikke. Så klog var *jeg* ikke. Men sand eller ej, den dumme drøm havde fjernet en smule af min angst. Måske *skulle* jeg tage skjorten af og svømme lidt rundt ude i søen. Hvorfor ikke?

„Lad os det," sagde jeg.

Hassan lyste op. „Godt," sagde han. Han tog vores drage, rød med gule kanter og med Saifos genkendelige signatur lige under det sted pindene krydsede. Han fugtede en finger og holdt den op for at finde vindretningen, og løb så af sted med den – de sjældne gange vi satte drage op om sommeren, sparkede han støv op for at se hvorfra vinden blæste. Spolen rullede i min hånd indtil Hassan standsede ti-femten meter fra mig. Han løftede dragen højt op over hovedet, som en olympisk atlet der viser sin guldmedalje. Jeg trak to gange i styresnoren, vores sædvanlig signal, og Hassan kastede dragen op i luften.

Som en lus mellem babas og skolemullahernes negle havde jeg stadig ikke valgt side med hensyn til Gud. Men da en *ayat* fra Koranen som jeg havde lært i skolen, trængte sig på, bad jeg den. Jeg trak vejret dybt ind, pustede ud og trak i linen. Mindre end et minut efter jog min drage op mod himlen med en lyd som en papirfugl der basker med vingerne. Hassan klappede i hænderne, piftede og løb tilbage til mig. Jeg rakte ham spolen, men holdt fast i linen, og han drejede den hurtigt rundt for at vinde den løse line op igen.

Der hang allerede tyve-femogtyve drager oppe på himlen, som papirhajer på jagt efter bytte. I løbet af en time var det antal fordoblet, og røde, blå og gule drager dansede hvirvlende rundt deroppe. En kold brise purrede op i mit hår. Vinden var perfekt, frisk nok til at give opdrift og fart. Hassan stod ved siden af mig med spolen i hænderne som allerede var røde af blod på grund af linen.

Snart efter begyndte jagten, og de første drager blev nedlagt og hvirvlede bort. De faldt fra himlen som stjerneskud med strålende, snurrende haler og dryssede ned over kvarteret som trofæer til drageløberne. Nu kunne jeg høre løberne styrte skrigende rundt i gaderne. En eller anden råbte at der var udbrudt slåskamp et par gader fra os.

Jeg blev ved med at sende stjålne blikke op mod baba og Rahim Khan på taget. Spekulerede på hvad han tænkte. Heppede han på mig? Eller nød en del af ham at se mig komme til kort? Det var problemet med at sætte drager op: Ens tanker sejlede rundt sammen med dragen.

De faldt om ørerne på mig nu, dragerne, og jeg var stadig i luften. Jeg var stadig i luften. Mine øjne vandrede hele tiden op mod baba som han sad der i sin uldne sweater. Kom det bag på ham at jeg havde holdt ud så længe? *Men ikke meget længere hvis du ikke holder øje med dragen.* Mit blik fløj tilbage til himlen. En rød drage nærmede sig – det var i sidste øjeblik jeg fik øje på den. Vi dansede lidt rundt om hinanden, men det endte med at jeg vandt fordi min modstander blev utålmodig og forsøgte at skære min line nedefra.

Frem og tilbage gennem gaderne. Drageløberne kom triumferende tilbage med deres tilfangetagne drager højt hævet over deres hoveder. De viste dem frem for deres forældre, deres venner. Men de vidste alle at det bedste endnu ventede. Det største trofæ var endnu i luften. Jeg nedlagde en knaldgul drage med snoet, hvid hale, og det kostede mig endnu en flænge i pegefingeren så blodet flød ned i håndfladen. Jeg fik Hassan til at holde linen, suttede blodet af fingeren og tørrede hånden i mine jeans.

I løbet af den næste times tid var antallet af overlevende drager mindsket fra måske halvtreds til ti-tolv stykker. Jeg var en af dem. Jeg var en af de sidste ti-tolv stykker! Jeg var klar over at den sidste del af turneringen ville trække ud, for de fyre der havde klaret sig så længe, var gode – de ville ikke falde for det gamle løft og dyk-trick, Hassans yndlingstrick.

Ved tretiden var tottede skyer begyndt at komme drivende, og solen var gledet ind bag dem. Skyggerne var ved at blive lange. Tilskuerne på tagene havde formummet sig bag tørklæder og taget tykke frakker på. Der var nu kun seks drager i luften, og min var en af dem. Jeg havde ondt i benene og var stiv i nakken, men for hver nedlagt drage voksede håbet i mit hjerte som sne der lægger sig på en mur et fnug ad gangen.

Mit blik smuttede hele tiden frem og tilbage mellem min egen drage og så den blå der den sidste times tid havde nedlagt modstander efter modstander.

„Hvor mange har han skåret?" spurgte jeg.

„Jeg har talt elleve," sagde Hassan.

„Ved du hvis det er?"

Hassan slog klik med tungen og stak hagen frem. Det var ægte Hassan-mimik og betød at han ingen anelse havde. Den blå drage nedlagde en stor violet en og susede rundt i to store sving. Ti minutter senere havde den skåret endnu to og sendt horder af løbere på jagt efter dem.

En halv time senere var der kun fire drager i luften. Og min var en af dem. Det var som om jeg ikke kunne gøre ét forkert træk nu, som om hvert eneste vindstød begunstigede mig. Jeg havde aldrig før følt mig så meget i stødet, så heldig. Det var en berusende følelse. Jeg vovede ikke at kigge op mod taget. Vovede ikke at tage blikket fra himlen. Jeg var nødt til at koncentrere mig, tænke taktisk. Yderligere et kvarter, og hvad der om morgenen havde forekommet mig som en latterlig drøm, var nu en realitet. Der var kun mig og den anden fyr tilbage. Ham med den blå drage.

Tilskuerne var lige så spændte som glaslinen på min drage som jeg trak og sled i med blodige hænder. Folk stampede med fødderne, klappede, piftede, messede: „*Boboresh! Boboresh!*" Skær ham ned! Skær ham ned! Jeg spekulerede på om baba var en af dem der heppede. Musik drønede. Duften af dampet *mantu* og stegt *pakora* kom bølgende ned fra tage og ud ad åbne døre.

Men det eneste jeg hørte – det eneste jeg *ville* høre – var blodet der dunkede i mit hoved. Det eneste jeg så, var den blå drage. Det eneste jeg kunne lugte, var sejr. Saliggørelse. Forløsning. Hvis baba tog fejl, og der *var* en Gud sådan som de sagde i skolen, så ville Han lade mig vinde. Jeg anede ikke hvad den anden fyr var ude på, måske var han tilfreds med at være kommet så langt, men det her var min eneste chance for at blive en person hvis tilstedeværelse man lagde mærke til, ikke blot registrerede, en som man lyttede interesseret til, ikke blot distræt hørte efter. Hvis Gud eksisterede, ville han styre vinden og lade den blæse til fordel for mig sådan at jeg med et enkelt træk i linen kunne skære min smerte bort, min længsel. Jeg havde holdt ud så længe, var kommet så langt. Og pludselig, lige med et, blev håbet til vished. Jeg ville vinde. Det var blot et spørgsmål om hvornår.

Det viste sig at blive før snarere end senere. Et vindstød løftede min drage, og jeg udnyttede chancen. Gav line og trak ind igen. Løftede min drage op over den blå. Blev der. Den blå drage vidste at den havde fået problemer. Den forsøgte desperat at sno sig ud af fælden, men jeg klinede mig til den. Blev hvor jeg var. Tilskuerne fornemmede at enden nærmede sig. Koret: „Skær ham ned! Skær ham ned!" voksede i styrke, som romerne der i takt råbte: 'Dræb, dræb' ned mod gladiatorerne.

„De er næsten i mål, Amir agha! Næsten i mål!" gispede Hassan.

Så kom chancen. Jeg lukkede øjnene og slækkede på linen. Den skar igennem min hånd da vinden trak i den. Og så… Jeg behøvede ikke tilskuernes brøl for at vide det. Jeg behøvede ikke engang at se med mine egne øjne. Hassan brølede, og hans arm fløj rundt om halsen på mig.

„Bravo! Bravo, Amir agha!"

Jeg åbnede øjnene og så den blå drage styrte drejende mod jorden som et hjul der har revet sig løs fra en kørende bil. Jeg blinkede, forsøgte at sige noget. Ikke en lyd kom over mine læber. Pludselig var det som om jeg svævede, så ned på mig selv ovenfra. Sort skindjakke, rødt tørklæde, falmede jeans. En mager dreng, en smule gusten og lidt for lille i forhold til sine tolv år. Han havde smalle skuldre og en antydning af sorte rande under de blegbrune øjne. Vinden purrede op i hans lysebrune hår. Han så op på mig, og vi smilede til hinanden.

Og så skreg og hylede jeg, og alt var farve og lyd, alt var ekstase og godt. Jeg slog min frie arm om Hassan, og vi hoppede op og ned, begge storgrinende, begge stortudende. „De vandt, Amir agha! De vandt!"

„*Vi* vandt! *Vi* vandt!" var det eneste jeg kunne få frem. Det her kunne ikke være sandt. Om et øjeblik ville jeg blinke med øjnene og vågne af en vidunderlig drøm, stå op, gå ned for at spise morgenmad og kun have Hassan at tale med. Komme i tøjet. Vente på baba. Give op. Vende tilbage til mit gamle liv. Men så så jeg baba oppe på vores hustag. Han stod helt ude ved kanten og slog igen og igen en knyttet næve ind i sin anden hånd. Hujede og klappede. Og det, lige præcis det, var det største øjeblik i hele mit tolv år lange liv: at se baba oppe på taget langt om længe være stolt af mig.

Men så begyndte han at gestikulere, ivre med begge hænder. Og jeg forstod hvad han mente. „Hassan, vi…"

„Jeg ved det," sagde han og sled sig ud af min omfavnelse. „*Inshallah* fester vi senere. Lige nu vil jeg løbe den blå drage op for Dem," sagde han. Han lod spolen falde til jorden og stak i løb. Jeg husker at sømmen på hans grønne *chapan* slæbte i sneen efter ham.

„Hassan!" råbte jeg. „Husk at have den med tilbage!"

Han var allerede på vej rundt om et hjørne, sneen blev sparket op bag hælene på hans gummistøvler, men han standsede, vendte sig om. Han lavede en tragt med hænderne omkring munden. „For Dem, tusind gange og mere!" råbte han. Og så smilede han sit Hassan-smil og forsvandt rundt om hjørnet. Næste gang jeg så ham smile så ubekymret, var seksogtyve år senere på et blegnet polaroidfoto.

Jeg begyndte at trække min drage ned, og folk kom farende for at lykønske mig. Jeg rakte dem hånden, sagde tak. De yngre børn kiggede på mig med ærefrygt i øjnene; jeg var en helt. Hænder klappede mig på ryggen og rodede op i mit hår. Jeg trak i linen og gengældte alle smil, men mine tanker var koncentreret om den blå drage.

Til sidst havde jeg fået dragen ned. Jeg vandt den løse line op der havde samlet sig om mine fødder, trykkede lidt flere i hånden og travede hjem. Da jeg nåede smedejernsporten, stod Ali og ventede på den anden side. Han rakte hånden ud gennem tremmerne. „Tillykke," sagde han.

Jeg rakte ham min drage og spolen og tog ham i hånden. „*Tashakor*, Ali jan."

„Jeg bad for jer hele tiden."

„Så bliv ved med at bede. Vi er ikke færdige endnu."

Jeg skyndte mig ud på gaden igen. Jeg spurgte ikke Ali ud om baba. Jeg ønskede ikke at se ham endnu. Jeg havde det hele planlagt oppe i mit hoved: Jeg ville gøre en storslået entré, en helt med trofæet i mine blodige hænder. Hoveder ville dreje sig efter mig og øjne mødes. Rostam og Sohrab der tog mål af hinanden. Stilheden var ladet med drama. Så ville den gamle kriger gå hen til den unge, omfavne ham, erkende hans værd. Vindikation. Saliggørelse. Forløsning. Og hvad så? Nå ja... lykkelig til sine dages ende, selvfølgelig. Hvad ellers?

Gaderne i Wazir Akbar Khan var nummererede og krydsede hinanden i rette vinkler ligesom i et gitter. Dengang var kvarteret nyt, stadig under udvikling, med masser af tomme byggegrunde og halvfærdige huse i hver eneste gade mellem bygningskomplekser omgivet af halvmeterhøje mure. Jeg løb op og ned gennem gaderne og ledte efter Hassan. Overalt havde folk travlt med at slå deres klapstole sammen og pakke mad og sager sammen efter en lang dags fest. Nogle sad stadig oppe på hustagene og råbte lykønskninger ned til mig.

Fire gader fra vores egen fik jeg øje på Omar, søn af en ingeniør der var en af babas venner. Han løb rundt og driblede med en fodbold sammen med sin bror på plænen foran deres hus. Omar var en okay fyr. Vi havde gået sammen i fjerde klasse, og på et tidspunkt havde han foræret mig en fyldepen, en af dem man skifter patroner i.

„Jeg hører at du vandt, Amir," sagde han. „Tillykke."

„Tak. Har du set Hassan?"

„Din hazara?"

Jeg nikkede.

Omar headede bolden til sin bror. „Jeg har hørt han er en fantastisk drageløber." Hans bror headede bolden tilbage til ham. Omar greb den, kastede den op i luften og greb den igen. „Selv om jeg altid har spekuleret på hvordan det kan være. Jeg mener, med de der smalle, skæve øjne, hvordan kan han overhovedet *se* med dem?"

Hans bror lo, en kort latter, og krævede at få bolden. Omar ignorerede ham.

„Har du set ham?"

Omar gjorde tegn med tommelfingeren mod sydvest. „Jeg så ham løbe i retning af basaren for lidt siden."

„Tak." Jeg fór af sted.

Da jeg nåede frem til markedspladsen, var solen næsten helt forsvundet bag bakkerne, og tusmørket havde farvet himlen lyserød og violet. Et par gader derfra brølede mullahen *azan* fra Haji Yaghoub-moskeen, kaldte de troende til bøn, råbte at de skulle rulle deres tæpper ud og bøje hovederne i bøn mod vest. Hassan forsømte aldrig nogen af de fem daglige bønner. Selv når vi var midt i en leg, undskyldte han sig, trak vand op fra brønden på gårdspladsen, vaskede sig og forsvandt ind i hytten. Få minutter efter kom han så ud igen, smilede, og fandt mig siddende op ad en mur eller hængende i en gren. Denne aften så det ud til at han ikke fik bedt sine bønner. På grund af mig.

Basaren var hurtigt ved at tømmes for kunder, købmændene

var ved at afslutte den sidste prutten om priser. Jeg løb ind mellem rækker af tætliggende aflukker hvor man kunne købe nyslagtede fasaner i en bod og regnemaskiner i den overfor. Jeg snoede mig rundt mellem de sidste mennesker, lamme tiggere iklædt lag på lag af lasede pjalter, tæppehandlere med deres varer over skulderen, stofhandlere og slagtere der var ved at lukke for denne dag. Jeg kunne ikke se Hassan nogen steder.

Jeg standsede ved en bod med tørrede frugter og beskrev Hassan for den gamle mand der var ved at læsse sit muldyr med kasser med pinjekerner og rosiner. Han havde en dueblå turban på hovedet.

Han holdt inde med arbejdet og kiggede længe på mig, før han svarede. „Måske har jeg set ham."

„Hvad vej løb han?"

Han mønstrede mig nedefra og op. „Hvad har en dreng som Dem at bestille her og på det her tidspunkt? Hvad har De med en hazara at gøre?" Hans blik gled ned over min læderjakke og mine jeans – cowboybukser kaldte vi dem. I Afghanistan var det et tegn på velstand at eje amerikanske ting, især hvis de ikke var købt brugt.

„Jeg er nødt til at finde ham, agha."

„Hvad betyder han for Dem?" sagde han. Jeg forstod ikke meningen med hans spørgsmål, men mindede mig selv om at utålmodighed ikke ville få ham til at svare hurtigere på mit spørgsmål.

„Han er søn af vores tjener," sagde jeg.

Den gamle mand hævede et gråt øjenbryn. „Er han det? Heldige hazara at have en så omsorgsfuld herre. Hans far burde falde ned på knæ og feje støvet fra Deres fødder med sine øjenvipper."

„Vil De fortælle mig det eller ej?"

Han lagde en arm over muldyrets ryg og pegede mod syd. „Jeg mener jeg så en dreng som De beskriver, løbe den vej.

Han havde en drage i hånden. En blå drage."

„Havde han det?" sagde jeg. *For Dem, tusind gange og mere*, havde han lovet. Gode gamle Hassan. Gode gamle, pålidelige Hassan. Han havde holdt sit løfte og løbet den sidste drage op for mig.

„Men de har formentlig fanget ham nu," gryntede den gamle mand og læssede endnu en kasse op på muldyrets ryg.

„Hvem?"

„De andre drenge," sagde han. „Dem der var efter ham. De var klædt ligesom Dem." Han kastede et blik op mod himlen og sukkede. „Nå, smut nu, så jeg ikke kommer for sent til *namaz.*"

Men jeg var allerede i fuld fart på vej ned ad vejen.

I de næste få minutter strejfede jeg forgæves rundt i basaren. Måske havde den gamle mands øjne svigtet ham. Bortset fra at han havde set den blå drage. Tanken om at få fingrene i den drage... Jeg stak hovedet ind i alle stræder, ind i alle boder. Intet spor af Hassan.

Jeg var begyndt at blive bange for at mørket ville være faldet på før jeg fandt Hassan, da jeg hørte stemmer et sted foran mig. Jeg nåede frem til en isoleret, mudret passage der førte ned til den store hovedgade der delte basaren i to. Jeg drejede ned i passagen og fulgte lyden af stemmer. Mine støvler knirkede i mudderet for hvert trin, og ånden stod i hvide skyer ud af min mund. Den smalle passage løb parallelt med en snefyldt slugt hvor en bæk snoede sig af sted om foråret. På den anden side voksede rækker af snetyngede cypresser mellem fladtagede, lerklinede huse – for de flestes vedkommende ikke meget mere end mudderhytter – adskilt af smalle smøger.

Jeg kunne høre stemmerne igen, højere nu, nede i en af de smøger. Jeg listede mig frem til begyndelsen af den. Holdt vejret. Kiggede rundt om hjørnet.

Hassan stod i den blinde ende af smøgen, trodsigt, med

knyttede hænder og let spredte ben. Bag ham, oven på en bunke affald, lå den blå drage. Nøglen til babas hjerte.

Tre drenge spærrede vejen ud af smøgen, de samme tre fra dengang oppe på bakken, dagen efter Daoud Khans kup, da Hassan havde reddet os med sin slangebøsse. Wali stod på den ene side, Kamal på den anden, og i midten stod Assef. Jeg mærkede hvordan alle muskler i min krop trak sig sammen, og noget koldt rislede ned ad ryggen på mig. Assef virkede afslappet, selvsikker. Han snurrede knojernene rundt i sin hånd. De to andre drenge trippede nervøst på fødderne og så til og fra Assef og Hassan som om de havde trængt et vildt dyr op i et hjørne som kun Assef kunne tumle.

„Hvor er din slangebøsse, hazara?" spurgte Assef og snurrede knojernene rundt i hånden. „Hvad var det du sagde? At de ville døbe mig om til Assef Enøje? Ja, sådan var det. Assef Enøje. Kvikt. Meget kvikt. Men så igen, det er nemt at være kvik når man står med et våben i hænderne."

Det gik op for mig at jeg holdt vejret. Jeg pustede ud, langsomt, lydløst. Jeg følte mig helt lammet. Jeg så dem rykke ind på den dreng jeg var vokset op sammen med, den dreng hvis ansigt med hareskåret var min første erindring.

„Men i dag er din lykkedag, hazara," sagde Assef. Han havde ryggen til mig, men jeg ville have væddet på at han grinede. „Jeg er parat til at tilgive dig. Hvad siger I til det, drenge?"

„Det er virkelig pænt af dig," brast det ud af Kamal. „Især efter så fræk han var sidste gang." Han forsøgte at lyde ligesom Assef bortset fra at hans stemme skælvede. Så forstod jeg det: Han var ikke bange for Hassan, ikke rigtigt. Han var bange fordi han ingen anelse havde om hvad Assef havde i tankerne.

Assef slog afvisende ud med hånden. „Bakhshida. Tilgivet. Ude af verden." Hans stemme faldt en oktav. „Men der er selvfølgelig intet der er gratis i denne verden, og min tilgivelse har en lille pris."

„Det er kun retfærdigt," sagde Kamal.

„Intet er gratis," tilføjede Wali.

„Du er heldig, hazara," sagde Assef og trådte et skridt nærmere mod Hassan. „For i dag kommer det kun til at koste dig den blå drage. En rimelig byttehandel, ikke sandt, drenge?"

„Mere end rimelig," sagde Kamal.

Selv fra det sted hvor jeg stod, kunne jeg se frygten krybe op i Hassans øjne, men han rystede på hovedet. „Amir agha vandt turneringen, og jeg løb dragen op for ham. Det er hans drage."

„En trofast hazara. Trofast som en hund," sagde Assef.

Kamals latter var skinger, nervøs.

„Men før du ofrer dig for ham, så tænk lige på dette: Ville han gøre det samme for dig? Har du nogensinde tænkt over hvorfor han aldrig inddrager dig i sine lege når han har gæster? Hvorfor han kun leger med dig når der ikke er andre i nærheden? Jeg skal fortælle dig hvorfor, hazara. Fordi du for ham ikke er andet end et grimt kæledyr. En han kan lege med når han keder sig, en han kan sparke til når han er gal i hovedet. Du må endelig ikke narre dig selv og tro du er andet end det."

„Amir agha og jeg er venner," sagde Hassan med blussende kinder.

„Venner?" sagde Assef leende. „Dit ynkelige fjols! En eller anden dag vil du vågne fra din behagelige drøm og opdage præcis hvor god en ven han er. Nu, *bas*! Nok. Giv mig dragen."

Hassan bøjede sig ned og samlede en sten op.

Assef krympede sig. Han gik et skridt baglæns, stod stille. „Sidste chance, hazara."

Hassans svar var at trække hånden med stenen tilbage.

„Som du vil." Assef knappede sin vinterjakke op, tog den af

og foldede den langsomt og omhyggeligt sammen. Han lagde den op ad muren.

Jeg åbnede munden; var lige ved at råbe noget. Lige ved. Resten af mit liv havde måske formet sig anderledes hvis jeg havde gjort det. Men jeg gjorde det ikke. Jeg så blot til. Paralyseret.

Assef gjorde en bevægelse med hånden, og de to andre drenge trak ud til siden, formede en halvcirkel og lukkede Hassan inde i smøgen.

„Jeg har ændret mening," sagde Assef. „Du må beholde dragen, hazara. Jeg vil lade dig beholde den, så den altid vil kunne minde dig om det jeg agter at gøre ved dig."

Så angreb han. Hassan kastede stenen. Den ramte Assef i panden. Assef hylede da han kastede sig over Hassan og slog ham til jorden. Wali og Kamal fulgte efter.

Jeg bed mig i hånden. Lukkede øjnene.

En erindring:

Vidste De at Hassan og De diede ved det samme bryst? Vidste De det, Amir agha? Hendes navn var Sakina. Hun var lyshåret og havde blå øjne, denne hazarakvinde fra Bamiyan, og hun sang gamle bryllupssange for Dem. Man siger at folk der har diet ved det samme bryst, er brødre. Vidste De det?

En erindring:

„En rupia hver, børn. Kun en enkelt rupia, og jeg vil løfte sandhedens gardin." Den gamle mand sidder op ad en lerklinet mur. Hans useende øjne er som smeltet sølv indlejret i dybe, ens kratere. Bøjet over sin stok lader spåmanden en knudret hånd glide ned over sine indsunkne kinder. Huler dem foran os. „Det er ikke meget at betale for sandheden, vel, en rupia hver?" Hassan lader en mønt falde ned i den læderagtige håndflade. Jeg lægger også min mønt ned i den. „I Allahs

navn, den godgørende og barmhjertige," *hvisker spåmanden. Han tager først Hassans hånd og stryger hen over håndfladen med en forhornet fingernegl, rundt og rundt, rundt og rundt. Så svæver fingeren op til Hassans ansigt og laver en tør, krattende lyd da den langsomt følger kindernes kurve, ørernes form. De barkede puder på hans fingerspidser strejfer Hassans øjne. Der falder hånden til ro. Tøver. En skygge passerer hen over den gamle mands ansigt. Hassan og jeg udveksler et blik. Den gamle mand tager Hassans hånd og lægger rupia'en tilbage i den. Han vender sig om mod mig. „Hvad så med Dem, unge herre?" siger han. En hane galer på den anden side af muren. Den gamle mand rækker ud efter min hånd, og jeg trækker den tilbage.*

En drøm:

Jeg er faret vild i en snestorm. Vinden hyler og kaster mængder af stikkende sne ind i mine øjne. Jeg vakler gennem bunker af hvirvlende hvidt. Jeg råber på hjælp, men blæsten overdøver mine råb. Jeg falder og ligger hivende efter vejret i sneen, fortabt i alt det hvide, med vinden hylende i mine ører. Jeg ser sneen slette sporene efter mig. Jeg er et spøgelse nu, tænker jeg, et spøgelse uden fodspor. Jeg råber igen på hjælp; håbet svinder i takt med fodsporene. Men denne gang et dæmpet svar. Jeg skærmer for mine øjne, og det lykkes mig at komme op at sidde. Ud fra det bølgende snetæppe får jeg et glimt af noget der bevæger sig, noget farvet mellem alt det hvide. En velkendt skikkelse kommer til syne. En hånd rækker nu ud efter mig. Jeg ser dybe, parallelle flænger i håndfladen, dryppende blod der pletter i sneen. Jeg tager hånden, og pludselig er sneen forsvundet. Vi står på en mark med æblegrønt græs. Hvide, tottede skyer driver hen over himlen over os. Jeg kigger op og ser at himlen er fyldt med drager, grønne, gule, røde, orange. De sejler rundt i eftermiddagslyset.

Smøgen var fyldt med skrald og murbrokker. Slidte cykeldæk, flasker med lasede mærkater, iturevne ugeblade, gulnede aviser, alt sammen i et sandt virvar mellem halve mursten og cementstykker. En rusten smedejernsovn med et gabende hul i siden lå skævt op ad en mur. Men der var to ting mellem alt ragelset som jeg ikke kunne vriste mit blik fra: Den ene var den blå drage der lå op ad muren ved siden af ovnen; den anden var Hassans brune fløjlsbukser der lå på en bunke forvitrede mursten.

„Jeg ved ikke rigtigt," sagde Wali. „Min far siger det er syndigt." Han lød usikker, ophidset, bange, alt sammen på én gang. Hassan lå på maven på jorden. Kamal og Wali havde fat i hver deres arm som de havde vredet om ved albueleddet så Hassans hænder var fastlåst omme på ryggen. Assef tårnede sig op over dem, stod med den ene vinterstøvle maset ned i lænden på Hassan.

„Din far får aldrig noget at vide om det," sagde Assef. „Og der er ikke noget syndigt ved at give et respektløst æsel en lektion."

„Jeg ved ikke rigtigt," mumlede Wali igen.

„Det må du selv om," sagde Assef. Han så på Kamal. „Hvad med dig?"

„Jeg... altså..."

„Det er kun en hazara!" sagde Assef. Men Kamal blev ved med at se bort.

„Udmærket," hvæsede Assef. „Det eneste jeg beder om, er at I holder ham nede. Tror I I vil kunne klare det?"

Wali og Kamal nikkede. De så begge lettede ud.

Assef knælede ned bag Hassan, placerede hænderne om Hassans hofter og løftede op i hans nøgne baller. Han holdt fast med sin ene hånd om Hassans hofte mens han med den frie hånd spændte sit bælte op. Han lynede bukserne ned. Trak underbukserne ned. Rykkede nærmere. Hassan kæmpede ikke imod. Han klynkede ikke engang. Han drejede hovedet lidt, og jeg fik et glimt af hans ansigt. Så resignationen i det. Det var et udtryk jeg havde set før. Lammets udtryk.

I morgen er den tiende dag i dhul-hijjah, *den sidste dag i den muslimske kalender og den første af tre dage i eid Al-Adha, eller* eid-e-Qorban *som afghanerne kalder den – den dag hvor man højtideligholder at profeten Ibrahim næsten ofrede sin egen søn til Gud. Baba havde personligt udvalgt fåret i år, et helt hvidt et med krogede, sorte ører.*

Vi står på gårdspladsen, Hassan, Ali, baba og mig. Mullahen reciterer bønnen, gnubber sig i skægget. Baba mumler: Kom nu i gang! *Han lyder ærgerlig over de endeløse bønner, ritualet med at gøre kødet* halal. *Baba håner historien bag denne Eid, ligesom han håner alt religiøst. Men han respekterer traditionen bag* Eid-e-Qorban. *Den tradition der tilsiger at man deler kødet i tre portioner, en til familien, en til venner, en til de fattige. Hvert år giver baba alt kødet til de fattige. De rige er fede nok,* siger han.

Mullahen afslutter sin bøn. Ameen. Han tager køkkenkniven med det lange blad. Ifølge traditionen må fåret ikke se kniven. Ali giver dyret en sukkerknald – endnu en tradition for at gøre døden sødere. Fåret sparker ud, men ikke meget. Mullahen tager fat under hagen på det og placerer kniven på siden af halsen. Et splitsekund før han med en rutineret bevægelse skærer halsen over på fåret, får jeg et glimt af dets øjne. Jeg ser et udtryk som vil komme til at hjemsøge mine drømme i mange uger derefter. Jeg fatter ikke hvorfor jeg bliver ved at deltage i dette årlige ritual på vores gårdsplads; jeg har mareridt længe efter at blodet på græsset er forsvundet. Men jeg er altid med. Jeg ser til på grund af dette resignerede udtryk i dyrets øjne. Helt absurd bilder jeg mig ind at det forstår. Jeg bilder mig ind at dyret forstår at dets snarlige død tjener et højere formål. Det er det samme udtryk...

Jeg holdt op med at se; forlod smøgen. Et eller andet varmt trillede ned ad mit håndled. Jeg blinkede og så at jeg stadig bed hårdt i min hånd, hårdt nok til at blodet flød fra mine knoer. Jeg opdagede også noget andet. Jeg græd. Lige rundt om hjørnet kunne jeg høre Assefs hurtige, rytmiske grynt.

Det var min sidste chance for at træffe en beslutning. En sidste chance for at bestemme hvem jeg ville være. Jeg kunne dreje ind i smøgen igen, komme Hassan til undsætning – ligesom han så mange gange i tidens løb var kommet mig til undsætning – og affinde mig med det der i så fald ville overgå mig. Eller jeg kunne stikke af.

Det endte med at jeg stak af.

Jeg stak af fordi jeg var en kujon. Jeg var bange for Assef og for det han kunne finde på at udsætte mig for. Jeg var bange for at få tæsk. Det var hvad jeg sagde til mig selv da jeg vendte smøgen, og Hassan, ryggen. Det var hvad jeg fik mig selv til at tro på. Jeg *stræbte* faktisk efter at være en kujon, for alternativet, den rigtige grund til at jeg stak af, var at Assef havde ret: Man får intet gratis i denne verden. Måske var Hassan den pris jeg skulle betale, det lam jeg skulle slagte, for at vinde babas kærlighed. Var det en rimelig pris? Svaret gled ind i mit hoved før jeg nåede at forhindre det: Han var kun en hazara, var han ikke?

Jeg løb tilbage samme vej som jeg var kommet. Løb gennem den nu næsten menneisketomme basar. Jeg slingrede hen mod en butik og lænede mig op ad de låste døre. Jeg stod der, hev efter vejret, svedte, ønskede at alting havde udviklet sig ander- ledes.

Omkring et kvarter senere hørte jeg lyden af løbende fødder. Jeg krøb sammen ved siden af butikken og så Assef og de to andre komme spurtende forbi, leende mens de skyndte sig ned ad den menneisketomme vej. Jeg tvang mig selv til at vente yderligere ti minutter. Så gik jeg tilbage ad den mudrede passage langs den snefyldte kløft. Jeg kneb øjnene sammen i det svage lys og fik øje på Hassan som langsomt kom gående imod mig. Vi mødtes under et bladløst birketræ der voksede på kanten af kløften.

Han havde den blå drage i hænderne; det var det første jeg så. Og jeg kan ikke lyve nu og sige at mine øjne ikke fór hen over den for at se om der var flænger i den. Der var mudder foran på Hassans *chapan*, og skjorten var flænget lige under kraven. Han stod stille. Svajede på fødderne som om han var ved at falde sammen. Så tog han et tag i sig selv. Rakte mig dragen.

„Hvor i alverden var du? Jeg har ledt efter dig," sagde jeg. Da jeg sagde de ord, var det som at tygge på en klippesten.

Hassan trak armen hen over sit ansigt; tørrede snot og tårer væk med ærmet. Jeg ventede på at han skulle sige noget, men vi stod blot der helt stille i det svindende lys. Jeg var taknemmelig for de tidlige aftenskygger der lå hen over Hassans ansigt og skjulte mit. Jeg var glad for ikke at skulle se ind i hans øjne. Vidste han at jeg vidste det? Og hvis han vidste det, hvad ville jeg så få at se hvis jeg kunne *se* ham i øjnene? Anklage? Harme? Eller, Gud forbyde det, det jeg allermest frygtede: en hengivenhed der var uden svig. Lige netop det ville jeg ikke kunne klare at se.

Han begyndte at sige noget, og hans stemme knækkede over. Han lukkede munden, åbnede den igen og lukkede den endnu en gang. Trådte et skridt tilbage. Tørrede sig i ansigtet. Og det var det tætteste Hassan og jeg kom på at tale om det der var hændt ham i smøgen. Et øjeblik var jeg bange for at han skulle briste i gråd, men til min store lettelse skete det ikke, og jeg lod som om jeg ikke havde hørt hans stemme knække over. Ligesom jeg lod som om jeg ikke så den mørke plamage på hans buksebag. Eller de små dråber der faldt mellem hans ben og farvede sneen sort.

„Agha sahib må være ved at være nervøs," var alt hvad han sagde. Han vendte sig bort fra mig og haltede videre.

Det skete præcis som jeg havde fantaseret om. Jeg åbnede døren til det tilrøgede værelse og trådte ind. Baba og Rahim Khan sad og drak te og lyttede til de skrattende nyheder i radioen. De drejede hovederne. Et smil begyndte at spille om min fars læber. Han bredte armene ud. Jeg lagde dragen fra mig og gik direkte ind mellem de kraftige, behårede arme. Jeg begravede mit ansigt i varmen fra hans bryst og græd. Baba holdt mig tæt ind til sig; vuggede mig frem og tilbage. I hans favn glemte jeg hvad jeg havde gjort. Og det var godt.

OTTE

Den følgende uge så jeg ikke meget til Hassan. Jeg vågnede op til ristet brød, te og et kogt æg der allerede var sat frem på køkkenbordet. Dagens tøj lå nystrøget og foldet sammen på rørstolen ude i hallen hvor Hassan normalt stod og strøg. Han plejede at vente på at jeg havde sat mig ved morgenbordet, før han gik i gang med at stryge – på den måde kunne vi snakke sammen. Han plejede også at synge, overdøve den hvæsende lyd fra strygejernet med gamle hazarasange om tulipanmarkerne. Nu hilste kun det sammenfoldede tøj mig godmorgen. Det og et morgenmåltid som jeg næsten ikke kunne få ned.

En overskyet morgen da jeg sad og skubbede rundt med et kogt æg på tallerkenen, kom Ali ind med en favnfuld brænde. Jeg spurgte ham hvor Hassan var.

„Han er gået i seng igen," sagde Ali og knælede ned foran kaminen. Han åbnede den lille, firkantede luge.

Ville Hassan kunne lege i dag?

Ali tøvede lidt med en brændeknude i hånden. Et bekymret

udtryk flakkede hen over hans ansigt. „På det seneste er det som om han kun har lyst til at sove. Han klarer sine pligter – det sørger jeg for – men bagefter kravler han bare ned under sit tæppe igen. Må jeg spørge Dem om noget?"

„Hvis det ikke kan være anderledes."

„Efter drageturneringen kom han hjem en smule forslået, og hans skjorte var revet i stykker. Jeg spurgte ham hvad der var sket, og han sagde at der ikke var sket noget, bare at han havde været oppe at toppes med nogle drenge over dragen."

Jeg sagde intet. Skubbede blot rundt med ægget på min tallerken.

„Skete der noget, Amir agha? Noget han ikke vil fortælle mig?"

Jeg trak på skuldrene. „Hvor skulle jeg vide det fra?"

„Men De ville vel fortælle mig det, ikke? *Inshallah*, De ville vel fortælle mig det hvis der var sket noget?"

„Som sagt, hvordan skulle jeg kunne vide om der var sket noget!" snappede jeg. „Måske er han syg. Folk bliver ustandseligt syge, Ali. Sig mig, har du tænkt dig at tænde op i kaminen i dag, eller skal jeg fryse ihjel?"

Den aften spurgte jeg baba om vi kunne køre til Jalalabad om fredagen. Han sad og rokkede i læderstolen bag sit skrivebord mens han læste avisen. Han lagde avisen fra sig og tog de briller af som jeg i den grad havde noget imod – baba var ikke gammel, på ingen måde, og han havde masser af år tilbage at leve i, så hvorfor havde han behov for at gå med de dumme briller?

„Ja, hvorfor ikke!" sagde han. På det seneste var baba gået med til alt hvad jeg bad om. Og ikke kun det, kun to dage før havde *han* spurgt *mig* om jeg havde lyst til at gå ind og se *El Cid* med Charlton Heston i Aryana-biografen. „Hvad med at spørge Hassan om han har lyst til at tage med til Jalalabad?"

Hvorfor skulle baba nu ødelægge det hele? „Han er *ma-reez*," sagde jeg. Utilpas.

„Er han det?" Baba holdt op med at rokke i stolen. „Hvad er der i vejen med ham?"

Jeg trak på skuldrene og dumpede ned i sofaen henne ved kaminen. „Han er forkølet eller noget i den retning. Ali siger at han forsøger at sove sig rask."

„Jeg har ikke set meget til Hassan i de sidste par dage," sagde baba. „Er du sikker på det er hvad der er i vejen, forkølelse?" Jeg kunne ikke lade være med at ærgre mig over hvordan han bekymret fik rynker i panden.

„Forkølelse, ikke andet. Tager vi så af sted på fredag, baba?"

„Ja, ja," sagde baba og rejste sig fra skrivebordet. „En skam med Hassan, ikke? Du ville vel more dig bedre hvis han var med."

„Ja, men vi to kan da også more os sammen," sagde jeg. Baba smilede. Blinkede. „Tag godt med tøj på," sagde han.

Det skulle kun have været os to – det var hvad jeg havde sat næsen op efter – men inden onsdag aften havde baba bedt yderligere en atten-tyve mennesker med. Han ringede til sin fætter Homayoun – egentlig var han kun en halvfætter – og nævnte at han ville køre til Jalalabad om fredagen, og Homayoun, som havde læst til ingeniør i Frankrig og havde et hus i Jalalabad, sagde at han ville samle hele familien, børnene og de to koner, og nu han var i gang: Kusine Shafiqa og hendes familie der boede i Herat, var for resten i Kabul, måske havde hun også lyst til at komme med, og eftersom hun boede hos fætter Nader i Kabul, burde man vel også spørge om han og hans familie havde lyst til at tage med, selv om Homayoun og Nader ikke var de bedste venner, og hvis Nader blev bedt med, var man jo også nødt til at spørge hans bror Faruq, for ellers ville han måske føle sig forbigået og så måske ikke invitere dem til sin datters bryllup næste måned og...

Vi måtte køre i tre store biler. Jeg kørte med baba, Rahim Khan, kaka Homayoun – baba havde tidligt lært mig at kalde alle ældre mænd for *kaka*, onkel, og alle ældre kvinder *khala*, tante. Også kaka Homayouns to koner kørte med os – den sure ældre med vorter på hænderne og den yngre som altid duftede af parfume og dansede med lukkede øjne – ligesom kaka Homayouns tvillingepiger. Jeg sad på bagsædet, køresyg og ør i hovedet, klemt inde mellem de to syv år gamle tvillingepiger som blev ved med at række hen over mig for at daske til hinanden. Turen til Jalalabad var en to timer lang prøvelse ad snoede bjergveje langs hårrejsende kløfter, og min mave slog kolbøtter hver gang vi kørte rundt i et hårnålesving. Alle i bilen talte, talte højt og i munden på hinanden, næsten råbende, sådan som afghanere har for vane. Jeg spurgte en af tvillingerne – Fazila eller Karima, jeg kunne ikke kende dem fra hinanden – om hun ville bytte sin plads ved vinduet med mig så jeg kunne få en smule luft og få det lidt bedre. Hun rakte tunge og svarede nej. Jeg sagde fint nok, men så var det ikke min skyld hvis jeg kom til at brække mig ud over hendes nye kjole. Et øjeblik efter sad jeg med hovedet ud ad vinduet. Jeg så den hullede vej stige og falde, sno sig rundt bag mig og foran mig, op og ned ad bjergsider, kiggede på alle de farvestrålende lastbiler, bugnende fulde af mennesker, som vi passerede. Jeg forsøgte at lukke øjnene, lod vinden klappe mig på kinden, åbnede munden for at få frisk luft i lungerne. Jeg fik det stadig ikke bedre. En finger stak mig i siden. Det var Fazila/Karima.

„Hvad nu?“ spurgte jeg.

„Jeg sad og fortalte de andre om turneringen,“ sagde baba der sad ved rattet. Kaka Homayoun og hans koner smilede til mig fra de midterste sæder.

„Der må have været hundrede drager oppe den dag," sagde baba. „Vil du ikke også mene det, Amir?"

„Jo, deromkring," mumlede jeg.

„Et hundrede drager, Homayoun jan. Det passer. Og kun Amirs var stadig oppe da dagen var forbi. Han fik den sidste drage med hjem, en smuk, blå drage. Hassan og Amir var sammen om at løbe den op."

„Tillykke," sagde kaka Homayoun. Hans førstekone, hende med vorterne, klappede i hænderne. „*Wah wah*, Amir jan, vi er alle sammen meget stolte af dig!" sagde hun. Den yngste kone sluttede sig til bifaldet, og med ét klappede de alle, råbte lykønskninger og fortalte hvor stolte de var af mig. Kun Rahim Khan der sad på passagersædet ved siden af baba, var tavs. Han så så mærkeligt på mig.

„Baba, vær sød at køre ind til siden," sagde jeg.

„Hvad nu?"

„Jeg har det dårligt," mumlede jeg og bøjede mig ind over kaka Homayouns døtre.

Fazila/Karimas ansigt fortrak sig. „Ind til siden, kaka! Han er helt grøn i ansigtet! Jeg vil ikke have at han kaster op ud over min nye kjole!" hvinede hun.

Baba begyndte at trække ind til siden, men han nåede det ikke. Et øjeblik senere sad jeg på en klippe i vejkanten mens de luftede ud i bilen. Baba stod og røg sammen med kaka Homayoun som råbte til Fazila/Karima at hun skulle holde op med at tude; han ville købe en ny kjole til hende i Jalalabad. Jeg lukkede øjnene og drejede ansigtet op mod solen. Små figurer dukkede op bag mine øjenlåg, som hænder der leger skyggeleg mod væggen. De dansede rundt, smeltede sammen, dannede et enkelt billede: Hassans brune fløjlsbukser oven på en bunke murstensbrokker i smøgen.

Kaka Homayouns hvide, to etager høje hus i Jalalabad havde

en balkon med udsigt over en stor muromkranset have med æble- og daddelblommetræer. Der var hække som gartneren om sommeren formede som dyr, og en svimmingpool med smaragdgrønne fliser. Jeg sad med dinglende fødder på kanten af bassinet som var tomt nu bortset fra en smule sjapsne på bunden. Kaka Homayouns børn legede gemmeleg i den anden ende af haven. Kvinderne lavede mad, og jeg kunne allerede lugte stegte løg, høre hvæselyden fra trykkogeren, musik, latter. Baba, Rahim Khan, kaka Homayoun og kaka Nader sad oppe på balkonen og røg. Kaka Homayoun fortalte dem at han havde taget sit lysbilledapparat med så han kunne vise dem sine billeder fra Frankrig. Det var ti år siden han var kommet hjem fra Paris, og stadig insisterede han på at vise os de dumme billeder.

Det burde ikke have været sådan. Baba og jeg var langt om længe venner. Vi havde været i zoologisk have for et par dage siden, set løven Marjan, og jeg havde kastet en lille sten efter bjørnen da ingen kiggede. Bagefter var vi gået hen til Dadkho-das Kabob-hus, lige over for biografen, og fået en lamme-kabob med friskbagt *naan* fra *tandoor*'en. Baba havde fortalt historier om sine rejser i Indien og Rusland, om de mennesker han havde mødt, som for eksempel det par i Bombay som havde været gift i syvogfyrre år og fået elleve børn selv om de begge manglede deres ben. Det burde have været morsomt at være sammen med baba en hel dag og høre ham fortælle. Langt om længe havde jeg fået det jeg havde ønsket mig i alle de mange år. Bortset fra at nu hvor jeg havde det, følte jeg mig lige så tom indeni som den misligeholdte swimmingpool mine ben nu dinglede ned i.

Konerne og døtrene serverede aftensmad – ris, *kofta* og kyllinge-*qurma* – da solen var gået ned. Vi spiste på den tradi-tionelle måde, med fingrene fra fælles fade, siddende i grupper på fire eller fem på puder rundtom i stuen med en dug bredt ud på gulvet midt mellem os alle sammen. Jeg var ikke sulten, men satte mig alligevel ned sammen med baba, kaka Faruq og kaka Homayouns to sønner. Baba, som havde fået et par whiskyer før middag, ævlede stadig løs om turneringen, om hvordan jeg havde holdt ud til det sidste, om hvordan jeg var kommet hjem med den sidste drage. Hans buldrende stemme overdøvede alle andres. Folk kiggede op, råbte tillykke til mig. Kaka Faruq klappede mig på ryggen med sin rene hånd. Jeg havde mest af alt lyst til at stikke en kniv i øjet på mig selv.

Senere, et godt stykke over midnat, og efter at baba og hans fætre havde spillet lidt poker, lagde mændene sig ned på madrasser i den samme stue som vi havde spist i. Kvinderne gik ovenpå. Yderligere en time senere var jeg stadig ikke faldet i søvn. Jeg blev ved med at vende og dreje mig, mens mine slægtninge gryntede, sukkede og snorkede i søvne. Jeg satte mig op. Månen skinnede ind gennem vinduet i en kile.

„Jeg så Hassan blive voldtaget," sagde jeg ud i luften. Baba rørte på sig i søvne. Kaka Homayoun gryntede. En del af mig ønskede at en eller anden ville vågne og høre på mig så jeg ikke længere skulle leve med løgnen. Men ingen vågnede, og i stilheden der fulgte, forstod jeg karakteren af den byrde jeg skulle bære rundt på resten af mit liv: Jeg ville ikke blive straffet for mit forræderi.

Jeg tænkte på Hassans drøm, den hvor vi svømmede rundt i søen. *Der er ikke noget monster*, havde han sagt, *kun vand*. Men han havde taget fejl. Der var et monster i søen. Det havde taget fat i Hassans ankler og trukket ham ned til den mudrede bund. Jeg var det monster.

Det var den nat jeg begyndte at lide af søvnløshed.

Jeg talte ikke med Hassan igen før midt i den følgende uge. Jeg havde siddet og stukket til min frokost, og Hassan var begyndt at vaske op. Jeg var på vej ovenpå, til mit værelse, da Hassan spurgte mig om jeg havde lyst til en tur op på bakken. Jeg sagde jeg var træt. Også Hassan så træt ud – han havde tabt sig, og han havde mørke rande under øjnene. Men da han spurgte mig igen, sagde jeg modvilligt ja.

Da vi travede op ad bakken, knirkede vores støvler i den mudrede sne. Ingen af os sagde noget. Vi satte os under granatæbletræet, og jeg vidste at jeg havde begået en fejl. Jeg skulle aldrig været gået med ham herop. De ord jeg havde skåret i barken med Alis køkkenkniv, *Amir og Hassan, sultaner af Kabul...* jeg kunne ikke holde ud at se på dem.

Han bad mig læse højt fra *Shahnameh*, og jeg sagde at jeg havde skiftet mening. Sagde at jeg hellere ville tilbage til mit værelse. Han så bort og trak på skuldrene. Vi gik ned på samme måde som vi var kommet op: uden at sige noget. Og for første gang i mit liv længtes jeg forfærdeligt efter at det skulle blive forår.

Minderne fra resten af vinteren 1975 er temmelig slørede. Jeg kan huske at jeg var ret glad når baba kom hjem. Vi spiste sammen, gik i biografen sammen, besøgte kaka Homayoun og kaka Faruq. En gang imellem kom Rahim Khan på besøg, og baba gav mig lov til at sidde i rygeværelset og drikke te sammen med dem. Det var fint nok, og jeg bildte mig oven i købet ind at det ville forblive sådan. Det samme tror jeg baba gjorde. Vi burde begge have vidst bedre. I et par måneder efter drageturneringen lullede baba og jeg os ind i en sød drøm hvori vi så hinanden på en måde som vi aldrig før havde gjort. Vi narrede faktisk os selv til at tro at et stykke legetøj lavet af papir, lim og bambus på en eller anden måde kunne lukke svælget mellem os.

Men når baba var i byen – og det var han ofte – lukkede jeg mig inde på mit værelse. Jeg læste et par bøger om dagen, skrev historier, lærte at tegne heste. Jeg kunne høre Hassan tøfle rundt i køkkenet om morgenen, høre sølvtøjet rasle, kedlen fløjte. Jeg plejede at vente indtil jeg hørte døren gå i, og først da gik jeg ned for at spise. Jeg tegnede en bolle i kalenderen omkring den dag skolen skulle begynde, og begyndte nedtællingen.

Til min fortvivlelse fortsatte Hassan med sine forsøg på at vække vores venskab til live igen. Jeg sad på mit værelse og læste en forkortet udgave på farsi af *Ivanhoe*, da han bankede på døren.

„Hvad?"

„Jeg skal ned til bageren for at købe *naan*," sagde han ude fra gangen. „Jeg spekulerede på om De... om De havde lyst til at gå med."

„Jeg vil hellere læse," sagde jeg og gned mig i tindingen. På det seneste var jeg begyndt at få hovedpine når Hassan var i nærheden.

„Solen skinner," sagde han.

„Det ser jeg."

„Måske kunne det være rart at gå en tur."

„Gå du blot."

„Jeg ville ønske at De gik med," sagde han. Tav lidt. Et eller andet dunkede mod døren, måske hans pande. „Jeg ved ikke hvad jeg har gjort galt, Amir agha. Jeg ville ønske De ville fortælle mig det. Jeg ved ikke hvorfor vi ikke længere leger sammen."

„Du har ikke gjort noget galt, Hassan. Gå nu din vej."

„De ved at De kan sige det til mig. Så skal jeg nok holde op med at gøre det."

Jeg begravede hovedet i mit skød, klemte tindingerne mellem mine knæ, ligesom i en knibtang. „Nu skal du høre hvad jeg vil have dig til at holde op med at gøre," sagde jeg og klemte øjnene i.

„Alt hvad De siger."

„Jeg vil at du skal holde op med at forstyrre mig. Jeg vil at du skal gå din vej," snappede jeg. Jeg ønskede at han skulle tage til genmæle, sparke døren ind og sige sin mening – det ville have gjort det hele lettere, bedre. Men han gjorde ikke noget, og da jeg et par minutter efter åbnede døren, var han væk. Jeg faldt om på sengen, begravede hovedet under puden og græd.

Efter den dag drev Hassan omkring i periferien af mit liv. Jeg sikrede mig at vores veje krydsedes så lidt som muligt, planlagde min dag på den måde. For når han var i nærheden, blev ilten suget ud af rummet. Et jernbånd strammedes om min brystkasse, og jeg kunne ikke få vejret; jeg kunne blot stå der og gispe i min egen lille lufttomme sfære. Men selv når han ikke var i nærheden, var han det alligevel. Han stod derinde og vaskede og strøg mit tøj og lagde det over rørstolen, han var i de varme hjemmesko uden for min dør, i træet der brændte i kaminen når jeg kom ned til morgenmad. Uanset hvor jeg vendte mig hen, så jeg spor efter hans loyalitet, hans forbandede, urokkelige loyalitet.

I begyndelsen af foråret, og få dage før det nye skoleår skulle begynde, var baba og jeg ude i haven for at lægge tulipanløg. Det meste af sneen var smeltet, og bakkerne mod nord var allerede begyndt at grønnes. Det var en kølig, grå dag, og baba sad på hug ved siden af mig og gravede huller i jorden til de tulipanløg jeg rakte ham. Han var ved at fortælle mig om hvordan de fleste mennesker mente det var bedst at lægge løg om efteråret, men at det ikke var rigtigt, da jeg simpelthen busede ud med det og sagde: „Baba, har De nogensinde overvejet at få nye tjenere?"

Han tabte tulipanløget og stak graveskeen i jorden. Tog havehandskerne af. Så overrasket på mig. „*Chi?* Hvad sagde du?"

„Det var bare en tanke, ikke andet."

„Hvorfor i alverden skulle jeg det?" spurgte baba kort for hovedet.

„Det ved jeg ikke. Jeg spurgte bare," sagde jeg med en stemme der var blevet til en mumlen. Jeg havde allerede fortrudt mit spørgsmål.

„Drejer det her sig om dig og Hassan? Jeg ved at der er et eller andet galt mellem jer to, men uanset hvad det måtte være, så må du klare det selv. Jeg vil ikke blandes ind i det."

„Undskyld, baba."

Han tog handskerne på igen. „Jeg voksede op sammen med Ali," sagde han med sammenbidte tænder. „Min far tog ham til sig, han elskede Ali som var han hans egen søn. Ali har været i familien i fyrre år. I fyrre år, hører du! Og nu tror du at jeg uden videre kan sætte ham på porten?" Nu så han på mig, rød i hovedet som en tulipan. „Jeg har aldrig lagt hånd på dig, Amir, men hvis du nogensinde bringer det på bane igen..." Han så væk; rystede på hovedet. „Du bringer skam over mig. Og Hassan... Hassan bliver her, er du med?"

Jeg så ned og tog en nævefuld jord. Lod den glide mellem fingrene.

„Jeg sagde: Er du med?" brølede baba.

Jeg krympede mig. „Ja, baba."

„Hassan bliver her hos os!" snappede baba. Han gravede et nyt hul med graveskeen, huggede løs i jorden med større voldsomhed end det var nødvendigt. „Han bliver lige her hos os hvor han hører hjemme. Dette er hans hjem, og vi er hans familie. Du vover at spørge mig om det igen."

„Jeg gør det aldrig igen, baba. Undskyld."

Vi lagde resten af løgene uden at tale sammen.

Det var en lettelse da skolen startede ugen efter. Elever med nye kladdehefter og spidse blyanter slentrede rundt i skolegården, sparkede støvskyer op, sludrede sammen i grupper, ventede på at der blev fløjtet til time. Baba kørte ned ad jordvejen der førte til skoleporten. Skolen var en gammel to etager høj bygning med ituslåede vinduer og dunkle, brostensbelagte gange. Engang havde den været gulkalket, men nu var der kun enkelte intakte flager tilbage på den forvitrede puds. De fleste drenge gik til skolen, og babas sorte Mustang affødte mere end ét misundeligt blik. Jeg burde have strålet af stolthed da han satte mig af – mit gamle jeg ville have gjort det – men alt hvad jeg kunne mønstre, var en mild afart af forlegenhed. Det og så tomhed. Baba kørte igen uden at sige farvel.

Jeg gik forbi de drenge der som sædvanlig stod og sammen-lignede ar fra drageturneringen, og stillede mig op i køen. Der blev fløjtet, og vi marcherede ind i vores klasseværelser, to og to. Jeg blev placeret på sidste række. Da farsi-læreren delte skolebøger rundt, bad jeg inderligt til at vi fik masser af hjem-mearbejde.

Skolen gav mig en undskyldning for at være oppe på mit værelse i flere timer ad gangen. Og en tid skubbede lektierne det i baggrunden som var sket om vinteren, det som jeg havde *ladet* ske. I nogle uger begravede jeg mig i tyngdekraft og impuls, atomer og celler, i de anglo-afghanske krige, i stedet for at tænke på Hassan og det der var sket. Men smøgen blev ved med at dukke op for mit indre blik. Hassans brune fløjls-bukser på bunken med murbrokker. Bloddråberne der farvede sneen mørkerød, næsten sort.

En sløv, diset sommereftermiddag spurgte jeg så Hassan om han havde lyst til at gå en tur op på bakken. Jeg sagde at jeg gerne ville læse en ny historie for ham som jeg havde skrevet. Han var ved at hænge tøj til tørre ude på gårdspladsen, og jeg så iveren i den måde han skyndte sig at blive færdig på.

Vi klatrede op på bakken mens vi talte om alt og ingenting. Han spurgte hvordan det gik i skolen, hvad jeg havde lært af nye ting, og jeg fortalte om mine lærere, især om den ondskabsfulde matematiklærer som straffede støjende elever ved at lægge en metalstang mellem deres fingre og så klemme til. Hassan krympede sig og sagde at han håbede aldrig at komme til at opleve det. Jeg sagde at indtil videre havde jeg været heldig, vel vidende at held intet havde med sagen at gøre. Også jeg havde støjet i timen, men min far var rig, alle kendte ham, så jeg blev ikke udsat for denne pinefulde straf.

Vi sad med ryggen op ad den lave kirkegårdsmur i skyggen under granatæbletræet. I løbet af en måned eller to ville bakkerne være dækket af afsvedent, gult græs, men det år varede foråret længere end sædvanligt, faktisk et stykke ind i det der normalt ville være forsommer, og græsset var stadig grønt isprængt en masse vilde blomster. Under os strålede Wazir Akbar Khans hvidkalkede, fladtagede huse i solskinnet, og vasketøjet hang på tørresnore i haverne og blafrede som sommerfugle i den lette brise.

Vi havde plukket en masse granatæbler fra træet. Jeg tog papirerne med min historie, slog op på første side, lagde dem så fra mig igen. Jeg rejste mig og samlede et overmodent granatæble op som var faldet ned på jorden.

„Hvad ville du gøre hvis jeg kastede det her i hovedet på dig?" spurgte jeg og smed æblet fra hånd til hånd.

Hassans smil blegnede. Han så ældre ud end jeg huskede. Nej, ikke ældre, gammel. Var det muligt? Furer havde ætset sig ind i hans solbrændte ansigt, og han havde rynker omkring øjnene, munden. Jeg kunne lige så godt have taget en kniv og selv skåret de furer.

„Hvad ville du gøre?" gentog jeg.

Farven veg fra hans ansigt. Ved siden af os blafrede de sammenhæftede papirer med min historie i vinden. Den historie jeg havde lovet at læse for ham. Jeg kylede granatæblet mod ham. Det ramte ham på brystet og eksploderede i et sprøjt af rødt frugtkød. Hassans skrig var fyldt med overraskelse og smerte.

„Slå mig!" snappede jeg. Hassan så fra plamagen på sit bryst op på mig.

„Rejs dig! Slå mig!" råbte jeg. Hassan *kom* faktisk op at stå, men så blev han blot stående og kiggede fortumlet på mig, som en mand der bliver trukket ud med tidevandet netop som han gik og nød en slentretur på stranden.

Jeg kylede endnu et granatæble efter ham og ramte ham denne gang på skulderen. Saften sprøjtede op i hans ansigt. „Så slå mig dog!" skreg jeg så spyttet stod mig ud af munden. „Slå mig, for fanden, når jeg siger det!" Jeg ønskede virkelig at han skulle gøre det. Jeg ønskede at han skulle give mig den straf jeg i den grad længtes efter, så jeg langt om længe kunne falde i søvn om aftenen. Først da kunne det måske igen blive mellem os som det engang havde været. Men Hassan rørte sig ikke ud af flækken mens jeg bombarderede ham med granatæbler. „Du er en bangebuks!" hylede jeg. „En skide bangebuks!"

Jeg ved ikke hvor mange granatæbler jeg kastede efter ham. Det eneste jeg ved, er at da jeg langt om længe indstillede bombardementet, udmattet og hivende efter vejret, var Hassan oversmurt med rødt som om han var blevet mejet ned af en henrettelsespeleton. Jeg faldt ned på knæ, træt, tom, frustreret.

Og *så* samlede Hassan et granatæble op. Han gik hen imod mig. Han flækkede det og tværede det ud på sin pande. „Sådan," kvækkede han med den røde saft silende ned ad ansigtet. „Er De så tilfreds? Har De det bedre nu?" Han vendte sig om og begyndte at gå ned ad bakken.

Jeg lod tårerne løbe frit, rokkede frem og tilbage på mine knæ. „Hvad skal jeg stille op med dig, Hassan? Hvad skal jeg dog stille op?" Men da tårerne var tørret ind, og jeg traskede ned ad bakken, kendte jeg svaret på det spørgsmål.

Jeg fyldte tretten i sommeren 1976, Afghanistans næstsidste sommer med fred og anonymitet. Følelserne mellem baba og mig var allerede ved at kølnes igen. Jeg tror det begyndte med den tåbelige bemærkning jeg var kommet med da vi lagde tulipanløg, om at ansætte nye tjenestefolk. Jeg fortrød at jeg havde sagt noget – det gjorde jeg virkelig – men jeg tror at selv hvis jeg ikke havde sagt det, ville vores lille lykkelige mellemspil alligevel være endt. Måske ikke så hurtigt, men det ville være endt. Da sommeren var ved at være forbi, havde klirren med ske og gaffel mod tallerkener afløst al snak over middagsbordet, og baba var igen begyndt at trække sig tilbage til sit rygeværelse efter måltidet. Og lukke døren. Jeg havde genoptaget min bladren igennem Hāfez og Khayyám, bed mine negle helt ned til neglebåndene, skrev historier. Jeg gemte historierne i en bunke under sengen, beholdt dem for en sikkerheds skyld, selv om jeg tvivlede på at baba nogensinde igen ville spørge om jeg ville læse dem højt for ham.

Babas motto for at holde fest var dette: Invitér hele verden, ellers var det ingen fest. Jeg kan huske at jeg lod blikket glide ned over indbydelseslisten en uge før min fødselsdag uden at vide hvem mindst tre fjerdedele af de fire hundrede og nogen kaka'er og khala'er var, der ville komme med gaver til mig og lykønske mig med at have levet i tretten år. Så gik det op for mig at de ikke kom for min skyld. Det var *min* fødselsdag, men jeg vidste godt hvem der var det sande midtpunkt i festen.

Huset var en summende bikube af hjælpere i flere dage før festen. Der var slagteren Salahuddin som dukkede op med en kalv og to får i snor og nægtede at modtage betaling for nogen af dem. Han slagtede selv dyrene ude på gårdspladsen under poppeltræet. „Blod er god næring for træet," husker jeg at han sagde, da græsset rundt om det blev farvet rødt. Mænd jeg ikke anede hvem var, klatrede rundt i egetræerne med små elektriske pærer på en ledning og mange meter forlængerledning. Andre stillede massevis af borde op på gårdspladsen og dækkede dem med en dug. Aftenen før den store fest dukkede babas ven, Del-Muhammad, som ejede en kabob-restaurant i Shar-e-Nau, op med alle sine krydderiposer. Ligesom slagteren ville Del-Muhammad – eller Dello som baba kaldte ham – ikke have penge for sine varer. Han sagde at baba havde gjort rigeligt for hans familie. Det var Rahim Khan der, mens Dello marinerede kødet, hviskede til mig at baba havde lånt Dello penge så han kunne åbne sin restaurant. Baba havde nægtet at få pengene tilbage indtil Dello en dag dukkede op ude i vores indkørsel i en Benz og nægtede at køre igen før baba havde taget imod pengene.

Jeg formoder at min fødselsdagsfest var en kolossal succes – i det mindste hvis man måler ud fra hvordan de fleste selskaber former sig. Jeg havde aldrig set så mange mennesker forsamlet i huset. Gæster med drinks i hånden stod og sludrede ude på gangen, eller sad på trappen og røg, eller stod og lænede sig op ad dørkarme. De satte sig hvor de kunne finde en plads, på køkkenborde, i hallen, selv inde under trappen. De slentrede rundt ude på gårdspladsen i lyset fra blå, røde og grønne pærer der glimtede oppe i træerne, og fra de mange petroleumsfakler der var stukket i jorden overalt. Baba havde bygget en scene oppe på balkonen der vendte ud mod haven, og sat højtalere op flere steder. Deroppe stod Ahmad Zahir og spillede på harmonika og sang mens de mange gæster dansede rundt nede på gårdspladsen.

Jeg skulle personligt hilse på alle gæsterne – det havde baba sikret sig; ingen skulle bagefter kunne sige at han havde en uopdragen søn. Jeg kyssede hundredvis af kinder, omfavnede folk jeg ikke anede hvem var, takkede dem for deres gaver. Jeg var øm i kinderne på grund af det smil jeg hele tiden havde plastret på.

Jeg stod sammen med baba ude på gårdspladsen i nærheden

af baren da en eller anden sagde: „Tillykke med fødselsdagen, Amir." Det var Assef der var kommet sammen med sine forældre. Assefs far, Mahmood, var en lavstammet, splejset mand med mørk lød og smalle øjne. Hans mor, Tanya, var en lille, nervøs kvinde som hele tiden smilede og blinkede med øjnene. Assef stod mellem de to, grinende, tårnede sig op over dem begge, med armene omkring deres skuldre. Han førte dem frem imod os; som om det var *ham* der havde taget *dem* med. Som om han var faderen og de børnene. Jeg blev svimmel. Baba takkede dem fordi de var kommet.

„Jeg har selv valgt din gave," sagde Assef. Tanyas ansigt fortrak sig, og hendes øjne flakkede fra Assef til mig. Hun smilede, tvungent, og blinkede. Jeg spekulerede på om baba havde lagt mærke til det.

„Spiller du stadig fodbold, Assef jan?" spurgte baba. Han havde længe ønsket at Assef og jeg blev venner.

Assef smilede. Det var rent ud uhyggeligt så helt igennem indtagende det fik ham til at se ud. „Selvfølgelig, kaka jan."

„Højre wing, hvis jeg husker korrekt."

„Faktisk skiftede jeg til centerforward i år," sagde Assef. „Man får flere målchancer der. Vi skal spille mod Mekro-Rayan i næste uge. Kunne gå hen og blive en god kamp. De har nogle gode spillere."

Baba nikkede. „Jeg spillede også centerforward da jeg var ung."

„Jeg vil vædde på at De kunne gøre det endnu hvis De ville," sagde Assef. Han begunstigede baba med et godmodigt blink.

Baba blinkede tilbage. „Jeg kan se at din far har lært dig sine verdensberømte indsmigrende manerer." Han stak en albue i siden på Assefs far som næsten fik den lille mand til at trimle omkuld. Mahmoods latter var omtrent lige så overbevisende som Tanyas smil, og pludselig fik jeg den tanke at de på en eller anden måde var bange for deres søn. Jeg forsøgte at tvinge et smil frem, men det lykkedes kun at få mundvigene til at kruse lidt. Det gav mig kvalme at se min far komme så godt ud af det med Assef.

Assef rettede blikket mod mig. „Wali og Kamal er her også. De kunne ikke drømme om at gå glip af din fødselsdag," sagde han med en latter der lurede lige under overfladen. Jeg nikkede tavst.

„Vi har planer om at spille lidt volleyball i morgen hjemme hos mig," sagde Assef. „Måske har du lyst til at være med? Du kan tage Hassan med hvis du vil."

„Det lyder sjovt," sagde baba og strålede. „Hvad siger du, Amir?"

„Jeg bryder mig ikke meget om volleyball," mumlede jeg. Jeg så glæden forsvinde ud af babas øjne, og der opstod en kejtet pause.

„Beklager, Assef jan," sagde baba og trak på skuldrene. Den sved, hans undskyldning på mine vegne.

„Nej, nej, det er lige meget," sagde Assef. „Men du er altid velkommen, Amir jan. Nå, men jeg har hørt at du læser meget, så jeg har en bog med til dig. En af mine yndlingsbøger." Han overrakte mig en fint indpakket fødselsdagsgave. „Tillykke."

Han var klædt i bomuldsskjorte og blå slacks, et rødt silkeslips og skinnende sorte hyttesko. Han duftede af cologne, og hans lyse hår var omhyggeligt redt tilbage. Overfladisk set var han indbegrebet af enhver forælders drøm, en velbygget, høj, velklædt og velopdragen dreng, dertil dygtig og flot, for ikke at tale om at han havde åndsnærværelse nok til at kunne spøge med en voksen. Men efter min mening afslørede hans øjne ham. Når jeg så ind i dem, krakelerede facaden og afslørede et glimt af det vanvid der skjulte sig bag dem.

„Har du ikke tænkt dig at tage imod den, Amir?" sagde baba.

„Hvad?"

„Gaven," sagde han utålmodigt. „Assef jan har en gave med til dig."

„Åh," sagde jeg. Jeg tog imod gaven med sænket blik. Jeg ville ønske at jeg sad oppe på mit værelse, alene, sammen med mine bøger, langt fra alle de mange mennesker.

„Nå?" sagde baba.

„Hvad?"

Baba sænkede stemmen sådan som han altid gjorde når jeg bragte skam over ham. „Skal du ikke sige tak til Assef jan? Det var meget betænksomt af ham."

Jeg ville ønske at baba holdt op med at kalde ham det. Hvor ofte kaldte han mig 'Amir jan'? „Tak," sagde jeg. Assefs mor kiggede på mig som om hun havde lyst til at sige noget, men hun gjorde det ikke, og det gik op for mig at Assefs forældre indtil videre ikke havde mælet et eneste ord. Før jeg nåede at bringe endnu mere skam over mig selv og baba – men mest af alt for at komme væk fra Assef og hans grin – trådte jeg et skridt tilbage. „Tak fordi I ville komme," sagde jeg.

Jeg snoede mig rundt mellem de mange mennesker og smuttede ud gennem smedejernsporten. To huse fra vores lå der en stor, ubebygget grund. Jeg havde hørt baba sige til Rahim Khan at en dommer havde købt grunden, og at en arkitekt var ved at tegne et hus. Men indtil videre var der tomt bortset fra støv, sten og ukrudt.

Jeg flåede indpakningspapiret af Assefs gave og vendte forsiden op mod måneskinnet. Det var en biografi over Hitler. Jeg smed den fra mig ned i noget højt ukrudt.

Jeg lænede mig op ad muren ind til naboen og gled ned på jorden. Jeg sad blot der i mørket, med knæene trukket op til brystet, og kiggede op på stjernerne. Ventede på at aftenen skulle være forbi.

„Burde du ikke være hjemme og underholde dine gæster?"

spurgte en velkendt stemme. Rahim Khan kom gående langs muren hen imod mig.

„De savner mig ikke. Baba er der jo," sagde jeg. Isen i Rahim Khans drink klirrede da han satte sig ned ved siden af mig. „Jeg var ikke klar over at De drak."

„Jo, åbenbart," sagde han. Han stak drillende en albue i siden på mig. „Men kun ved ganske særlige lejligheder."

Jeg smilede. „Tak."

Han løftede glasset i min retning og tog en slurk. Han tændte en cigaret, en af de pakistanske uden filter, som han og baba røg. „Har jeg nogensinde fortalt dig at jeg engang var lige ved at gifte mig?"

„Er det sandt?" sagde jeg og smilede lidt ved tanken om Rahim Khan som en gift mand. Jeg havde altid tænkt på ham som babas alter ego, min skrivementor, min kammerat, den som aldrig glemte at have en gave med, en *saughat*, når han vendte hjem fra en udlandsrejse. Men ægtemand? Far?

Han nikkede. „Den er god nok. Jeg var atten år. Hun hed Homaira. Hun var hazara, datter af en af naboens tjenere. Hun var smuk som en *pari*, lysebrunt hår, store nøddebrune øjne... hun havde den her latter... en gang imellem kan jeg stadig høre den." Han hvirvlede whiskyen rundt i glasset. „Vi plejede at mødes i al hemmelighed i min fars æbleplantage, altid efter midnat når alle andre var gået i seng. Vi slentrede rundt under træerne, og jeg holdt hende i hånden... Gør jeg dig forlegen, Amir jan?"

„En smule," sagde jeg.

„Det tager du ikke skade af," sagde han og tog et sug af cigaretten. „Nå, men vi havde den her drøm: Vi ville have et stort bryllup og invitere familien fra Kabul til Kandahar. Jeg ville opføre et stort hus til os, hvidt med flisebelagt patio og store vinduer. Vi ville plante frugttræer i haven og dyrke alle mulige slags blomster, anlægge en græsplæne som vores børn kunne lege på. Om fredagen, efter *namaz* i moskeen, skulle vi alle samles til frokost hjemme hos os, og vi ville sidde ude i haven, under kirsebærtræerne, og spise og drikke frisk vand fra brønden. Derefter te og konfekt mens vi så på vores børn der legede med deres fætre og kusiner…"

Han tog en stor slurk whisky. Hostede. „Du skulle have set min fars ansigt da jeg fortalte ham det. Min mor besvimede faktisk. Mine søstre måtte stænke vand i ansigtet på hende. De viftede for hende og så på mig som om jeg havde skåret halsen over på hende. Min bror Jalal gik faktisk ud for at hente sit jagtgevær før min far nåede at standse ham." Rahim Khan lo bittert. „Det var Homaira og mig mod resten af verden. Og det siger jeg dig, Amir jan: I sidste ende er det altid verden der vinder. Sådan er det bare."

„Hvad skete der så?"

„Samme dag satte min far Homaira og hendes familie op på en ladvogn og sendte dem til Hazarajat. Jeg så hende aldrig igen "

„Det gør mig ondt," sagde jeg.

„Formentlig var det det bedste," sagde Rahim Khan med et skuldertræk. „Hun ville have lidt. Min familie ville aldrig have accepteret hende som ligeværdig. Man beordrer ikke en tjenestepige til at pudse ens sko den ene dag og kalder hende 'søster' den næste." Han så på mig. „Du ved at du altid kan komme til mig og snakke om ting og sager, Amir jan. Altid."

„Ja," sagde jeg usikkert. Han så længe på mig, som om han ventede, som om hans mørke, bundløse øjne forsøgte at fremmane en uudtalt hemmelighed mellem os. Et øjeblik var jeg lige ved at fortælle ham den. Fortælle ham alting, men hvad ville han så mene om mig? Han ville hade mig, og med god grund.

„Her," sagde han og rakte mig noget. „Jeg havde nær glemt det. Tillykke med fødselsdagen." Det var en brun, læderindbundet notesbog. Jeg lod fingrene glide over det guldindvirkede præg langs kanterne. Jeg snusede til læderet. „Til dine historier," sagde han. Jeg skulle lige til at takke ham da et eller andet eksploderede, og store ildkugler oplyste himlen.

„Fyrværkeri!"

Vi skyndte os tilbage til huset og gæsterne der alle stod ude på gårdspladsen og så op mod himlen. Børn hujede og skreg ved hver knitren og hvislen. Folk jublede og klappede hver gang en raket susede op og eksploderede i store, farvestrålende buketter. Med få sekunders mellemrum blev der lyst omkring os med røde, grønne og gule farver.

I en af disse korte lyseksplosioner så jeg noget jeg aldrig vil glemme: Hassan der serverede drinks for Assef og Wali fra en sølvbakke. Lyset gik ud, en hvislen og en knitren, så et nyt orange lys: Og Assef der grinende æltede Hassan i brystet med knoerne på sin ene hånd.

Og så, barmhjertigt, mørke.

NI

Næste morgen sad jeg på mit værelse og åbnede gave efter gave. Jeg ved ikke hvorfor jeg gjorde mig den ulejlighed, for jeg så blot glædesløst på dem og kastede dem så hen i et hjørne. Bunken voksede sig større og større: et polaroidkamera, en transistorradio, et elektrisk tog – og en hel del kuverter med penge. Jeg vidste at jeg aldrig ville bruge pengene eller lytte til radioen, og det elektriske tog ville aldrig komme til at suse hen ad sporene på mit værelse. Jeg var ikke interesseret i noget af det – det var alt sammen blodpenge; baba ville aldrig have fejret min fødselsdag på den måde hvis jeg ikke havde vundet turneringen.

Baba havde givet mig to gaver. Den ene ville med sikkerhed vække misundelse hos alle de andre børn i kvarteret: en brandny Schwinn Stingray, kongen over alle cykler. De børn der ejede en ny Stingray, kunne tælles på to hænder, og nu var jeg en af dem. Styret var højt og havde gummigreb, sadlen var formet som en banan. Egerne var gyldne og stellet rødt som et glaseret æble. Eller som blod. Ethvert andet barn ville omgående være sprunget på cyklen og have suset en tur rundt i hele kvarteret. Måske ville jeg også have gjort det for nogle måneder siden.

„Hvad synes du om den?" spurgte baba der stod og lænede sig op ad dørkarmen til mit værelse. Jeg smilede fåret til ham og skyndte mig at sige tak. Jeg ville ønske jeg kunne have lydt lidt mere begejstret.

„Vi kunne køre en tur sammen," sagde baba. En invitation, men kun en halvhjertet en.

„Måske lidt senere. Jeg er en smule træt," sagde jeg.

„Fint," sagde baba.

„Baba?"

„Ja?"

„Tak for fyrværkeriet," sagde jeg. En tak, men kun en halvhjertet en.

„Læg dig lidt og sov," sagde baba og gik tilbage til sit værelse.

Den anden gave fra baba – og han blev ikke stående for at se mig åbne den – var et armbåndsur. Det havde en blå urskive med gyldne visere formet som lyn. Jeg gad ikke engang tage det på, smed det bare hen til bunken i hjørnet. Den eneste gave jeg ikke smed derhen, var Rahim Khans læderindbundne notesbog. Det var den eneste der ikke føltes som blodpenge.

Jeg sad på sengekanten og vendte og drejede notesbogen i hænderne mens jeg tænkte på det Rahim Khan havde fortalt om Homaira, om hvordan det i sidste ende var bedst som det var gået. *Hun ville have lidt.* Som når kaka Homayouns lysbilledapparat sad fast og viste det samme dias igen og igen, blev det samme billede ved med at dukke op i mit hoved: Hassan der med bøjet hoved serverede drinks for Assef og Wali. Må-ske *ville* det være til hans eget bedste. Mindske hans lidelser. Og mine. Uanset hvad stod dette nu klart for mig: En af os måtte bort.

Senere på dagen kørte jeg den første og sidste tur på min nye cykel. Jeg trillede lidt rundt i kvarteret og så tilbage igen. Jeg kom kørende op ad indkørslen til gårdspladsen hvor Hassan og Ali var i gang med at rydde op efter gårsdagens fest. Papirkrus, krøllede servietter og tomme sodavandsflasker lå spredt ud over gården. Ali foldede stole sammen og stillede dem op ad muren. Han så mig og vinkede.

„*Salaam*, Ali," råbte jeg og vinkede tilbage.

Han holdt en finger op, bad mig vente og gik hen til sin hytte. Et øjeblik efter kom han til syne igen med noget i hæn-derne. „Hassan og jeg fik aldrig lejlighed til at give Dem denne," sagde han og rakte mig en pakke. „Det er kun en beskeden gave og ikke Dem værdig, Amir agha. Men vi håber De bliver glad for den. Tillykke med fødselsdagen."

Jeg fik en klump i halsen. „Mange tak, Ali," sagde jeg. Jeg ville ønske de ikke havde købt noget til mig. Jeg pakkede gaven ud og så en helt ny *Shahnameh*, en hardback med skin-nende, farvestrålende illustrationer under hver passage. Her sad Ferangis og kiggede på sin nyfødte søn, Kai Khosrau. Der red Afrasiyab på sin hest, med draget sværd i spidsen for sin hær. Og selvfølgelig Rostam der tilføjer sin søn, krigeren Sohrab, et dræbende sår. „Den er meget smuk," sagde jeg.

„Hassan sagde at Deres eksemplar var gammelt og laset, og at der manglede sider," sagde Ali. „Alle billederne her er hånd-tegnede med pen og blæk," tilføjede han stolt og kiggede på en bog som hverken han eller hans søn kunne læse.

„Den er pragtfuld," sagde jeg. Og det var den. Og, havde jeg en mistanke om, ikke specielt billig. Jeg ville gerne sige til Ali at det ikke var bogen, men *mig* der var uværdig. Jeg sprang op på cyklen igen. „Sig tak til Hassan fra mig," sagde jeg.

Det endte med at jeg smed bogen hen i bunken med gaver i hjørnet. Men mine øjne blev ved med at søge derhen, og til sidst lagde jeg den ned i bunden af bunken. Før jeg den aften gik i seng, spurgte jeg baba om han havde set mit nye ur.

Næste morgen blev jeg oppe på mit værelse og ventede på at Ali skulle rydde op efter morgenmåltidet. Ventede på at han skulle blive færdig med at vaske op, tørre borde af. Jeg holdt udkig ud ad mit vindue og ventede indtil Ali og Hassan gik på indkøb i basaren med de tomme trillebøre foran sig.

Så fandt jeg et par kuverter med penge frem, og mit ur, og listede ud. Jeg stod stille foran babas kontor og lyttede. Han havde siddet derinde hele formiddagen og talt i telefon. Han talte også i telefon nu, noget om en ladning tæpper der skulle ankomme næste uge. Jeg gik nedenunder, hen over gårds-pladsen og ud i haven og trådte ind i Ali og Hassans hytte henne ved mispeltræet. Jeg løftede Hassans madras og lagde mit nye ur og en håndfuld afghani sedler ind under den.

Jeg ventede yderligere en halv time. Så bankede jeg på babas dør og fortalte ham det som jeg håbede skulle blive den sidste i en lang række skammelige løgne.

Gennem vinduet i mit værelse så jeg Ali og Hassan skubbe trillebørene fyldt med kød, *naan*, frugt og grøntsager op gen-nem indkørslen. Jeg så baba komme ud af huset og gå hen til Ali. Deres munde sagde ord jeg ikke kunne høre. Baba pegede op mod huset, og Ali nikkede. De skiltes. Baba gik ind igen, Ali fulgte efter Hassan til deres hytte.

Et øjeblik efter bankede baba på min dør. „Kom ind på mit kontor," sagde han. „Vi er nødt til at sætte os ned og få styr på det her."

Jeg gik ind på babas kontor; satte mig i en af læderstolene.

Der gik en halv time før Hassan og Ali sluttede sig til os.

De havde begge grædt, kunne jeg se på grund af deres røde, ophovnede øjne. De stod foran baba, med hinanden i hånden, og jeg undrede mig over hvordan og hvornår jeg var blevet i stand til at forårsage så megen smerte.

Baba gik direkte til sagens kerne og spurgte: „Stjal du de penge? Stjal du Amirs ur, Hassan?"

Hassans svar bestod af et enkelt ord fremsagt med en spinkel, hæs stemme: „Ja."

Jeg fór sammen som om jeg var blevet slået. Hjertet sank i livet på mig, og jeg var lige ved at buse ud med sandheden. Men så forstod jeg det: Dette var Hassans sidste offer. Hvis han havde sagt nej, ville baba have troet ham, for alle vidste at Hassan aldrig løj. Og hvis baba troede ham, ville jeg blive anklaget; jeg ville være nødt til at forklare mig, og jeg ville ende med at afsløre mig som den jeg var. Baba ville aldrig, aldrig tilgive mig. Og det førte til en ny indsigt: Hassan vidste det. Han vidste at jeg havde set hvad der skete i smøgen, at jeg havde stået der og ingenting gjort. Han vidste at jeg havde forrådt ham, og alligevel kom han mig til undsætning igen, måske for sidste gang. Jeg elskede ham i det øjeblik, elskede ham højere end jeg nogensinde har elsket et andet menneske, og ville gerne fortælle dem at det var *mig* der var slangen i græsset, monsteret i søen. Jeg var ikke værdig til at modtage dette offer, jeg var en løgnhals, en bedrager og en tyv. Og jeg *ville* have sagt det, bortset fra at noget i mig glædede sig over at det snart var forbi. Baba ville afskedige dem, det ville gøre ondt, men livet ville gå videre. Det var det jeg ønskede: at komme videre, at glemme, at viske tavlen ren. Jeg ønskede at kunne trække vejret frit igen.

Bortset fra at baba chokerede mig ved at sige: „Jeg tilgiver dig."

Tilgiver? Men tyveri var en utilgivelig synd, fællesnævneren for alle synder. *Når du slår en mand ihjel, stjæler du et liv. Du stjæler kvindens ret til hendes mand, stjæler en far fra hans børn. Når du lyver, stjæler du en andens krav på sandhed. Når du snyder, stjæler du retfærdighed fra en anden. Der findes ikke noget mere gement end at stjæle.* Havde baba ikke taget mig på skødet og sagt sådan til mig? Hvordan kunne han så bare tilgive Hassan nu? Og hvis baba kunne tilgive det, hvorfor kunne han så ikke tilgive mig for ikke at være den søn han altid havde ønsket sig? Hvorfor...?

„Vi rejser, agha sahib," sagde Ali.

„Hvad siger du?" sagde baba, og al farve veg fra hans ansigt.

„Vi kan ikke længere bo her," sagde Ali.

„Men jeg tilgiver ham, Ali, hørte du ikke hvad jeg sagde?" sagde baba.

„Livet her vil være umuligt for os nu, agha sahib. Vi rejser." Ali trak Hassan ind til sig, krummede armen om sin søns skulder. Det var en beskyttende bevægelse, og jeg vidste hvem Ali beskyttede ham imod. Ali skævede hen på mig, og i hans kolde, utilgivende blik så jeg at Hassan havde fortalt ham alt. Han havde fortalt alt om hvad Assef og hans venner havde gjort, om dragen, om mig. Underligt nok var jeg glad for at nogen kendte mig som den jeg var; jeg var træt af at spille skuespil.

„Jeg er ligeglad med pengene og uret," sagde baba med løftede hænder og håndfladerne vendt opad. „Jeg forstår ikke hvorfor du gør det her... hvad mener du med 'umuligt'?"

„Det gør mig ondt, agha sahib, men vi har allerede pakket. Vi har besluttet os."

Baba rejste sig op med sorgen liggende som en film hen over ansigtet. „Ali, har jeg ikke sørget godt for dig? Har jeg ikke været god mod dig og Hassan? Du er den bror jeg aldrig har haft, Ali, det ved du. Vær sød ikke at gøre det her mod mig."

„De må ikke gøre det vanskeligere end det er, agha sahib," sagde Ali. Hans mund fortrak sig, og et øjeblik var det som om jeg så en grimasse. Det var først da jeg forstod dybden af den smerte jeg havde forvoldt, og ikke engang Alis lammede ansigt kunne skjule hans afgrundsdybe sorg. Jeg tvang mig selv til at se på Hassan, men han stod med bøjet hoved og hængende skuldre. En finger drejede en løs tråd i sømmen på hans skjorte rundt og rundt.

Babas stemme var blevet tryglende nu. „Sig mig i det mindste hvorfor. Jeg er nødt til at vide grunden!"

Men Ali svarede ikke, ligesom han ikke protesterede da Hassan indrømmede at have stjålet. Jeg vil aldrig få at vide hvorfor, men jeg kunne udmærket se de to, far og søn, for mit indre blik, stående i den lille hytte, grædende, Hassan der tryglede ham om ikke at afsløre mig. Jeg kunne imidlertid ikke fatte den selvbeherskelse det må have krævet for Ali at holde det løfte.

„Vil De køre os til busterminalen?"

„Jeg forbyder dig at gøre det!" brølede baba. „Hører du! Jeg forbyder det!"

„Med al respekt, agha sahib, så kan De ikke forbyde mig noget," sagde Ali. „Vi arbejder ikke længere for Dem."

„Hvor tager I hen!" spurgte baba med brudt stemme.

„Hazarajat."

„Til din fætter?"

„Ja. Vil De køre os til busterminalen, agha sahib?"

Så så jeg baba gøre noget jeg aldrig før havde set: Han græd. Det skræmte mig en smule: at se en voksen mand græde. Det var ikke meningen at fædre skulle græde. „Hør på mig," sagde baba, men Ali var allerede på vej hen mod døren med Hassan efter sig. Jeg vil aldrig glemme den måde baba sagde det på, aldrig glemme smerten i hans ansigt, frygten.

I Kabul regnede det sjældent om sommeren. Himlen var normalt høj og blå, solen som et brændejern mod vores nakker. Bække hvor Hassan og jeg smuttede sten om foråret, tørrede ud, og rickshawer hvirvlede støv op når de kom trillende forbi. Folk gik til moskeen til middagsbønnens ti *raka't*'er og skyndte sig så at finde en skyggefuld plet hvor de kunne tage sig en lur mens de ventede på aftenkøligheden. Sommer var lange skoledage hvor vi sad og svedte i tætpakkede, dårligt ventilerede skolerum og lærte *ayat*'er fra Koranen udenad, kæmpede med disse tungevridende, mærkelige arabiske ord. Sommer var at fange fluer med hånden mens mullahen kværnede løs, og en skoldhed brise førte lugten af lort med sig fra aftrædelseshusene på den anden side af skolegården og fik støv til at hvirvle rundt henne ved den slidte basketballkurv.

Men det regnede den dag baba kørte Ali og Hassan til busterminalen. Tordenskyer kom rullende ind over byen og malede himlen jerngrå. I løbet af få minutter begyndte regnen at falde i kaskader, og den støtte syden af faldende vand svulmede op i mine ører.

Baba havde tilbudt at køre dem hele vejen til Bamiyan, men Ali havde sagt nej. Gennem de slørede, regnvåde ruder i mit vindue så jeg Ali hale sin eneste kuffert med alle deres ejendele hen mod babas bil der holdt i tomgang uden for porten. Hassan kom bagefter med sin madras, rullet sammen og bundet med snor, på ryggen. Han havde ladet alt sit legetøj ligge i den tomme hytte – jeg fandt det dagen efter i en bunke nøjagtig ligesom fødselsdagsgaverne i mit værelse.

Floder af regn trillede ned over ruderne i mit vindue. Jeg så baba smække bagklappen i. Allerede gennemblødt gik han hen til førersiden. Bøjede sig ned og sagde et eller andet til Ali der sad på bagsædet, måske et sidste forsøg på at få ham til at ændre mening. Sådan talte de lidt sammen, baba våd til skindet, krumrygget med den ene arm oven på biltaget. Men da han rettede sig op, så jeg på hans ludende holdning at det liv jeg havde kendt siden jeg blev født, var forbi. Baba satte sig ind i bilen. Lygterne blev tændt og skar to lysende tunneler gennem regnen. Hvis det havde været en af de hindi-film Hassan og jeg plejede at se, var det nu jeg skulle løbe ud, plaske barfodet gennem regnen. Jeg ville løbe efter bilen, skrige at den skulle standse. Jeg ville trække Hassan ud fra bagsædet og fortælle ham hvor forfærdelig ked af det jeg var, og mine tårer ville blande sig med regndråberne. Vi ville omfavne hinanden i styrtregnen. Men dette var ingen hindi-film. Jeg *var* forfærdelig ked af det, men jeg skreg ikke højt, og jeg løb ikke efter bilen. Jeg så babas bil dreje ud på vejen og køre bort med det menneske hvis første ord havde været mit navn. Jeg fik et sidste glimt af Hassan der sad og krøb sammen på bagsædet. Så drejede baba rundt om hjørnet til venstre hvor vi så ofte havde leget med marmorkugler.

Jeg trådte et skridt tilbage, og det eneste jeg nu så, var regnen der som smeltet sølv løb ned ad ruderne.

TI

Marts 1981

Der sad en ung kvinde over for os. Hun var iført en olivengrøn kjole med et sort sjal stramt omkring ansigtet for at holde nattekulden ude. Hun brød ud i bøn hver gang det gav et ryk i lastbilen, eller den bumpede ned i et hul i vejen. Hendes '*Bismillah!*' skingrede gennem ladet for hvert bump. Hendes mand, en kraftig mand i posede bukser og himmelblå turban, sad med et barn på den ene arm og lod bedekransen glide gennem den frie hånds fingre. Hans læber bevægede sig i lydløs bøn. Der var andre, omkring ti-tolv stykker, inklusive baba og mig der sad med vores kufferter mellem benene, mast sammen med disse fremmede mennesker i en presenningoverdækket gammel russisk lastvogn.

Min mave havde været i oprør lige siden vi forlod Kabul lidt over to om natten. Baba havde aldrig sagt noget, men jeg vidste at han opfattede min køresyge som endnu en i en lang række svagheder – jeg kunne se det på hans forlegne ansigt et par gange hvor kramperne i min mave var så voldsomme at jeg stønnede. Da den kraftige mand med bedekransen – den bedende kvindes mand – spurgte om jeg skulle kaste op, sagde jeg at det godt kunne tænkes. Baba så væk. Manden løftede op i hjørnet af presenningen, bankede på ruden ind til førerkabinen og bad chaufføren standse. Men chaufføren, Karim, en radmager, mørklødet mand med høgenæse og et blyantstyndt overskæg, rystede på hovedet.

„Vi er for tæt på Kabul," råbte han tilbage over skulderen. „Sig til ham at han må holde det indenbords."

Baba mumlede et eller andet. Jeg ville gerne sige til ham at jeg var ked af det, men pludselig fyldtes min mund med spyt og den sure smag af opkast. Jeg vendte mig om, løftede presenningen og kastede op ud over siden på den kørende lastbil. Bag mig undskyldte baba over for de andre passagerer. Som om køresyge var en forbrydelse. Som om det ikke var meningen at man blev køresyg når man var atten år. Jeg kastede op yderligere to gange før Karim gik ind på at standse, mest for at jeg ikke skulle svine hans køretøj, hans levebrød, fuldstændig til. Karim var menneskesmugler – på det tidspunkt var det et ret lukrativt erhverv at køre mennesker ud af det *Shorawi*-besatte Kabul til den relative sikkerhed i Pakistan. Han skulle køre os til Jalalabad omkring 170 kilometer sydøst for Kabul hvor hans bror Toor, som havde en større lastbil med endnu en ladning flygtninge, ventede for at køre os over Khyber-passet og ind i Peshawar.

Vi befandt os få kilometer vest for Mahipar-faldene da Karim trak ind til siden. Mahipar – som betyder 'Flyvende fisk' – var en bjergtinde med et stejlt fald ned mod den dæmning som tyskerne havde bygget for Afghanistan helt tilbage i 1967. Baba og jeg havde kørt over bjerget utallige gange på vej til Jalalabad, byen med cypresser og sukkerrørsmarkerne hvor afghanerne holdt vinterferie.

Jeg hoppede ned fra ladet og kastede mig over mod den støvede rabat ved siden af vejen. Min mund var fyldt med spyt, et tegn på at jeg skulle kaste op endnu en gang. Jeg tumlede hen til kanten af klippen foran den dybe dal der henlå i fuldstændigt mørke. Jeg bøjede mig ned med hænderne på knæskallerne og ventede på at galden skulle komme op. Et eller andet sted knækkede en kvist; en ugle tudede. Den kolde brise raslede i træerne og puslede i buske der voksede ned ad skråningen. Og nede under mig den dæmpede lyd af vandet der tumlede ned i dalen.

Mens jeg stod der, ude i rabatten, tænkte jeg tilbage på den måde vi havde forladt vores hjem på, det sted hvor jeg havde levet hele mit liv: som om vi var gået ud for at få en bid mad, uvaskede tallerkener med *kofta* stablet op i køkkenet, vasketøj i kurven ude i hallen, uredte senge, babas jakkesæt i garderobeskabet. Tæpper hang stadig på væggene i stuen, og min mors bøger stod stadig i reolen inde på babas kontor. Beviserne på vores flugt var svære at få øje på: Mine forældres bryllupsbillede var forsvundet ligesom det grynede foto af min farfar og kong Nader Shah hvor de stod foran et nedlagt dyr. Nogle få beklædningsgenstande manglede i skabene. Den læderindbundne notesbog som Rahim Khan havde foræret mig for fem år siden, var væk.

Om morgenen ville Jalaluddin – vores syvende tjener i løbet af fem år – formentlig tro at vi var ude at gå eller køre en tur.

112

Vi havde ikke indviet ham i vores planer. Man kunne ikke længere stole på nogen i Kabul – for en lille sum penge eller under trusler om vold sladrede folk om hinanden, naboer om naboer, børn om forældre, brødre om brødre, tjener om herre, venner om venner. Jeg tænkte tilbage på sangeren Ahmad Zahir, ham der havde spillet harmonika til min trettenårsfødselsdag. Han var kørt en tur med nogle venner, og senere havde man fundet hans lig i vejsiden. Han var blevet henrettet med et nakkeskud. *Rafiq*'erne, kammeraterne, var alle vegne, og de havde delt Kabul i to grupper: Dem som lyttede ved dørene, og dem som ikke gjorde det. Det kildne problem var at ingen vidste hvem der hørte til hvilken gruppe. En henkastet bemærkning til skrædderen mens han tog mål til et nyt sæt tøj, kunne medføre et længere ophold i fangekældrene i Polehcharkhi. En klage til slagteren over mørklægningen, og inden man fik set sig om, sad man bag tremmer og kiggede ind i løbet på en Kalashnikov. Selv over maden, i folks egne hjem, var man nødt til at veje sine ord og *rafiq*'erne var også i klasseværelserne hvor de lærte børn at udspionere deres forældre, hvad de skulle lytte efter, hvem de skulle fortælle det videre til.

Hvad lavede jeg på denne vej midt om natten? Jeg burde have ligget i min seng, under tæppet, med en bog med æselører ved siden af mig. Det her måtte være en ond drøm. Anden forklaring kunne der ikke være. I morgen ville jeg vågne, kigge ud ad vinduet, og ingen bistert-udseende russere ville patruljere gaderne, ingen bæltekøretøjer ville rulle rundt i min by med kanonløb drejende rundt som en anklagende finger, ingen ruiner, ingen mørklægning, ingen russiske mandskabsvogne der snoede sig gennem basarerne. Men så hørte jeg baba og Karim bag mig der stod og diskuterede planerne i Jalalabad over en smøg. Karim forsikrede baba om at hans bror havde en stor lastbil af 'udsøgt og førsteklasseskvalitet', og at turen til Peshawar var ren rutine. „Han kan køre jer dertil med lukkede øjne," sagde Karim. Jeg hørte ham fortælle baba at han og hans bror kendte de russiske og afghanske soldater som bemandede kontrolposterne, at de havde indgået en aftale der var til 'stor fordel for alle parter'. Dette var ingen ond drøm. Som på stikord kom en MiG pludselig skrigende hen over hovederne på os. Karim smed cigaretten fra sig og halede et våben op af bukselinningen. Pegede op mod himlen og lavede skydebevægelser mens han spyttede og forbandede MiG'en.

Jeg spekulerede på hvor Hassan var. Og så det uundgåelige: Jeg kastede op ud over bevoksningen, men min stønnen druknede i den øredøvende larm fra MiG'en.

Vi nåede frem til kontrolposten ved Mahipar tyve minutter senere. Vores chauffør lod lastvognen holde i tomgang og hoppede ned for at gå stemmerne der nærmede sig, i møde. Knasende fødder i gruset. Ord blev udvekslet, kortfattet og dæmpet. Lyden af en lighter der klikkede. „Spasseba."

Endnu et klik fra lighteren. En eller anden grinede, en skinger, kaglende lyd som fik mig til at fare sammen. Babas hånd lukkede sig hårdt om mit lår. De grinende mænd brød ud i sang, en snøvlende, pivfalsk gengivelse af en gammel afghansk bryllupssang sunget med stærk russisk accent.

Ahesta boro, Mah-e-man, ahesta boro.
Gå langsomt, skønne måne, gå langsomt.

Støvletramp på asfalten. En eller anden slog presenningen fra bagsmækken til side, og tre ansigter kiggede ind. Den ene var Karim, de to andre soldater, en afghaner, den anden en grinende russer med et ansigt som en bulldog og en cigaret dinglende i mundvigen. Bag dem hang en bleg måne oppe på himlen. Karim og afghaneren udvekslede et par ord på pashto. Jeg

114

opfangede en smule af det – et eller andet om Toor og hans uheld. Den russiske soldat stak hovedet helt ind i bilen. Han nynnede bryllupssangen og trommede med fingrene på bagklappen. Selv i det svage måneskær kunne jeg se det glasagtige udtryk i hans øjne mens de gled fra passager til passager. Trods kulden strømmede sveden ned over hans pande. Hans blik lagde sig til hvile på den unge kvinde med det sorte sjal. Han sagde noget på russisk til Karim uden at tage øjnene fra hende. Karim gav ham et kort svar, også på russisk, hvortil soldaten svarede endnu mere kort for hovedet. Den afghanske soldat gav også sit besyv med, med lavmælt, ræsonnerende stemme. Men den russiske soldat råbte et eller andet der fik de to andre til at fare sammen. Jeg kunne mærke baba blive helt anspændt i kroppen. Karim rømmede sig; sænkede blikket. Sagde at soldaten ville have en halv time alene med damen bagest i ladet.

Den unge kvinde trak sjalet ned over ansigtet. Brast i gråd. Barnet på faderens skød begyndte også at græde. Mandens ansigt blev lige så blegt som månen oppe på himlen. Han bad Karim om at bede 'soldat sahib' at vise en smule barmhjertighed, måske havde han en søster eller en mor, måske havde også han en kone. Russeren lyttede til Karim og gøede en sætning.

„Det er hans pris for at lade os slippe forbi," sagde Karim. Han kunne ikke få sig selv til at se manden i øjnene.

„Men vi har allerede betalt en god pris. Han har fået rigeligt med penge," sagde manden.

Karim og russeren udvekslede et par ord. „Han siger… han siger at der er afgifter på alle priser."

Så var det at baba rejste sig op. Det var min tur til at gribe hårdt fat om låret på ham, men baba vristede sig løs og rev benet til sig. Da han stod op, dækkede han for månen. „Jeg vil bede Dem spørge denne mand om noget," sagde baba. Han henvendte sig til Karim, men så direkte på den russiske officer.

„Spørg ham om han ikke ejer skam i livet?"

Mere snak. „Han siger at vi er i krig. Der er ingen skam i krig."

„Sig til ham at han tager fejl. Krig ophæver ikke almindelig anstændighed. Den *fordrer* det langt mere end i fredstid."

Skal De da altid opføre dig som en helt? tænkte jeg med hamrende hjerte. *Kan De for en gangs skyld ikke bare sidde stille?* Men jeg vidste at det var umuligt – det var imod hans natur. Problemet var at hans natur kunne få os alle sammen slået ihjel.

Den russiske soldat sagde et eller andet til Karim. Et smil spillede om hans mund. „Agha sahib," sagde Karim, „disse *roussi'*er er ikke som os. De forstår intet om respekt, ære."

„Hvad sagde han?"

„Han siger at han vil nyde at skyde Dem en kugle for panden lige så meget som…" Karims stemme døde hen, men han nikkede over mod den unge kvinde som havde fanget soldatens opmærksomhed. Soldaten knipsede sin halvrøgede cigaret ud i luften og trak sin skyder. *Det er altså her at baba skal dø,* tænkte jeg. *Det er nu det sker.* Jeg bad stumt en bøn jeg havde lært i skolen.

„Sig til ham at jeg gerne tager tusind kugler i hovedet hellere end at lade denne uanstændighed finde sted," sagde baba. I et glimt tænkte jeg tilbage på den vinterdag for seks år siden. Jeg der kiggede rundt om hjørnet ind i smøgen. Kamal og Wali der holdt Hassan nede. Musklerne i Assefs bagdel der spændtes og slappedes, hofterne der bevægede sig frem og tilbage. Sikke en helt jeg havde været der kun bekymrede sig om dragen. En gang imellem spekulerede jeg selv på om jeg overhovedet var babas søn.

Russeren med bulldogfjæset hævede sin skyder.

„Baba, vær sød at sætte Dem ned," sagde jeg og hev ham i ærmet. „Jeg tror virkelig han har tænkt sig at skyde Dem."

116

Baba slog min hånd til side. „Har jeg da ikke lært dig noget overhovedet?" snappede han. Han vendte sig om mod den grinende soldat. „Sig til ham at han hellere må sørge for at første kugle er dræbende. For hvis jeg ikke dør med det samme, agter jeg fanden tage hans far at flå ham fra hinanden, lem for lem."

Den russiske soldats grin rokkede sig ikke en tomme da han hørte oversættelsen. Han afsikrede sit våben. Rettede løbet mod babas bryst. Jeg skjulte med hamrende hjerte ansigtet i hænderne.

Der lød et brag fra skyderen.

Så er det altså forbi. Jeg er atten år og alene i verden. Jeg har ingen tilbage i hele verden. Baba er død, og nu er det op til mig at begrave ham. Hvor skal jeg begrave ham? Hvad gør jeg bagefter?

Men malstrømmen af halve tanker faldt straks til ro da jeg lukkede øjnene op på klem og så at baba stadig stod op. Jeg så endnu en russisk officer ved siden af de andre. Det var fra løbet af hans hævede våben at det røg. Den soldat der ville have skudt baba, havde allerede stukket sit våben i hylsteret. Han lagde nervøst vægten over på det andet ben. Jeg havde aldrig følt større trang til at græde og le på samme tid.

Den anden russiske officer, en gråhåret, kraftigt bygget mand, henvendte sig til os på haltende farsi. Han undskyldte for sin kammerats opførsel. „Rusland sender dem hertil for at slås," sagde han, „men de er kun børn, og når de er her, vænner de sig hurtigt til stoffer." Han sendte den yngre officer et bebrejdende blik som en far der er forbitret på sin uvorne søn. „Denne mand er allerede afhængig af stoffer. Jeg har forsøgt at forhindre ham…" Han vinkede os videre.

Få øjeblikke efter kørte vi derfra. Jeg hørte en latter og så den første soldats stemme, snøvlende og falsk, synge den gamle bryllupssang.

117

Vi kørte i stilhed i omkring et kvarter før den unge kvindes mand pludselig rejste sig og gjorde noget jeg havde set mange andre gøre før ham: Han kyssede babas hånd.

Toors uheld. Havde jeg ikke overhørt en stump af samtalen dengang i Mahipar?

Vi trillede ind i Jalalabad en times tid før solopgang. Karim jog os hurtigt fra lastvognen ind i et lavt hus i krydset mellem to jordveje kantet af lignende lave huse, akacietræer og lukkede forretninger. Jeg trak kraven op mod kulden mens vi skyndte os ind i huset slæbende på vores ejendele. Af en eller anden grund kan jeg huske at der lugtede af ræddiker.

Da Karim havde fået os alle ind i den halvmørke, tomme stue, lukkede han hoveddøren og trak de lasede stykker stof der gjorde det ud for gardiner, for vinduerne. Så tog han en dyb indånding og gav os de dårlige nyheder: Hans bror Toor kunne ikke køre os til Peshawar. Øjensynlig var motoren i hans lastbil brændt sammen ugen før, og Toor ventede stadig på reservedele.

„*Sidste* uge?" udbrød en eller anden. „Hvis De vidste det, hvorfor har De så kørt os hertil?"

Et eller andet skete lige uden for mit synsfelt. Så fløj noget gennem rummet, og det næste jeg opfattede, var Karim der blev hamret op ad væggen så hans sandalklædte fødder dinglede en halv meter over gulvet. Lukket omkring hans hals var babas hænder.

„Det skal jeg sige jer," snappede baba. „Fordi han fik betaling for sin del af turen. Det er det eneste der interesserer ham." Karim udstødte halvkvalte lyde. Spyt silede ned ad hagen fra den ene mundvig.

„Slip ham, agha, De slår ham ihjel," sagde en af de andre.

„Det er også min hensigt," sagde baba. Hvad ingen af de andre i værelset vidste, var at han mente det alvorligt. Karim var ved at blive rød i hovedet, og hans ben spjættede. Baba blev ved med at stramme grebet indtil den unge mor, den som den russiske officer havde kastet sin kærlighed på, bad ham om at holde inde.

Karim faldt sammen og rullede hivende efter vejret rundt på gulvet da baba langt om længe slap ham. Der blev stille i rummet. Mindre end to timer før havde baba været parat til at lade sig skyde for at beskytte en kvindes ære som han ikke engang kendte. Nu havde han næsten slået en mand ihjel, havde det ikke været for den samme kvindes forbøn.

Der lød dunkelyde i værelset inde ved siden af. Nej, ikke ved siden af, nedenunder.

„Hvad var det?" spurgte en eller anden.

„De andre," gispede Karim anstrengt. „I kælderen."

„Hvor længe har de ventet?" spurgte baba truende.

„To uger."

„Jeg synes De sagde at lastvognen var brudt sammen for en uge siden."

Karim masserede sin hals. „Måske var det ugen før," kvækkede han.

„Hvor længe?"

„Hvad?"

„Hvor længe varer det før reservedelene kommer?" brølede baba. Karim krympede sig, men svarede ikke. Jeg var glad for mørket. Jeg havde ikke lyst til at se det morderiske udtryk i babas ansigt.

Stanken fra et eller andet klamt, som skimmelsvamp, hamrede ind i mine næsebor i samme øjeblik Karim åbnede døren til den knirkende kældertrappe. Vi gik ned i gåsegang. Trinnene gav sig under babas vægt. Jeg følte mig overvåget af en mængde blinkende øjne da jeg var kommet ned i det mørke kælderrum. Jeg så omrids af mennesker der lå og krøb sammen rundtomkring i rummet, skygger der blev kastet op på væggene i det svage skær fra et par petroleumslamper. Der lød lavmælt mumlen og over den lyden af vand der dryppede et eller andet sted – samt kradselyde.

Baba sukkede bag mig og stillede vores bagage fra sig.

Karim havde sagt et det var et spørgsmål om få dage før lastbilen var i orden igen. Og så ville vi være på vej til Peshawar. Til friheden. I sikkerhed.

Kælderen skulle blive vores hjem den næste uges tid, og den tredje nat fandt jeg kilden til kradselydene. Rotter.

Da mine øjne havde vænnet sig til mørket, talte jeg omkring tredive mennesker nede i den kælder. Vi sad skulder ved skulder langs væggene, spiste kiks, brød med dadler, æbler. Den første aften bad alle mændene sammen. En af flygtningene spurgte baba hvorfor han ikke bad sammen med dem. „Gud vil redde os. Hvorfor beder De ikke til Ham?"

Baba snøftede en spids snus op i næsen. Strakte benene ud. „Det der vil redde os, er otte cylindre og en god karburator." Det lukkede munden på alle de andre hvad angik Gud.

Det var senere samme nat at jeg opdagede at to af dem der skjulte sig sammen med os, var Kamal og hans far. Det i sig selv var chokerende: at se Kamal sidde i kælderen kun få meter fra mig. Men da han og hans far kom over til os i vores ende af rummet, og jeg så Kamals ansigt, *rigtigt* så det...

Han var visnet – der var simpelthen ikke noget andet ord for det. Blikket i hans øjne var tomt, og der var intet der registreredes i dem. Hans skuldre hang, og det samme gjorde kinderne, som om de var for trætte til at hænge fast på kindbenene. Hans far som havde ejet en biograf i Kabul, fortalte baba hvordan en vildfaren kugle for tre måneder siden havde ramt hans kone i tindingen og dræbt hende. Så fortalte han baba om Kamal. Jeg opfangede kun brudstykker af det han

sagde: *Burde have været for klog til at lade ham gå ud alene...*
altid så køn, ved De... de var fire... forsøgte at slå fra sig... åh
gud... tog ham... bløder dernede... hans bukser... er holdt op
med at tale... stirrer bare ud i luften...

Der kom ingen lastvogn, fortalte Karim os efter at vi havde
boet i den rotteplagede kælder en uge. Den kunne simpelthen
ikke repareres.

„Der er en anden mulighed," sagde Karim og hævede stem-
men for at overdøve stønnelydene. Hans fætter ejede en tank-
vogn og havde et par gange smuglet folk ud i den. Han var her
i Jalalabad og havde formentlig plads til os alle.

Alle undtagen et ældre ægtepar besluttede at tage chancen.

Vi tog af sted samme nat, baba og mig, Kamal og hans far,
de andre. Karim og hans fætter, en skaldet mand med firskår-
ne kæber ved navn Aziz, hjalp os med at komme ned i benzin-
tanken. En efter en klatrede vi op ad stigen bag på beholderen,
op på tanken og ned gennem hullet der. Jeg kan huske at baba
var kommet halvt op ad stigen da han pludselig hoppede ned
igen, fiskede snustobaksdåsen op af lommen, tømte den og
skovlede en håndfuld jord op fra den uasfalterede vej. Han
kyssede jorden. Hældte den i dåsen. Stuvede dåsen ned i bryst-
lommen ved siden af sit hjerte.

Panik.

Du åbner munden. Åbner den så meget at kæberne er ved at
gå af led. Du beordrer dine lunger til at trække luft ned, NU,
du har brug for luft, brug for det NU. Men dine luftveje ig-
norerer din ordre. De falder sammen, strammes, knuges, og
pludselig er det som at trække vejret gennem et sugerør. Din
mund går i, og dine læber spidses, og det eneste du kan få ud,
er et halvkvalt kvæk. Dine hænder vrider sig og ryster. Et eller
andet sted dannes der en revne i en dæmning, og en flodbølge

121

af kold sved strømmer ud og gennembløder din krop. Du vil gerne skrige. Du ville skrige hvis du kunne. Men man kan ikke skrige hvis man ikke kan få vejret.

Panik.

Der havde været mørkt i kælderen. I benzintanken var der begsort. Jeg så mod højre, venstre, op, ned, viftede med hænderne foran mine øjne, kunne ikke skelne den mindste bevægelse. Jeg blinkede og blinkede igen. Intet overhovedet. Der var noget galt med luften, den var for tyk, næsten massiv. Luft skulle ikke være massiv. Jeg havde lyst til at række ud med hænderne, knuse luften i små stykker, stoppe dem ned i luftrøret. Og benzinstanken! Dampene sved i øjnene, som om nogen havde rullet mine øjenlåg tilbage og gnedet citronsaft i dem. Der var ild i min næse for hver gang jeg trak vejret. Man kan dø sådan et sted, tænkte jeg. Et skrig var på vej. På vej, på vej...

Og så et lille mirakel. Baba trak mig i ærmet, og et eller andet glødede grønt i mørket. Lys! Babas armbåndsur. Jeg klistrede mit blik til disse selvlysende, grønne visere. Jeg var så bange for at miste kontakten med dem at jeg næppe vovede at blinke.

Langsomt blev jeg opmærksom på mine omgivelser. Jeg hørte stønnen og mumlende bønner. Jeg hørte en baby græde, moderens dæmpede trøst. En eller anden kastede op. En anden forbandede *Shorawi*. Lastbilen bumpede fra side til side, op og ned. Hoveder slog mod metal.

„Tænk på noget rart," sagde baba i mit øre. „Noget lykkeligt."

Noget rart. Noget lykkeligt. Jeg lod tankerne vandre. Jeg lod det komme:

Fredag eftermiddag i Paghman. En græsmark plettet med blomstrende morbærtræer. Hassan og mig op til anklerne i viltert græs, vores øjne vendt op mod himlen og dragen deroppe. Ikke et ord udveksler vi, ikke fordi vi ikke har noget at sige, men fordi vi ikke behøver at sige noget – sådan er det mellem mennesker som er hinandens første erindring, mennesker der har diet ved det samme bryst. En brise får græsset til at bølge, og Hassan lader linen løbe. Dragen snurrer rundt, dykker, retter op igen. Vores tvillingeskygger danser på det bølgende græs. Fra et sted på den anden side af en lav mur i den anden ende af marken hører vi snak og latter og et rislende springvand. Og musik, noget gammelt og velkendt, jeg tror det er *Ya Mowlaw* på *rubab*-strenge. En eller anden råber vores navne hen over muren, siger at nu er der te og kage.

Jeg mindes ikke hvilken måned det var, eller for den sags skyld hvilket år. Jeg ved kun at den erindring levede inde i mig, en perfekt indkapslet stump af en lykkelig fortid, et farvestrålende penselsstrøg på det grå, tomme lærred som vores liv var blevet.

Resten af turen husker jeg kun i brudstykker som kommer og går, mest lyde og lugte: MiG'erne der brølede forbi over vores hoveder; stakkatolyden af skudsalver; et skrydende æsel tæt på; klokker der ringede, og får der brægede; grus der knasede under tankvognens hjul; en baby der græd i mørket; stanken af benzin, opkast og lort.

Det næste jeg husker, er det blændende lys en tidlig morgen da jeg klatrede op af beholderen. Jeg kan huske at jeg vendte ansigtet op mod himlen, kneb øjnene sammen og sugede luft dybt ned i lungerne som om verden havde været ved at løbe tør for ilt. Jeg lå på siden i rabatten og kiggede op på den grå morgenhimmel og takkede for luften, takkede for lyset, takkede for stadig at være i live.

„Vi er i Pakistan, Amir," sagde baba. Han stod bøjet over mig. „Karim siger at han vil sørge for en bus der kan køre os til Peshawar."

Jeg rullede om på maven, stadig på den kølige jord, og så vores kufferter på hver sin side af babas fødder. Gennem det omvendte V som hans ben udgjorde, så jeg tankvognen holde ude på vejen og de andre flygtninge på vej ned ad stigen bagpå. Bag dem snoede jordvejen sig gennem marker der var som blyplader under en grå himmel, og forsvandt bag en række skålformede bakker. På vej dertil passerede den en lille landsby der lå klistret op ad en solbagt skråning.

Mit blik vendte tilbage til vores kufferter. Synet af dem fik medlidenheden med baba til at vælde op i mig. Efter alt hvad han havde bygget, planlagt, kæmpet for, bekymret sig over, drømt om, var dette summen af hans liv: en skuffende søn og to kufferter.

En eller anden begyndte at skrige. Nej, ikke skrige. Jamre. Jeg så flygtningene stå i en lukket kreds; hørte deres magtesløse stemmer. En eller anden nævnte ordet 'dampe'. En anden sagde det samme. Klagelyden blev til et hjerteskærende skrig.

Baba og jeg skyndte os hen til klyngen af mennesker og maste os igennem. Kamals far sad i skrædderstilling midt i kredsen og rokkede frem og tilbage mens han kyssede sin søns askegrå ansigt.

„Han vil ikke trække vejret! Min dreng vil ikke trække vejret!" hulkede han. Kamals livløse krop lå hen over hans fars skød. Hans højre hånd bumpede op og ned, åben og slap, i takt med faderens hulk. „Min dreng! Han vil ikke trække vejret. Allah, hjælp ham med at trække vejret!"

Baba knælede ned ved siden af ham og lagde en arm om hans skulder. Men Kamals far skubbede ham væk, og som et lyn var han på benene og over Karim der stod i nærheden sammen med sin fætter. Karim udstødte et forskrækket skrig og veg tilbage. Jeg så en arm slå ud, et ben sparke. Et øjeblik efter stod Kamals far med Karims pistol i hånden.

„Skyd ikke!" skreg Karim.

Men før nogen af os nåede at sige eller gøre noget, havde Kamals far stukket løbet ind i sin egen mund. Jeg vil aldrig glemme ekkoet efter skuddet. Eller lysglimtet eller det røde sprøjt.

Jeg knækkede sammen igen og kastede galde op på vejen.

ELLEVE

Fremont, Californien, 1980'erne

Baba elskede *tanken* om Amerika.

Det var det at bo i Amerika, der gav ham mavesår.

Jeg kan huske at vi ofte gik gennem Lake Elizabeth Park i Fremont, et par gader fra vores lejlighed, og kiggede på drenge der øvede sig i boldspil, og små piger der fnisende susede frem og tilbage i gyngerne på legepladsen. På disse ture ad lange, snoede stier holdt baba ofte lange foredrag for mig om sine politiske anskuelser. „Der findes kun tre rigtige mænd i denne verden, Amir," sagde han for eksempel. Han talte på fingrene: Amerika, den uforknytte redningsmand, England og Israel. „Alle de andre…" og her plejede han at slå ud med hånden og udstøde en foragtende lyd, „… det er nogle gamle sladderkællinger."

Det med Israel plejede at fremkalde vrede hos afghanerne i Fremont som beskyldte ham for at være pro-jødisk og, de facto, anti-islam. Baba plejede at mødes med dem i parken for at drikke te og spise *rowt*-kager, og han kunne drive dem til vanvid med al sin snak om politik. „Det de ikke forstår," fortalte han mig så senere, „er at religion intet har med sagen at gøre." I babas øjne var Israel en ø befolket med rigtige mænd i et hav af arabere som havde for travlt med at blive fede af deres olie til at kere sig om deres egne. „Israel gør dit, Israel gør dat," kunne baba sige med forstilt arabisk accent. „Men så gør noget ved det! Tag jer sammen! I er arabere, så hjælp dog palæstinenserne!"

Han kunne ikke fordrage Jimmy Carter som han kaldte 'kretineren med den store kæft'. I 1980, da vi stadig befandt os i Kabul, meddelte USA at landet ville boykotte De Olympiske Lege i Moskva. „*Wah wah!*" udbrød baba med foragt i stemmen. „Breshnev massakrerer afghanere, og det eneste jordnøddefarmeren siger, er at han ikke vil svømme i hans svømmebassin." Babas mening var at Carter uafvidende havde gjort mere for kommunismen end Leonid Breshnev. „Han er uegnet til at lede dette land. Det er som at sætte en dreng der ikke kan køre på cykel, foran rattet i en splinterny Cadillac." Hvad Amerika og hele verden havde brug for, var en stærk mand. En mand man kunne regne med, en som handlede i stedet for at vride hænder. Den en eller anden kom så i skikkelse af Ronald Reagan. Og da Reagan gik på tv og kaldte *Shorawi* for 'Ondskabens Imperium', gik baba i byen og købte et billede af en storsmilende præsident der stak tommelfingeren i vejret. Han indrammede billedet og hængte det op i vores entré lige ved siden af det gamle sort/hvide billede af hans slipseklædte selv der trykkede kong Zahir Shahs hånd. De fleste af vores naboer i Fremont var buschauffører, politimænd, tankpassere og ugifte mødre på socialhjælp, præcis den slags arbejdere der snart ville komme til at lide under den pude som Reagans økonomiske politik pressede ned over deres hoveder. Baba var den eneste republikaner i vores boligkompleks.

Men Bay Areas forurenede luft sved i hans øjne, trafikstøjen gav ham hovedpine, og pollen fik ham til at hoste. Frugt smagte ikke af noget, vandet var ikke rent nok, og hvor var alle træerne og de vidtstrakte marker? I to år forsøgte jeg at overtale baba til at melde sig til et sprogkursus så han kunne for-bedre sit haltende engelsk. Men han ville ikke have noget med det at gøre. „Måske vil jeg kunne stave til 'kat' så læreren kan give mig en flot, lille stjerne som jeg kan løbe hjem med og stolt vise dig," knurrede han.

En søndag i foråret 1983 gik jeg ind i en lille boghandel med brugte paperbacks lige ved siden af den indiske biograf vest for det sted hvor Amtrak krydsede Fremont Boulevard. Jeg sagde til baba at det kun ville tage et par minutter, og han trak på skuldrene. På det tidspunkt arbejdede han på en tankstation i Fremont, og det var hans fridag. Jeg så ham gå over Fremont Boulevard uden at se sig for og ind i Fast & Easy, en lille købmandsbutik ejet af et ældre vietnamesisk ægtepar, mr. og mrs. Nguyen. De var begge gråhårede og meget venlige, hun havde parkinsons, han havde fået ny hofte. „Han er ligesom Six Million Dollar Man nu," sagde hun altid til mig og grinede sit tandløse smil. „Kan De huske Six Million Dollar Man, Amir?" Så skulede mr. Nguyen ligesom Lee Majors og lod som om han løb i slowmotion.

Jeg stod og bladede igennem et slidt eksemplar af en Mike Hammer-krimi da jeg hørte skrig og glas der gik i stykker. Jeg smed bogen fra mig og skyndte mig over gaden. Der fandt jeg mr. og mrs. Nguyen bag disken, helt op mod væggen og aske-grå i ansigterne. Mr. Nguyen holdt om sin kone. På gulvet: appelsiner, et væltet bladstativ, en krukke marineret kød og glasskår rundt om babas fødder.

Det viste sig at baba ikke havde haft kontanter på sig til appelsinerne. Han havde skrevet en check til mr. Nguyen, og mr. Nguyen havde bedt om legitimation. „Han vil se mit kørekort," brølede baba på farsi. „I næsten to år har vi købt hans forbandede frugter og lagt penge i hans lomme, og så vil den køter se mit kørekort."

„Baba, det er ikke personligt ment," sagde jeg og smilede til de to skrækslagne vietnamesere. „De *skal* se Deres kørekort."

„Jeg vil ikke have Dem i butik," sagde mr. Nguyen og trådte ind foran sin kone. Han pegede på baba med sin stok. Han vendte sig om mod mig. „De pæn ung mand, men Deres far, han sindssyg. Ikke længere velkommen her."

„Tror han jeg er en tyveknægt?" spurgte baba med skinger stemme. Folk var begyndt at stimle sammen udenfor. Stod og stirrede ind i butikken. „Hvad slags land skal det her forestille at være? Ingen der stoler på nogen overhovedet."

„Jeg ringe politiet," sagde mrs. Nguyen og kiggede frem bag sin mand. „De gå, eller jeg ringe politiet."

„Mrs. Nguyen, vær sød ikke at tilkalde politiet. Jeg skal nok tage ham med hjem. Men vær sød ikke at tilkalde politiet, okay?"

„Ja, De tage ham hjem. God idé," sagde mr. Nguyen. Hans blik, bag de stålindfattede briller, var ikke veget fra babas ansigt. Jeg trak baba ud gennem døren. Han sparkede til et blad på vejen ud. Efter at jeg havde fået ham til at love ikke at gå derind igen, vendte jeg tilbage og undskyldte over for mr. og mrs. Nguyen. Sagde til dem at min far havde det svært for tiden. Jeg skrev vores telefonnummer og adresse ned på et stykke papir og bad mrs. Nguyen om at gøre skaderne op. „Vær sød at ringe når De ved hvor meget det beløber sig til. Jeg skal nok betale for det hele, mrs. Nguyen. Jeg beklager meget." Mrs. Nguyen tog papiret og nikkede. Jeg så at hendes hænder rystede mere end sædvanligt, og jeg var vred på baba over at have fået en gammel dame til at ryste så voldsomt.

„Min far har svært ved at vænne sig til Amerika," sagde jeg forklarende.

Jeg havde lyst til at fortælle dem at vi i Kabul brækkede en gren af et træ og brugte den som kreditkort. Hassan og jeg plejede at tage grenen med til bageren hvorefter han skar mærker i den med sin kniv, et mærke for hvert *naan* han trak ud af *tandoor*'ens brølende flammer. Og sidst på måneden betalte min far ham for antallet af mærker på grenen. Sådan foregik det. Ingen spørgsmål. Ingen id.

Men jeg sagde det ikke. Jeg takkede mr. Nguyen for ikke at tilkalde politiet. Gik hjem med baba. Han surmulede og gik ud for at ryge på altanen mens jeg kogte ris og stuvning af kyllin-gehals. Det var halvandet år siden vi var trådt ud af flyet fra Peshawar, og baba havde stadig ikke tilpasset sig.

Den aften spiste vi i tavshed. Efter to bidder skubbede baba sin tallerken til side.

Jeg kiggede på ham hen over bordet. Hans negle var flække-de og sorte af maskinolie, knoerne skrabede, hans tøj lugtede af tankstation – støv, sved og benzin. Baba var som en enke-mand der gifter sig igen, men ikke kan give slip på sin afdøde hustru. Han savnede sukkerrørsmarkerne i Jalalabad og haver-ne i Paghman. Han savnede at mennesker strømmede ind og ud af hans hus, savnede at gå rundt i de travle gader i Shor Bazaar og hilse på folk der kendte ham, der havde kendt hans far og farfar, folk der delte forfædre med ham, hvis fortid var flettet ind i hans.

For mig var Amerika et sted hvor jeg kunne begrave mine minder.

For baba var det et sted hvor han kunne begræde sine.

„Måske skulle vi tage tilbage til Peshawar," sagde jeg og kiggede ned på isterningen i mit vandglas. Vi havde måttet vente i seks måneder på vores visa. Vores møgbeskidte etværel-seslejlighed havde lugtet af sure sokker og kattelort, men vi havde været omgivet af mennesker vi kendte – eller i hvert fald mennesker som baba kendte. Han inviterede ofte alle vores naboer til middag – de fleste af dem afghanere der også ven-tede på deres visa – og på et tidspunkt ville en eller anden uvægerligt hente et tabla-sæt og en anden sin harmonika. Der blev lavet te, og hvem der nu måtte være i besiddelse af en rimelig sangstemme, ville synge indtil solen stod op, myggene holdt op med at summe, og hænderne blev ømme af at klappe.

„De var gladere der, baba. Det var mere som hjemme," sagde jeg.

„Peshawar var godt for mig. Ikke godt for dig."

„De arbejder så hårdt her."

„Det er ikke længere så slemt," sagde han hvormed han mente siden den dag han var blevet bestyrer af tankstationen. Men jeg havde set hvordan han på en fugtig dag skar grimasser og gned sig på håndleddene. Hvordan sveden brød ud på hans pande når han efter måltiderne rakte ud efter sin syreneutraliserende medicin. „I øvrigt var det ikke for min skyld at vi rejste hertil, vel?"

Jeg rakte hen over bordet og lagde min hånd oven på hans. Min studenterhånd, ren og blød, på hans arbejdsnæve, snavset og barket. Jeg tænkte på alle de lastbiler, elektriske tog og cykler han havde købt til mig i Kabul. Nu Amerika. En sidste gave til Amir.

Blot en måned efter at vi var ankommet til USA, fandt baba arbejde i nærheden af Washington Boulevard som medhjælper på en tankstation ejet af en afghansk bekendt – han var begyndt at lede efter arbejde samme uge vi ankom. Seks dage om ugen tolv timer om dagen stod baba og fyldte benzin på, slog op på kasseapparatet, skiftede olie og vaskede bilruder. En gang imellem kom jeg med frokost til ham og fandt ham så ofte inde i butikken hvor han ledte efter et eller andet, måske en pakke cigaretter, på hylderne mens en kunde ventede på den anden side af den olieplettede skranke, og hans ansigt ville være fortrukket og blegt i det skarpe lys fra lysstofrørene. Den elektroniske klokke over døren sagde *ding-dong* når jeg åbnede den, og baba ville kigge over skulderen, vinke og smile, men hans øjne ville være glansløse af udmattelse.

Samme dag baba fik jobbet, gik vi hen til mrs. Dobbins på

socialkontoret i San Jose. Mrs. Dobbins var en overvægtig, sort kvinde med spillende øjne og smilehuller i kinderne. Hun havde fortalt mig at hun sang i kirken, og jeg troede hende gerne – hun havde en stemme der fik mig til at tænke på varm mælk med honning. Baba lagde stakken af madkuponer på hendes skrivebord. „Tak, men jeg ikke ønske dem," sagde baba. „Jeg altid arbejde. I Afghanistan jeg arbejde, i Amerika jeg arbejde. Mange tak, mrs. Dobbins, men jeg ikke lide gratis penge."

Mrs. Dobbins blinkede. Tog madkuponerne, kiggede fra mig over på baba som om vi gjorde grin med hende eller 'dreje- de hende en knap' som Hassan plejede at sige. „Jeg har arbej- det her i femten år, og det er første gang nogen har gjort sådan," sagde hun. Og det var på den måde baba afsluttede de ydmygende madkupon-øjeblikke foran et kasseapparat og slap af med mareridtsscenariet: at en afghaner så ham modtage almisser. Baba gik ud af socialkontoret som en mand der var blevet helbredt for kræft.

Sommeren 1983 bestod jeg high school-eksamenen i en alder af tyve år, langt den ældste af dem der den dag kastede rundt med afgangshuer ude på fodboldbanen. Jeg kan huske at baba blev væk for mig i mylderet af familier, blitzende kameraer og blå kapper. Jeg fandt ham henne ved straffesparksfeltet hvor han stod med hænderne stukket i lommerne og et kamera dinglende om halsen. Han forsvandt fra mit synsfelt og kom til syne igen bag folk der krydsede ind foran os: hvinende, blåklædte piger der grædende omfavnede hinanden, drenge der stak deres fædre på næven, eller deres kammerater. Babas skæg var ved at blive gråt, håret tyndere i tindingerne, og havde han ikke været højere i Kabul? Han havde sit brune jakkesæt på – sit eneste jakkesæt, det samme som han havde haft på til bryllupper og begravelser i Afghanistan – og det røde slips jeg havde købt til hans halvtredsårsfødselsdag samme år. Så fik han øje på mig og vinkede. Smilede. Han gjorde tegn til mig om at tage huen på og tog et billede af mig med skolens klokketårn som baggrund. Jeg smilede til ham – på en måde var denne dag mere hans end min. Han gik hen til mig, lagde armen om skulderen på mig og kyssede mig på panden. „Jeg er *moftakhir*, Amir," sagde han. Stolt. Hans øjne strålede da han sagde det, og jeg var lykkelig over at han så på mig på den måde.

Den aften inviterede han mig hen på en afghansk kabob-restaurant i Hayward hvor han bestilte alt for meget mad. Han fortalte ejeren at hans søn skulle begynde på college til efteråret. Vi havde været inde på emnet lige før eksamenerne begyndte, og jeg havde sagt at jeg ville arbejde. Hjælpe til, spare penge sammen og så måske begynde på college det følgende år. Men han havde sendt mig et af sine ulmende baba-blikke, og ordene var blevet til støv på mine læber.

Efter maden tog baba mig med på en bar lige over restauranten. Lyset var dæmpet, og den syrlige dunst af øl som jeg altid har hadet, var gennemtrængende. Mænd i baseball-kasketter og netundertrøjer spillede pool, røgskyer hang over de grønne borde, drejede rundt i det fluorescerende lys. Vi tiltrak os blikke, baba i hans brune jakkesæt og mig i slacks og sportsjakke. Vi satte os oppe ved baren, ved siden af en gammel mand med et vejrbidt ansigt der var helt sygeligt at se på i det blå skær fra Michelob-skiltet over hans hoved. Baba tændte en cigaret og bestilte øl. „I aften er jeg alt for lykkelig," meddelte han til alle og ingen. „I aften drikker jeg med min søn. En til, tak, til min ven her," sagde han og klappede den gamle mand på ryggen. Manden satte fingeren op til sin hat og smilede. Han manglede alle tænderne i overmunden.

Baba drak sin øl i tre slurke og bestilte en ny. Han havde drukket tre før det var lykkedes mig at tvinge halvdelen af min i mig. På det tidspunkt havde han købt en whisky til den gamle mand og en kande Budweiser til fire pool-spillere. Mænd stak ham på næven og klappede ham på ryggen. De drak hans skål. En eller anden tændte cigaretten for ham. Han pegede på jukeboksen. „Sig til ham at han skal spille sine bedste numre," sagde han til mig. Den gamle mand nikkede og saluterede baba. Et øjeblik efter gav country-musik genlyd i lokalet, og baba havde startet en fest.

På et tidspunkt rejste han sig, løftede sin øl som skvulpede over og sprøjtede ned i savsmulden på gulvet, og råbte: „Fuck russerne!" Alle lo og gentog hans råb. Baba gav endnu en omgang.

Da vi gik, var de alle sammen kede af at se ham gå. Kabul, Peshawar, Hayward. Samme gamle baba, tænkte jeg smilende.

Jeg kørte os hjem i babas gamle, karrygule Buick Century. Baba faldt i søvn undervejs og snorkede som en slagborema-skine. Han lugtede af tobak og alkohol, sødligt og krast. Men da jeg slukkede motoren, rettede han sig op og sagde hæst: „Kør hen for enden af blokken."

„Hvorfor, baba?"

„Gør det nu bare." Han bad mig holde ind til siden syd for gaden. Han stak hånden i frakkelommen og rakte mig et sæt bilnøgler. „Værsgo," sagde han og pegede på bilen lige foran os. Det var en gammel Ford, lang og bred, mørk, men i måne-skæret kunne jeg ikke afgøre hvad farve den havde. „Den trænger til nylakering, og jeg får en af fyrene nede på værkste-det til at sætte nye støddæmpere i, men den kører udmærket."

Jeg tog lamslået nøglerne. Jeg så fra ham og hen på bilen.

„Du får brug for den når du begynder på college," sagde han. Jeg tog hans hånd. Klemte om den. Mine øjne var ved at flyde over, og jeg var glad for skyggerne der skjulte vores ansigter. „Tak, baba."

Vi steg ud af bilen og satte os ind i Forden. Det var en

Grand Torino. Marineblå, sagde baba. Jeg kørte rundt om blokken, afprøvede bremser, radio, afviserblinket. Jeg parkerede foran vores indgang og slukkede motoren. „Tashakor, baba jan," sagde jeg. Jeg ville gerne sige noget mere, fortælle ham hvor rørt jeg var over hans venlighed, hvor meget jeg værdsatte alt det han havde gjort for mig, alt det han stadig gjorde for mig. Men jeg vidste at jeg ville gøre ham forlegen. „Tashakor," gentog jeg så i stedet.

Han smilede og lænede sig tilbage i sædet så hans pande næsten rørte ved biltaget. Vi tav. Sad blot der i mørket og lyttede til den tikkende lyd af motoren der kølede af, og et udrykningshorn i det fjerne. Så drejede baba hovedet om mod mig. „Jeg ville ønske at Hassan havde været her i dag," sagde han.

Ved lyden af Hassans navn lukkede et par stålnæver sig om min hals. Jeg rullede vinduet ned. Ventede på at stålnæverne skulle slippe deres greb.

Jeg ville begynde på junior college til efteråret, fortalte jeg baba dagen efter. Han sad og drak sort te og tyggede kardemommefrø, hans selvopfundne kur mod tømmermænd.

„Jeg har tænkt mig at læse engelsk," sagde jeg. Jeg krympede mig indvendig og ventede på hans svar.

„Engelsk?"

„Skrivelinjen."

Han grundede lidt. „Historier, mener du. Du vil skrive historier." Jeg så ned i gulvet.

„Betaler de for det, for at skrive historier?"

„Hvis man er god," sagde jeg. „Og bliver kendt."

„Hvor sandsynligt er det at blive kendt?"

„Det sker," sagde jeg.

Han nikkede. „Og hvad vil du gøre mens du venter på at blive god og kendt? Hvordan vil du tjene penge? Hvis du gifter dig, hvordan vil du så brødføde din *khanum*?"

Jeg kunne ikke se ham ind i øjnene. „Jeg... jeg vil få mig et arbejde."

„Åh," sagde han. „*Wah wah!* Så, hvis jeg har forstået dig ret, agter du altså at læse i adskillige år for at få en eksamen, og bagefter vil du finde dig et lige så *chatti* arbejde som mig, et job som du meget nemt ville kunne få den dag i dag, i det spinkle håb at din eksamen måske kan bidrage til at du bliver... kendt!" Han trak vejret dybt ind og nippede til sin te. Gryntede et eller andet om lægestudiet, jurastudiet og 'rigtigt arbejde'.

Jeg var varm i kinderne, og skyldfølelse jog igennem mig, skyldfølelse over at ville gøre som det passede mig, på bekostning af hans mavesår, sorte negle og ømme håndled. Men jeg havde besluttet at stå fast. Det var slut med at forsøge at leve op til babas drømme. Sidst jeg gjorde det, nedkaldte jeg en forbandelse over mig.

Baba bukkede og kastede en håndfuld kardemommefrø i munden.

En gang imellem satte jeg mig ind i min bil, rullede vinduerne ned og kørte rundt i timevis, fra East Bay til South Bay, mod nord og tilbage igen. Jeg kørte gennem de snorlige poppelalleer i vores Fremont-kvarter hvor folk der aldrig havde trykket en konge i hånden, boede i usle toetages huse med fladt tag og tremmer for vinduerne; hvor gamle biler som min dryppede olie ned på asfalten. I vores kvarter var gårdspladser indhegnet af gråt ståltrådshegn. Jeg kørte forbi skyggefulde parker som duftede af bark, forbi rekreative områder der var store nok til at kunne rumme fem *buzkashi*-turneringer på samme tid. Jeg kørte op i Los Altos' højdedrag, forbi store huse med panoramavinduer og løvestatuer af sølv på vagt foran portene, huse med springvand mellem gangstier og ingen Ford Torinoer i indkørslerne. Huse der fik babas hus i Wazir Akbar Khan til at ligne en tjenerbolig.

Jeg kunne finde på at stå tidligt op om lørdagen, køre mod syd ad Highway 17 og tvinge Forden op ad snoede veje gennem bjergene til Santa Cruz. Jeg ville parkere ved siden af det gamle fyrtårn og vente på at solen stod op, sidde i min bil og se gusen komme rullende ind fra havet. I Afghanistan havde jeg kun set havet på film. Når jeg sad i den mørke biografsal ved siden af Hassan, spekulerede jeg altid på om det var sandt hvad jeg havde læst: at havluft lugtede af salt. Jeg plejede at sige til Hassan at vi en eller anden dag ville gå en tur hen ad en tangfyldt strand, bore tæerne ned i sandet og se vandet trække sig tilbage fra vores fødder. Første gang jeg så Stillehavet, var jeg lige ved at briste i gråd. Det var lige så stort og blåt som oceanerne i min barndoms biograffilm.

En gang imellem kørte jeg af sted tidligt på aftenen, fandt et sted at parkere og gik op på en af motorvejsbroerne. Med ansigtet trykket mod hegnet forsøgte jeg så at tælle de blinkende røde baglygter som sneglede sig af sted så langt mit øje rakte. BMWer. Saaber. Porscher. Biler jeg aldrig havde set i Kabul hvor de fleste kørte rundt i russiske Volgaer, gamle Opeler eller iranske Paikaner.

Der var gået næsten to år siden vi ankom til USA, og jeg var stadig forundret over størrelsen på dette land, de enorme vidder. Bag en hvilken som helst motorvej lå endnu en motorvej, bag en hvilken som helst by lå en ny by, bakker bag bjerge og bjerge bag bakker, og bag dem flere byer og flere mennesker.

Længe før *roussi*-hæren marcherede ind i Afghanistan, længe før landsbyerne brændte ned til grunden, og skoler blev lagt i ruiner, længe før landminer blev lagt i jorden som dødens frø og børn begravet i stenforede grave, var Kabul blevet en hjemsøgt by for mig. En by fuld af spøgelser med hareskår.

Amerika var anderledes. Amerika var en flod, en rivende flod der skyllede fortidens minder væk. Jeg kunne vade ud i floden, lade mine synder synke ned til bunden, lade vandet bære mig til et sted langt herfra. Et sted uden spøgelser, uden minder og uden synder.

Hvis ikke af anden grund, så af den optog jeg Amerika i mit hjerte.

Den følgende sommer, sommeren 1984 – den sommer jeg fyldte enogtyve – solgte baba sin Buick og købte et ramponeret folkevognsrugbrød for 550 dollars af en afghansk bekendt som havde undervist i naturvidenskab på en high school i Kabul. Naboerne kiggede efter os den dag folkevognsrugbrødet sprut-tende kørte op i vores gade og hostede sig vej op foran vores hus. Baba slukkede motoren og lod rugbrødet rulle lydløst ind i parkeringsbåsen. Vi sank sammen på sæderne og lo så tårer-ne trillede ned ad kinderne, og vigtigere endnu: til vi var sikre på at naboerne havde mistet interessen for os. Rugbrødet var en dårlig vittighed af rustent metal, ødelagte ruder der var blevet erstattet med sorte affaldssække, slidte dæk og sædepol-string der var slidt helt ned til fjedrene. Men den forhenværen-de lærer havde forsikret os om at motoren og gearkassen var i fin stand, og han havde ikke løjet.

Hver lørdag vækkede baba mig så ved solopgang. Mens han fik tøj på, skannede jeg rubrikkerne i lokalaviserne og stregede meddelelser om garagesalg ind med rødt. Vi planlagde ruten – Fremont, Union City, Newark og Hayward først, derefter San Jose, Milpitas, Sunnyvale og Campbell hvis der var tid. Baba kørte, drak varm te fra termokanden imens, og jeg sad med kortet. Vi gjorde holdt ved alle garagesalg og købte tin-geltangel som folk ikke længere ville eje. Vi pruttede om prisen på gamle symaskiner, Barbie-dukker med kun ét øje, tennis-ketsjere med træramme, guitarer med manglende strenge og

137

gamle Electrolux-støvsugere. Midt på eftermiddagen ville vi have fyldt bilen med gammelt ragelse. Næste dag kørte vi så til loppemarkedet i San Jose tæt ved Berryessa, lejede en stand og solgte sagerne med en mindre fortjeneste: en bog om Chicago som vi havde købt for en kvartdollar dagen før, solgte vi måske for en dollar, et vrag af en Singer-maskine, købt for ti dollars, indbragte os, efter en del forhandlinger, femogtyve dollars.

Den sommer havde familier fra Afghanistan sat sig på et helt område i San Jose-markedet. Afghansk musik gav genlyd ned gennem gangene i denne del af loppemarkedet. Måden man opførte sig på, fulgte helt bestemte regler: Man hilste på manden over for ens stand, man inviterede ham over på en bid kartoffel-*bolani* eller en smule *qabuli*, og man sludrede lidt. Man kondolerede når en forælder var død, ønskede tillykke ved et barns fødsel og rystede bedrøvet på hovedet når samtalen drejede over på Afghanistan og *roussi*'erne – hvad den altid gjorde. Men man kom aldrig ind på emnet lørdage, for måske viste det sig at manden på den anden side af gangen var den samme som man nær havde kørt af vejen dagen før i et forsøg på at komme først til et garagesalg.

Det eneste der flød mere af end te i de gange, var afghaner-sladder. Loppemarkedet var hvor man nippede til grøn te med nødde-*kolcha*'er og hørte om hvis datter havde hævet sin forlovelse og var stukket af med en amerikansk kæreste, hvem der havde været *parchami* – kommunist – i Kabul, og hvem der havde givet penge under bordet da han købte et hus mens han stadig var på bistandshjælp. Te, politik og skandaler udgjorde ingredienserne i en afghaner-søndag på loppemarkedet.

Jeg passede en gang imellem standen mens baba slentrede ned gennem gangen og med hænderne respektfuldt mod brystet hilste på folk som han kendte fra Kabul: mekanikere og skræddere der solgte brugt tøj og ramponerede cykelhjelme, ved siden af tidligere ambassadører, læger og universitetspro-fessorer uden arbejde.

Tidligt en søndag formiddag i juli 1984 gik jeg hen for at købe to kopper kaffe i kiosken mens baba klargjorde standen, og da jeg kom tilbage, stod baba og talte med en ældre, dis-tingveret herre. Jeg stillede krusene fra mig på folkevognsrug-brødets bageste kofanger, ved siden af REAGAN/BUSH I 84-klistermærket.

„Amir," sagde baba og kaldte mig over, „dette er general sahib, mr. Iqbal Taheri. En dekoreret general fra Kabul. Han arbejdede i Forsvarsministeriet."

Taheri. Hvorfor lød det navn bekendt?

Generalen lo som en mand der er vant til formelle selskaber hvor han skal le på stikord ad betydningsfulde mænds dårlige vittigheder. Hans tynde, sølvgrå hår var redt tilbage fra en glat, solbrændt pande, og der var hvide hår i de buskede øjen-bryn. Han duftede af cologne og var iført et stålgråt, tredelt jakkesæt der skinnede efter at have været presset for mange gange. En urkæde af guld dinglede fra vestelommen.

„En noget højtravende introduktion," sagde han med en stemme der var dyb og kultiveret. „*Salaam, bachem.*" Goddag, mit barn.

„*Salaam*, general sahib," sagde jeg og rakte ham hånden. De smalle hænder havde et overraskende fast greb, som om der gemte sig stål under den fugtige hud.

„Amir vil være forfatter, en succesrig forfatter," sagde baba til min overraskelse. „Han har afsluttet første år på college og fik topkarakter i alle fag."

„Junior college," rettede jeg ham.

„*Mashallah*," sagde general Taheri. „Vil du skrive om vores land, vores historie, måske? Økonomi?"

„Jeg skriver fiktion," sagde jeg og tænkte på de ti-tolv no-veller jeg havde skrevet i den læderindbundne notesbog Rahim

Khan havde foræret mig. Jeg forstod ikke hvorfor det pludselig gjorde mig forlegen at tale om dem med denne mand.

„Åh, en romanforfatter," sagde generalen. „Nå ja, folk har brug for fiktion for at komme igennem svære tider som disse." Han lagde en arm om babas skulder og så på mig. „Nu vi taler om historier, så har din far og jeg været på fasanjagt sammen engang i Jalalabad," sagde han. „Det var en pragtfuld sommerdag. Så vidt jeg husker, var din far lige så skrap en jæger som han var forretningsmand."

Baba sparkede en tennisketsjer ind under presenningen med støvlesnuden. „De tider er forbi."

Det lykkedes general Taheri at smile et på samme tid bedrøvet og høfligt smil, sukke og blidt klappe baba på skulderen. *„Zendagi migzara,"* sagde han. Livet går videre. Han kiggede på mig. „Vi afghanere har en overdreven tendens til at smøre tykt på, *bachem*, og jeg har hørt mange mænd der helt ufortjent kaldes store. Men din far kan bryste sig af at tilhøre det mindretal der virkelig fortjener at blive kaldt stor." Den lille tale lød i mine ører som måden hans jakkesæt så ud på: ofte brugt og unaturligt skinnende.

„De smigrer mig," sagde baba.

„Bestemt ikke," sagde generalen med hovedet på skrå og hænderne mod brystet for at udtrykke ydmyghed. „Drenge og piger bør kende arven efter deres forældre." Han så igen hen på mig. „Værdsætter du din far, *bachem*? Værdsætter du ham efter fortjeneste?"

„Balay, general sahib, det gør jeg," sagde jeg og ville ønske han holdt op med at kalde mig 'barn'.

„Tillykke med det. Det betyder at du allerede er halvvejs en mand," sagde han uden spor af humor, uden ironi, en arrogant mands henkastede kompliment.

„Padar jan, De glemte Deres te." En ung kvindes stemme. Hun stod bag os, en smalhoftet skønhed med skinnende sort hår og en termokande og et skumplastbæger i hænderne. Jeg blinkede, og mit hjerte begyndte at hamre. Hun havde kraftige sorte øjenbryn som mødtes på midten som to buede vinger på en fugl i flugt, og en smuk næse der førte tankerne hen på en prinsesse i det gamle Persien – måske en næse som Tahminehs, Rostams kone og Sohrabs mor i *Shahnameh*. Hendes øjne, valnøddebrune med lange øjenvipper, så direkte på mig. Fastholdt blikket. Smuttede videre.

„Det var sødt af dig, kære," sagde general Taheri. Han tog bægeret fra hende. Før hun vendte sig om for at gå, så jeg at hun havde et lille halvmåneformet modermærke på kinden lige over venstre kæbelinje. Hun gik hen til en grå varevogn to gange fra vores og satte termokanden op på ladet. Hendes hår faldt ned til den ene side da hun knælede ned mellem kasser med gamle plader og paperbacks.

„Min datter, Soraya jan," sagde general Taheri. Han trak vejret dybt ind som en mand der gerne vil skifte samtaleemne, og kiggede på sit gulliure ur. „Nå, det er på tide at komme i gang." Han og baba kyssede hinanden på kinden, og han tog min hånd i begge sine og trykkede den. „Held og lykke med skriveriet," sagde han og så mig direkte ind i øjnene. Hans blege blå øjne afslørede absolut intet om de tanker der gemte sig bag dem.

Resten af den dag måtte jeg bekæmpe trangen til at se hen mod den grå varevogn.

Jeg kom i tanke om det på vej hjem. Taheri. Jeg vidste at jeg havde hørt det navn før.

„Var der ikke et eller andet rygte i omløb om Taheris datter?" spurgte jeg baba og forsøgte at lyde ligeglad.

„Du kender mig," sagde baba og kørte rugbrødet ind i køen foran loppemarkedets udkørselsport. „Jeg går når samtalen bliver til sladder."

„Men er det ikke rigtigt?" sagde jeg.

„Hvorfor spørger du?" Han så skælmsk på mig.

Jeg trak på skuldrene og undertrykte et smil. „Jeg er bare nysgerrig, baba."

„Bare nysgerrig? Ikke andet?" sagde han, og hans drillende øjne forsøgte at fastholde mit blik. „Gjorde hun indtryk på dig?"

Jeg himlede med øjnene. „Baba, hold nu op!"

Han smilede og drejede rugbrødet ud af loppemarkedet. Vi kørte i retning af Highway 680 uden at sige noget. Så: „Jeg har hørt noget om en mand engang, og at det var... noget skidt." Han sagde det med gravalvorlig stemme, som om han lige havde fortalt mig at hun havde brystkræft.

„Åh."

„Jeg har hørt at hun er en god pige, flittig og rar. Men ingen *khastegar*'er har siden dengang banket på generalens dør for at anmode om hendes hånd." Baba sukkede. „Måske er det uretfærdigt, men hvad der hænder i løbet af få dage, måske kun en enkelt dag, kan ændre hele ens liv, Amir."

Jeg lå vågen den nat og tænkte på Soraya Taheris halvmåneformede modermærke, hendes smukt buede næse og den måde hendes strålende øjne et flygtigt øjeblik havde set ind i mine på. Mit hjerte hamrede ved tanken om hende. Soraya Taheri. Min loppemarkedsprinsesse.

TOLV

I Afghanistan er *yelda* den første nat i måneden *jadi*, den første vinternat, og årets længste. Som det var tradition, var Hassan og jeg længe oppe den nat, sad med fødderne stukket ind under *kursi*'en mens Ali smed æbleskræller ind i ovnen og fortalte de gamle historier om sultaner og tyve for at få denne længste nat til at gå. Det var Ali der fortalte mig overleveringen om *yelda*, om forheksede natsværmere der kastede sig i stearinlysenes flammer, og ulve der løb op på toppen af bjerge for at lede efter solen. Ali svor på at hvis man spiste varm vandmelon på *yelda*-natten, ville man ikke tørste den følgende sommer.

Da jeg var blevet ældre, læste jeg i digtsamlinger at *yelda* var den stjerneløse nat hvor forpinte forelskede holdt sig vågne, udholdt det endeløse mørke, ventede på at solen skulle stå op og med sig have den elskede. Efter mit møde med Soraya Taheri blev alle ugens nætter *yelda* for mig. Og når det blev søndag morgen, stod jeg op med billedet af Soraya Taheris ansigt i mine tanker. I babas folkevognsrugbrød talte jeg kilometrene indtil jeg ville få hende at se igen, siddende med bare fødder og ordne kasser med gulnede opslagsværker, hvide fodsåler mod asfalten, sølvarmbånd der klirrede om hendes spinkle håndled. Jeg ville tænke på den skygge hendes hår kastede på jorden når det gled ned fra ryggen og hang ned som et fløjlsgardin. Soraya. Loppemarkedsprinsesse. Morgensolen i min *yelda*.

Jeg fandt på undskyldninger for at slentre ned ad gangen – baba godtog dem med et muntert grin – og forbi Taheris stand. Jeg vinkede til generalen, som altid klædt i sit skinnende grå jakkesæt, og han vinkede tilbage. En gang imellem rejste han sig fra sin instruktørstol, og vi talte lidt om mine skriverier, krigen, dagens gode handel. Og jeg måtte tvinge mig til ikke at se væk, til ikke at lade blikket vandre hen mod Soraya der sad og læste i en bog. Generalen og jeg ville så sige farvel, og jeg måtte gøre mig umage for ikke at hænge med skuldrene når jeg gik.

En gang imellem sad hun alene, generalen var et eller andet sted henne for at snakke med folk, og jeg gik forbi, lod som om hun var en fuldkommen fremmed, men var ved at dø af længsel efter at lære hende at kende. En gang imellem sad hun sammen med en korpulent, midaldrende kvinde, bleg og med farvet, rødt hår. Jeg lovede mig selv at jeg ville have henvendt mig til hende før sommeren var forbi, men skoleåret begyndte, bladene blev røde, gule og faldt, vinterregnen kom fejende ind og vækkede babas led, små grønne blade foldede sig ud igen, og jeg havde stadig ikke haft mod, *dil*, nok til så meget som at se hende ind i øjnene.

Foråret varede indtil sent i maj 1985. Jeg fik topkarakter i alle mine fag, hvilket var lidt af et mirakel når man tog i betragtning hvor ofte jeg havde siddet og dagdrømt om Sorayas buede næse.

Så, en stegende hed sommersøndag, sad baba og jeg som sædvanlig på vores stand og viftede os med aviser. Selv om solen hamrede ned som et brændejern, var der mange mennesker, og salget gik strygende – klokken var kun halv et, men vi havde allerede tjent 160 dollars. Jeg kom på benene, strakte mig og spurgte baba om han kunne tænke sig en cola. Han sagde ja tak, meget gerne.

„Forsigtig, Amir," sagde han da jeg begyndte at gå.

„Med hvad, baba?"

„Jeg er ikke en *ahmaq*, så prøv ikke at løbe om hjørner med mig."

„Jeg aner ikke hvad De snakker om."

„Husk blot på dette," sagde baba og pegede på mig. „Manden er pashtun helt ind til knoglerne. Han har *nang* og *namoos*." *Nang. Namoos.* Ære og stolthed. Pashtunske mænds maksime. Især hvad angik en hustrus ærbarhed. Eller en datters.

„Jeg vil jo kun hente os noget at drikke."

„Lad være med at bringe skam over mig, andet beder jeg ikke om."

„Det gør jeg heller ikke. I guder, baba."

Baba tændte en cigaret og tog igen fat på at vifte sig.

Jeg gik først i retning af cigaretboden, drejede så til venstre ved T-shirt-standen – hvor man for fem dollars kunne få et billede af Jesus, Elvis, Jim Morrison, eller alle tre samtidig, presset på en hvid nylon-T-shirt. Længere fremme hørtes mariachi-musik, og jeg kunne lugte pickles og stegt kød.

Jeg fik øje på Taheris grå varevogn to rækker fra vores, ved siden af en kiosk hvor man kunne købe mango-på-pind. Hun var alene, sad og læste. Denne dag i en ankellang, hvid sommerkjole og sandaler. Håret var redt tilbage og kronet med en tulipanformet knude. Det var min mening kun at gå forbi, og det troede jeg også jeg havde gjort, indtil jeg pludselig opdagede at jeg stod foran Taheris hvide borddug og stirrede på Soraya hen over krøllejern og gamle slips. Hun kiggede op.

„*Salaam*," sagde jeg. „Undskyld hvis jeg er *mozahem*, jeg vil ikke forstyrre."

„*Salaam*."

„Er general sahib her i dag?" spurgte jeg. Mine ører brændte. Jeg kunne ikke få mig selv til at se hende i øjnene.

„Han gik den vej," sagde hun og pegede mod højre. Armbåndet gled op til hendes albue, sølv mod olivenfarvet.

„Vil De være sød at overbringe ham en hilsen?" sagde jeg.

„Det skal jeg nok."

„Mange tak," sagde jeg. „Åh, mit navn er Amir. I tilfælde af at han spørger. Så De ved det. At jeg har været forbi. For at... hilse på ham."

„Ja."

Jeg flyttede vægten over på den anden fod; rømmede mig. „Jeg går nu. Undskyld forstyrrelsen."

„Nej, nej, De forstyrrede ikke," sagde hun.

„Åh. Fint." Jeg bøjede hovedet og smilede forsigtigt. „Jeg går nu." Havde jeg ikke allerede sagt det? „*Khoda hafez*."

„*Khoda hafez.*"

Jeg begyndte at gå. Standsede og vendte mig om. Jeg sagde det før jeg nåede at miste modet: „Må jeg have lov at spørge om hvad De læser?"

Hun blinkede.

Jeg holdt vejret. Pludselig havde jeg det som om alle de tilstedeværende afghanere på markedet vendte sig om og kiggede på os. Jeg forestillede mig at al samtale forstummede. Læber stivnede midt i en sætning. Hoveder drejede sig. Øjne blev interesseret knebet sammen.

Hvad var nu *det* her for noget?

Indtil dette øjeblik ville vores samtale have kunnet tolkes som en høflig forespørgsel, en mand der spurgte om hvor en anden mand befandt sig. Men jeg havde stillet hende et personligt spørgsmål, og hvis hun svarede, ville vi være... ville vi sludre sammen. Mig, en *mojarad*, en ung, ugift mand, og hun en ung, ugift kvinde. Og tilmed en med en *fortid*. Dette var faretruende nær ved at være sladdermateriale, det bedste af slagsen. Giftige tunger ville få travlt. Og hun ville være den der måtte sluge den værste gift, ikke mig – jeg kendte kun alt for godt den afghanske dobbeltmoral der favoriserede mit køn. Ikke: *Så De ham stå og sludre med hende?* Nej: *Så De hvordan hun ikke ville lade ham gå? Sikke en* lochak!

Ifølge afghanske normer havde mit spørgsmål været dristigt. Med det havde jeg blottet mig og ikke efterladt nævneværdig tvivl om at jeg var interesseret i hende. Men jeg var en mand, og det eneste jeg satte på spil, var et såret ego. Sår helede. Et ødelagt ry gjorde det ikke. Ville hun tage handsken op?

Hun vendte bogen om så forsiden vendte ud mod mig. *Stormfulde højder.* „Har De læst den?" spurgte hun.

Jeg nikkede. Jeg kunne mærke pulsen dunke bag øjnene. „En sørgelig historie."

„Sørgelige historier giver en god bog," sagde hun.

„Sandt nok.“

„Jeg hører at De selv skriver.“

Hvor vidste hun det fra? Jeg spekulerede på om hendes far havde fortalt hende det; måske havde hun selv spurgt ham. Jeg affærdigede straks begge scenarier som absurde. Fædre og sønner talte frit om kvinder. Men ingen afghansk kvinde – i hvert fald ikke en ærbar og *mohtaram* afghansk kvinde – udspurgte sin far om en ung mand. Og ingen far, især ikke en pashtun med *nang* og *namoos*, ville diskutere en *mojarad* med sin datter, ikke medmindre omtalte unge mand var *khastegar*, en bejler, som havde gjort det eneste ærefulde og sendt sin far af sted for at banke på døren.

Til min egen forbløffelse hørte jeg mig selv sige: „Kunne De tænke Dem at læse en af mine historier?“

„Det vil jeg meget gerne,“ sagde hun. Nu fornemmede jeg en vis usikkerhed i hende, så hendes blik flakke fra side til side. Måske kiggede hun efter generalen. Jeg spekulerede på hvad han ville sige hvis han overraskede os mens jeg talte så upassende længe med hans datter.

„Måske kan jeg komme forbi en dag og give Dem en,“ sagde jeg. Jeg skulle lige til at sige noget mere da jeg så den kvinde som jeg en gang imellem havde set i selskab med Soraya, komme gående ned ad gangen. Hun bar på en plastickurv fyldt med frugt. Da hun fik øje på os, fløj hendes blik fra Soraya hen på mig og tilbage igen. Hun smilede.

„Amir jan, det er godt at se dig igen,“ sagde hun og læssede kurvens indhold ud på bordet. Sveden perlede på hendes pande. Hendes røde hår der lå som en hjelm om hendes hoved, glitrede i solskinnet – nogle steder kunne man se issen der hvor hendes hår var særlig tyndt. Hun havde grønne øjne begravet i et kuglerundt ansigt, kroner på fortænderne og pølsefingre. En guld-Allah hvilede på hendes bryst, kæden skjulte sig mellem folder og rynker på hendes hals. „Jeg er Jamila, Soraya jans mor.“

„*Salaam*, khala jan," sagde jeg forlegent, som jeg ofte var i selskab med afghanere, over at hun kendte mig, mens jeg ingen anelse havde om hvem hun var.

„Hvordan har din far det?" spurgte hun.

„Udmærket, tak."

„Din farfar, dommeren, ghazi sahib, hans onkel og min bedstefar var fætre, vidste du det?" sagde hun. „Vi er faktisk i familie, langt ude." Hun smilede bredt, og jeg så at højre side af hendes mund hang en smule. Hendes blik fløj frem og tilbage mellem Soraya og mig.

Jeg havde spurgt baba om hvorfor general Taheris datter stadig var ugift. Ingen bejlere, havde baba sagt. Ingen passende bejlere, havde han tilføjet. Men mere ville han ikke sige – baba vidste hvor altødelæggende sladder kunne være for en ung kvindes chancer for at gifte sig godt. Afghanske mænd, især dem fra respektable familier, var uberegnelige væsener. En hvisken her, en insinuation der, og de tog flugten som forskræmte fugle. Så intet bryllup var blevet planlagt, intet bryllup var blevet fejret, og ingen havde sunget *ahesta boro* for Soraya, ingen havde farvet hendes hænder med henna, ingen havde holdt Koranen over hendes hovedpynt, og det havde været general Taheri der havde danset med hende til alle andres bryllupper.

Og nu, denne kvinde, denne mor, med hendes hjerteskærende ivrige, skæve smil og det slet skjulte håb i øjnene. Jeg krympede mig lidt over den magtposition jeg var blevet tildelt, og det kun fordi jeg havde vundet i det genetiske lotteri der bestemte et barns køn.

Jeg havde aldrig lært at aflæse generalens tanker i hans øjne, men så meget vidste jeg om hans kone: Hvis jeg nogensinde skulle tage en holmgang med nogen i dette – hvad end *dette* var – så ville det ikke blive med hende.

„Sid ned, Amir jan," sagde hun. „Soraya, hent en stol til

ham, *bachem*. Og skyl en af de her ferskener. De er søde og friske."

„Nej, mange tak," sagde jeg. „Jeg må se at komme videre. Min far venter."

„Åh," sagde khanum Taheri, tydeligt imponeret over at jeg havde gjort det ærefulde og sagt nej til tilbuddet. „Jamen, så må du i det mindste tage imod disse," og hun smed en håndfuld kiwier og et par ferskener i en pose og insisterede på at jeg tog imod dem. „Overbring mit *salaam* til din far. Og kom igen en anden gang."

„Ja tak, det skal jeg nok, khala jan," sagde jeg. Ud af øjenkrogen så jeg Soraya vende hovedet bort.

„Jeg troede du var henne og hente colaer til os," sagde Baba og tog posen med ferskener fra mig. Han så på samme tid alvorligt og skælmsk på mig. Jeg skulle lige til at finde på noget at sige, men han tog en bid af ferskenen og slog ud med hånden. „Det er lige meget, Amir. Husk blot hvad jeg sagde."

Den aften, da jeg var gået i seng, lå jeg og tænkte på den måde solen havde danset i Sorayas øjne på, og på de fine hulninger over hendes kraveben. Jeg gennemgik vores samtale igen og igen i mit hoved. Havde hun sagt: *Jeg hører at De selv skriver?* Eller: *Jeg hører De også skriver?* Hvordan var det nu? Jeg kastede tæppet af mig og stirrede op på loftet, forfærdet ved tanken om syv trælse, uendelige *yelda*-nætter før jeg så hende igen.

Sådan gik det for sig i nogle uger. Jeg ventede på at generalen gik en tur, så slentrede jeg forbi Taheris stand. Hvis khanum Taheri var til stede, inviterede hun mig på te og en *kolcha*, og vi talte om Kabul i gamle dage, de mennesker vi kendte, hendes gigtsygdom. Hun havde utvivlsomt bidt mærke i at mine besøg altid faldt sammen med hendes mands fravær, men hun kommenterede det aldrig. „Åh, din kaka er lige gået," sagde hun blot. Jeg foretrak faktisk at khanum Taheri var til stede, og ikke kun på grund af hendes venlige væsen. Soraya var mere afslappet, mere snakkesalig når hendes mor var sammen med os – som om hendes tilstedeværelse legitimerede hvad det end var der skete mellem os – om end ikke i samme grad som generalens tilstedeværelse ville have gjort. Med khanum Taheri som anstandsdame blev vores møder om ikke sladder-sikre, så i det mindste ikke så interessante at tiske om, selv om hendes omklamrende facon gjorde Soraya forlegen.

En dag stod Soraya og jeg alene på standen og talte sammen. Hun fortalte mig om sin skole, om at også hun var i gang med grundfagene på Ohlone Junior College i Fremont.

„Hvad vil De gerne være?"

„Lærer," svarede hun.

„Mener De det? Hvorfor?"

„Jeg har altid haft lyst til at undervise. Dengang vi boede i Virginia, bestod jeg med engelsk som andet hovedsprog, og nu underviser jeg et aftenhold på biblioteket en gang om ugen. Min mor var også lærer, hun underviste i farsi og historie på Zarghoona Gymnasium for piger i Kabul."

En mand med topmave og jagtkasket tilbød tre dollars for et par lysestager til fem dollars, og Soraya lod ham få dem. Hun lagde pengene i en lille bolsjedåse ved sine fødder. Hun så rødmende på mig. „Jeg vil gerne fortælle Dem en historie," sagde hun, „men jeg ved ikke hvordan."

„Bare spring ud i det."

„Det er en lidt fjollet historie."

„Kom nu med den."

Hun lo. „Godt. Da jeg gik i fjerde klasse i Kabul, ansatte min far en kvinde ved navn Ziba til at hjælpe til i huset. Hun havde en søster i Iran, i Mashad, og eftersom Ziba var analfabet, bad hun mig en gang imellem om at skrive et brev til søsteren. Og når søsteren så svarede, læste jeg hendes brev højt for Ziba. En dag spurgte jeg hende om hun havde lyst til at lære at læse og skrive. Hun sendte mig det her store smil så øjnene forsvandt i smilerynker, og sagde så at det ville hun meget gerne. Så vi satte os ved køkkenbordet når jeg var færdig med mine egne lektier, og jeg lærte hende *Alef-beh*. Jeg kan huske at jeg en gang imellem kiggede op fra mine lektier og så Ziba stå ude i køkkenet og lave mad i trykkogeren, og hver gang der var mulighed for det, satte hun sig ned med en blyant og øvede sig på de bogstaver jeg havde givet hende for aftenen før.

Nå, i løbet af et år kunne Ziba læse børnebøger. Vi sad ude i gården, og hun læste om Dara og Sara for mig – langsomt, men korrekt. Hun begyndte at kalde mig *moalem* Soraya, lærer Soraya." Hun lo igen. „Jeg ved det lyder barnligt, men første gang Ziba skrev et brev uden hjælp, vidste jeg at det eneste jeg kunne tænke mig at være, var lærer. Jeg var så stolt af hende, og jeg følte at jeg havde udrettet noget virkelig betydningsfuldt. Forstår De hvad jeg mener?"

„Ja," løj jeg. Jeg tænkte på hvordan jeg havde brugt mine skolekundskaber til at gøre Hassan til grin. Hvordan jeg havde drillet ham med de svære ord han ikke kendte.

„Min far ønsker at jeg skal læse jura, min mor taler i forblommede vendinger om lægestudiet, men jeg vil være lærer. Lønnen er dårlig, men det er hvad jeg vil være."

„Min mor underviste også," sagde jeg.

„Det ved jeg," sagde hun. „Det har min mor fortalt." Så skyllede rødmen op i hendes kinder over det hun var buset ud med, implikationen af hendes svar: at der fandt 'Amir-samtaler' sted mellem dem når jeg ikke var til stede. Det lykkedes mig kun med stort besvær ikke at smile.

„Jeg har noget med til Dem." Jeg fiskede en stak hæftede papirer op af baglommen. „Som jeg lovede." Jeg rakte hende en af mine noveller.

„Åh, du huskede det," sagde hun og strålede. Det gjorde hun virkelig. „Tusind tak!" Jeg nåede knap nok at registrere at hun for første gang havde tiltalt mig med 'tu' og ikke det formelle 'shoma', for pludselig forsvandt hendes smil. Farven veg fra hendes ansigt, og hendes øjne så på noget bag mig. Jeg vendte mig om. Stod ansigt til ansigt med general Taheri.

„Amir jan. Vores forfatter in spe. En fornøjelse," sagde han. Han smilede stramt.

„Salaam, general sahib," sagde jeg med stive læber.

Han gik forbi mig, hen mod boden. „Er det ikke en dejlig dag i dag?" spurgte han med en tommelfinger hængende i vestelommen og den anden hånd rakt ud mod Soraya. Hun gav ham papirerne.

„Det siges at vi får regn i løbet af ugen. Svært at tro på, ikke sandt?" Han smed de sammenrullede papirer ned i skraldespanden. Vendte sig mod mig og lagde venligt en hånd på min skulder. Vi gik lidt væk.

„Du skal vide, bachem, at jeg faktisk godt kan lide dig. Du er en flink dreng, det tror jeg virkelig på, men..." Han sukkede og slog ud med hånden. „... selv flinke drenge har en gang imellem brug for en løftet pegefinger. Så det er min pligt at minde dig om at du er blandt ligesindede på loppemarkedet." Han tav. Hans udtryksløse øjne borede sig ind i mine. „Forstår du, her er alle historiefortællere." Han smilede og afslørede et perfekt tandsæt. „Overbring venligst din far mine hilsner, Amir jan."

Han lod hånden falde. Smilede igen.

„Hvad er der galt?" spurgte baba. Han var ved at tage imod penge fra en ældre dame for en gyngehest.

„Ikke noget," sagde jeg. Jeg satte mig ned på et gammelt tv-apparat. Så fortalte jeg ham det hele.

„Ak, Amir," sukkede han.

Men jeg kom ikke til at gruble særlig længe over det der var sket.

For senere samme uge blev baba forkølet.

Det begyndte med en tør hoste og snue. Snuen gik over, men hosten bed sig fast. Han hostede ned i sit lommetørklæde, stuvede det så ned i lommen igen. Jeg var på nakken af ham for at få det undersøgt, men han viftede mig væk. Han hadede læger og hospitaler. Så vidt jeg vidste, var den eneste gang baba var gået til læge, dengang han fik malaria i Indien.

Så, to uger senere, greb jeg ham i at kaste blodigt slim op i toiletkummen.

„Hvor længe har det stået på?" spurgte jeg.

„Hvad skal vi have at spise?" spurgte han.

„Jeg går med Dem til læge."

Selv om baba var bestyrer af tankstationen, havde ejeren ikke tilbudt ham en sygeforsikring, og baba havde ubesindigt ikke insisteret. Så jeg tog ham med til amtshospitalet i San Jose. Den gulblege, rødøjede læge som tilså ham, præsenterede sig som andenreservelæge. „Han ser yngre ud end dig og meget usundere end mig," brummede baba. Reservelægen sendte os ned til røntgenafdelingen. Da sygeplejersken hentede os igen, var han ved at udfylde en blanket.

„Aflever denne ude i receptionen," sagde han mens han skrev løs.

„Hvad er det?" spurgte jeg.

„En henvisning." *Skrible, skrible.*

„Til hvad?"

„Pulmonar-klinikken."

„Hvad er det?"

Han sendte mig et hurtigt blik. Skubbede sine briller på plads på næsen. Skrev videre. „Han har en plet på højre lunge.

153

Vi er nødt til at se nærmere på den."

„En plet?" sagde jeg. Pludselig føltes lokalet meget trangt.

„Cancer?" spurgte baba henkastet.

„Muligvis. I hvert fald noget mistænkeligt," mumlede lægen.

„Kan De ikke fortælle os lidt mere?" spurgte jeg.

„Faktisk ikke. Deres far skal skannes, og først derefter har vi noget at gå efter." Han rakte mig henvisningen. „De sagde at Deres far ryger?"

„Ja."

Han nikkede. Så fra mig til baba og tilbage igen. „De hører fra os inden for to uger."

Jeg ville gerne spørge ham om hvordan han havde tænkt sig at jeg skulle leve med det ord, 'mistænkeligt', i hele to uger. Hvordan skulle jeg kunne spise, arbejde, studere? Hvordan kunne han sende mig hjem med det ord?

Jeg tog henvisningen og afleverede den. Den aften ventede jeg indtil baba var faldet i søvn, før jeg foldede et tæppe sammen. Jeg brugte det som bedetæppe. Bøjede hovedet ned mod gulvet og reciterede halvglemte vers fra Koranen – vers som mullahen havde terpet med os indtil vi kunne dem udenad – og bad om nåde hos en Gud jeg ikke var sikker på eksisterede. Jeg misundte mullahen nu, misundte ham hans tro og vished.

Der gik to uger, og vi hørte intet. Da jeg så ringede til dem, sagde de at de ikke kunne finde henvisningen. Var jeg sikker på at jeg havde afleveret den? De sagde at de ville ringe i løbet af tre uger. Jeg satte himmel og jord i bevægelse og fik de tre uger ned til en til CT-skanningen, to til en ny konsultation.

Konsultationen hos lungespecialisten, dr. Schneider, gik godt indtil baba spurgte hvor han kom fra. Dr. Schneider sagde Rusland. Baba mistede besindelsen.

„Undskyld os, doktor," sagde jeg og trak baba til side. Dr. Schneider smilede og trådte tilbage med stetoskopet i hånden.

„Baba, jeg læste om dr. Schneider i venteværelset. Han er født i Michigan. *Michigan!* Han er amerikaner, meget mere amerikaner end De og jeg nogensinde vil blive det."

„Jeg er ligeglad med hvor han er født, han er *roussi*," sagde baba og skar ansigt som var det et sjofelt ord. „Hans forældre var *roussi*'er, hans bedsteforældre var *roussi*'er. Jeg sværger ved din mors grav at jeg brækker armen på ham hvis han så meget som rører ved mig."

„Dr. Schneiders forældre flygtede fra *Shorawi*, kan De da ikke forstå det? De flygtede!"

Men baba var hverken til at hugge eller stikke i. En gang imellem havde jeg på fornemmelsen at det eneste han elskede lige så højt som sin afdøde hustru, var det gamle fædreland. Jeg havde lyst til at skrige af frustration. I stedet for sukkede jeg og vendte mig om mod dr. Schneider. „Jeg beklager, doktor. Det duer ikke, det her."

Den næste lungespecialist, dr. Amani, var iraner, og ham accepterede baba. Dr. Amani, en lavmælt mand med hængende overskæg og en grå hårmanke, fortalte os at han havde set på resultaterne fra CT-skanningen, og at han var nødt til at foretage noget han kaldte en bronkoskopi for at udtage et stykke lungevæv til en biopsi. Han gav os en tid til den følgende uge. Jeg takkede ham da jeg hjalp baba ud af konsultationen, mens jeg tænkte at nu skulle jeg leve en hel uge med det truende ord 'biopsi', et endnu mere truende ord end 'mistænkeligt'. Jeg ville ønske at Soraya var hos mig.

Det viste sig at cancer, ligesom Fanden, har mange navne. Babas hed 'småcellet carcinom'. Fremskredent. Inoperabelt. Baba bad dr. Amani om en prognose. Dr. Amani bed sig i læben, udtalte ordet 'alvorligt'. „Der er selvfølgelig kemoterapi," sagde han, „men det vil kun være palliativt."

„Hvad betyder det?" spurgte baba.

Dr. Amani sukkede. „Det betyder at det ikke vil ændre på

udfaldet, kun skubbe det foran sig."

„Det var et klart svar, dr. Amani. Tak for det," sagde baba. „Men ingen kemo til mig, tak." Han havde samme beslutsomme udtryk i ansigtet som den dag han lagde stakken af madkuponer på mrs. Dobbins' skrivebord.

„Men baba—"

„Vær venlig ikke at sige mig imod mens andre hører på det, Amir. Aldrig. Hvem tror du du er?"

Den regn general Taheri havde talt om på loppemarkedet, kom flere uger for sent, men da vi trådte ud af dr. Amanis konsultation, sendte forbikørende biler vandkaskader op på fortovene. Baba tændte en cigaret. Han røg hele vejen hen til bilen og hele vejen hjem.

Da han stak nøglen i gadedøren, sagde jeg: „Jeg ville ønske at De gav kemoen en chance, baba."

Baba stak nøglebundtet i lommen igen, trak mig ud i regnen og ind under en stribet vinduesmarkise. Han prikkede mig på brystet med den hånd der holdt cigaretten. „Bas! Jeg har truffet min beslutning."

„Hvad så med mig, baba? Hvad skal jeg stille op?" sagde jeg med tårer i øjnene.

Et foragtende udtryk passerede hen over hans regnvåde ansigt. Det var det samme udtryk som når jeg som barn begyndte at græde hvis jeg var faldet og havde slået mit knæ. Det var tårer der udløste det dengang, det var tårer der udløste det nu. „Du er toogtyve år gammel, Amir! En voksen mand! Du…" Han åbnede munden, lukkede den, åbnede den, tænkte sig om. Over os trommede regnen ned på markisen. „Hvad så med dig, siger du. I alle disse år er det hvad jeg har forsøgt at lære dig: ikke at stille det spørgsmål."

Han låste døren op. Vendte sig igen om mod mig. „Og endnu en ting. Ingen hører om det her, har du forstået? Ingen.

Jeg ønsker ingen medlidenhed." Så forsvandt han ind i den svagtoplyste entre. Resten af den dag sad han og kæderøg foran fjernsynet. Jeg var ikke klar over hvad eller hvem det var han trodsede. Mig? Dr. Amani? Eller måske den gud han aldrig havde troet på?

En tid kunne selv ikke kræften holde baba væk fra loppemarkedet. Vi drog af sted til vores garagesalg om lørdagen, baba bag rattet, mig med kortet, og stillede standen op om søndagen. Messinglamper. Baseballhandsker. Skijakker med ødelagte lynlåse. Baba hilste på bekendte fra det gamle land, og jeg tingede med kunder om en dollar eller to. Som om det hele ikke var ligegyldigt. Som om den dag hvor jeg blev forældreløs, ikke listede sig nærmere for hver gang vi pakkede standen sammen.

En gang imellem kom general Taheri og hans kone forbi en tur. Generalen hilste på mig, diplomatisk som han var, med et smil og et tohåndsgreb. Men der var kommet noget forbeholdent over khanum Taheri. Noget forbeholdent som kun blev brudt af hemmelige, nedbøjede smil og skjulte, undskyldende blikke i min retning når generalens opmærksomhed var rettet andetsteds hen.

Jeg husker den tid som en periode med mange tilfælde af 'første gang'. Den første gang jeg hørte baba stønne ude på badeværelset. Den første gang jeg så blod på hans hovedpude. I de tre år baba havde været bestyrer af tankstationen, havde han ikke haft en eneste sygedag. Endnu en første gang.

På Halloween, der det år faldt på en lørdag, var baba så træt midt på dagen at han blev siddende i bilen mens jeg stod udenfor og tingede om prisen på skrammel. Til Thanksgiving var han træt allerede om formiddagen. Da slæder dukkede op på græsplænerne og falsk sne på douglasgranerne, blev baba hjemme, og jeg kørte alene op og ned gennem halvøen i vores folkevognsrugbrød.

En gang imellem kommenterede afghanske bekendte på loppemarkedet babas vægttab. Først komplimenterede de ham for det. De spurgte oven i købet hvilken diæt han fulgte. Men forespørgslerne og komplimenterne forstummede da vægttabet fortsatte. Forstummede i takt med at kiloene raslede af ham. Simpelthen raslede. Og kinderne blev hule. Og tindingerne smeltede bort. Og øjnene trak sig ind i øjenhulerne.

Så en kølig søndag kort efter nytår stod baba og var ved at sælge en lampeskærm til en kraftig filippinsk mand mens jeg rodede rundt i bilen for at finde et tæppe at lægge over hans ben.

„De der, fyren her har brug for hjælp!" udbrød filippineren forskrækket. Jeg snurrede rundt og så baba ligge på jorden med kramper i arme og ben.

„*Komak*!" skreg jeg. „Hjælp!" Jeg løb hen til baba. Han skummede om munden så skægget blev helt hvidt af fråde. Vendte det hvide ud af øjnene.

Folk kom farende hen til os. Jeg hørte nogen tale om slagtilfælde. En anden skreg: „Ring efter en ambulance!" Jeg hørte løbende skridt. Himlen blev mørk på grund af alle de mennesker der stimlede sammen om os.

Babas spyt blev rødt. Han bed sig i tungen. Jeg knælede ned ved siden af ham, løftede ham op i mine arme og sagde: „Jeg er her, baba, jeg er her, det skal nok gå, jeg er hos Dem." Som om mine trøstende ord kunne få kramperne til at gå væk. Få dem til at lade min baba være i fred. Jeg kunne mærke at det blev vådt om mine knæ. Så babas blære svigte. *Shhh, baba jan, jeg er her. Deres søn er lige her.*

En hvidskægget og fuldstændig skaldet læge kaldte mig ud af venteværelset. „Jeg vil gerne gennemgå resultaterne af Deres fars CT-skanning med Dem," sagde han. Han satte billederne op i en lyskasse ude på gangen og pegede med viskelæderenden af sin blyant på billederne af babas cancer – som en strisser der fremviser et forbryderalbum for et mordoffers familie. Babas hjerne på de billeder lignede skiver af en stor valnød, befængt med grå tingester af form som tennisbolde.

„Som De kan se, har canceren metastaseret," sagde han. „Han vil skulle tage steroider for at dæmme op for hjerneødemet og anti-epileptika mod kramperne. Dertil vil jeg anbefale palliativ bestråling. Ved De hvad det er?"

Jeg nikkede. Jeg var kommet godt ind i cancer-terminologien.

„Udmærket," sagde han. Han tjekkede sin personsøger. „Jeg er nødt til at gå, men De er velkommen til at henvende Dem hvis De har yderligere spørgsmål."

„Mange tak."

Jeg tilbragte natten på en stol ved siden af babas seng.

Næste dag var venteværelset for enden af gangen masende fyldt med afghanere. Slagteren fra Newark. En ingeniør som havde arbejdet for baba med oplørelsen af børnehjemmet. De defilerede forbi og gav med dæmpede stemmer udtryk for deres agtelse. Ønskede baba god bedring. På det tidspunkt var baba vågen, uklar og træt, men vågen.

Midt på dagen kom general Taheri og hans kone på besøg. Soraya var også med. Vi kiggede på hinanden, så væk på samme tid. „Hvordan går det, min ven?" spurgte general Taheri og tog babas hånd.

Baba gjorde tegn ned mod IV-nålen der sad i hans hånd. Smilede svagt. Generalen gengældte smilet.

„De skulle ikke have besværet Dem," kvækkede baba.

„Det var intet besvær," sagde khanum Taheri.

„Overhovedet intet besvær. Men har De brug for noget?" spurgte general Taheri. „Sig endelig til. Spørg mig som var jeg Deres bror."

Jeg tænkte på noget baba engang havde sagt om pashtunerne. *Jeg ved at vi er stædige, og jeg ved at vi er alt for stolte, men i nødens stund, tro mig, så er der ingen du hellere vil have ved din side end en pashtun.*

Baba rystede på hovedet på puden. „At se Dem her er som lys i mine øjne." Generalen smilede og gav babas hånd et klem. „Hvad med dig, Amir jan. Har du brug for noget?"

Den måde han så på mig på, venligheden i hans øjne... „Nej, mange tak, general sahib. Jeg..." Jeg fik en klump i halsen, og tårerne vældede op i mine øjne. Jeg fløj ud af rummet.

Jeg græd ude på gangen, foran lyskassen hvor jeg aftenen før havde set på en morders ansigt.

Døren til babas stue gik op, og Soraya kom ud. Hun gik hen til mig. Hun var iført en grå sweatshirt og jeans. Hendes hår hang løst ned ad ryggen. Jeg ønskede at søge trøst i hendes arme.

„Det gør mig ondt, Amir," sagde hun. „Vi var alle klar over at der var noget galt, men vi anede ikke at det var så slemt."

Jeg tørrede øjnene i skjorteærmet. „Han ville ikke have at nogen skulle vide det."

„Kan jeg gøre noget for dig?"

„Nej." Jeg forsøgte at smile. Hun lagde sin hånd oven på min. Vores første berøring. Jeg tog den. Løftede den op til mit ansigt. Til mine øjne. Gav slip igen. „Du må hellere gå ind igen. Ellers kommer din far efter mig."

Hun smilede og nikkede. „Ja." Hun vendte sig om for at gå.

„Soraya?"

„Ja?"

„Jeg er glad for at du kom. Det betyder... alverden for mig."

De udskrev baba to dage efter. De havde tilkaldt en specialist, en radiolog, der skulle tale med baba om strålebehandling. Baba nægtede. De forsøgte at overtale mig til at overtale ham. Men jeg havde set udtrykket i babas ansigt. Jeg takkede dem, underskrev deres blanketter og kørte baba hjem i min Ford Torino.

Den aften lå baba på sofaen med et tæppe over sig. Jeg kom med varm te og ristede mandler. Lagde armen om hans skuldre og trak ham alt for let op at sidde. Hans skulderblade føltes som fuglevinger under mine fingre. Jeg trak tæppet op over hans brystkasse hvor ribbenene stak ud under den tynde, gule hud.

„Er der andet jeg kan gøre for Dem, baba?"

„Nej, *bachem*, nej tak."

Jeg satte mig ved siden af ham. „Så er der måske noget De vil gøre for mig. Hvis De altså ikke er for træt."

„Hvad?"

„Jeg vil bede Dem gå *khastegari*. Jeg vil bede Dem gå til general Taheri og på mine vegne anmode om hans datters hånd."

Babas tørre læber bredte sig i et smil. En lille grøn plet på et vissent blad. „Er du sikker?"

„Mere sikker end jeg nogensinde har været på noget."

„Du har tænkt dig grundigt om?"

„*Balay*, baba."

„Så ræk mig telefonen. Og min lille notesbog."

Jeg blinkede. „Nu?"

„Hvornår ellers?"

Jeg smilede. „Okay." Jeg rakte ham telefonen og den lille, sorte bog hvori baba havde noteret sine afghanske venners telefonnumre. Han slog op under Taheri. Drejede nummeret. Tog røret op til øret. Mit hjerte dansede piruetter i brystet på mig.

„Jamila jan? *Salaam alaykum*," sagde han. Han sagde sit

navn. Tav et øjeblik. „Meget bedre, tak. Det var venligt af Dem at komme." Han lyttede igen. Nikkede. „Det skal jeg huske, mange tak. Er general sahib hjemme?" Pause. „Tak."

Han kastede et blik hen på mig. Af en eller anden grund havde jeg lyst til at le. Eller skrige. Jeg lagde min knyttede hånd ind mod munden og bed i den. Baba lo stille gennem næsen.

„General sahib, *salaam alaykum*... Ja tak, meget bedre... *Balay*... Det er meget venligt af Dem. General sahib, jeg ringer for at spørge om jeg må aflægge Dem og khanum Taheri et besøg i morgen formiddag? Jeg har fået et ærefuldt hverv... Ja... Klokken elleve passer fint. Så ses vi. *Khoda hafez*."

Han lagde røret på. Vi så på hinanden. Jeg begyndte at fnise. Baba ligeså.

Baba gjorde håret vådt og redte det tilbage. Jeg hjalp ham i en ren, hvid skjorte og bandt hans slips for ham. Lagde mærke til de fem centimeters tomrum mellem kraveknappen og babas hals. Jeg tænkte på det tomrum baba ville efterlade sig når han var borte, og jeg tvang mig til at tænke på noget andet. Han var ikke borte. Ikke endnu. Og dette var en dag hvor der skulle tænkes positive tanker. Jakken til det brune sæt, det han havde haft på til min afgangseksamen, hang på ham – alt for meget af baba var forsvundet til at han kunne udfylde noget som helst længere. Jeg var nødt til at rulle ærmerne op. Jeg bøjede mig ned og bandt snørebåndene.

Familien Taheri boede i en bungalow i et af de kvarterer i Fremont der var kendt for at have mange afghanere boende. Der var karnapvinduer, tjæret tag og en lukket forveranda med geranier i potter. Generalens grå varevogn holdt i indkørslen.

Jeg hjalp baba ud af Forden og satte mig ind bag rattet igen. Han bøjede sig ind ad passagerruden. „Kør hjem. Jeg ringer om en time."

„Okay, baba," sagde jeg. „Held og lykke."

Han smilede.

Jeg kørte min vej. I bakspejlet så jeg baba vakle op ad general Taheris indkørsel på vej til sin sidste fædrene pligt.

Jeg travede frem og tilbage i stuen i vores lejlighed mens jeg ventede på at baba skulle ringe. Femten skridt lang. Ti og et halvt bred. Hvad hvis generalen sagde nej? Hvad hvis han ikke kunne fordrage mig? Jeg blev ved med at gå ud i køkkenet for at se hvad klokken var på ovnuret.

Telefonen ringede lige før klokken tolv. Det var baba.

„Hvad så?"

„Generalen sagde ja."

Luften forlod mine lunger i ét langt pust. Jeg satte mig ned med rystende hænder. „Sagde han ja?"

„Ja, men Soraya jan sidder oppe på sit værelse. Hun ønsker at tale med dig."

„Okay."

Baba sagde et eller andet til en eller anden, og der lød et klik da han lagde på.

„Amir?" Sorayas stemme.

„*Salaam.*"

„Min far sagde ja."

„Det ved jeg," sagde jeg. Jeg tog røret over i den anden hånd. Jeg smilede. „Jeg er så glad at jeg ikke ved hvad jeg skal sige."

„Jeg er også glad, Amir. Jeg... har svært ved at fatte hvad der sker."

Jeg lo. „Jeg har det på samme måde."

„Hør efter," sagde hun. „Der er noget jeg må fortælle dig. Noget som du er nødt til at vide før..."

„Jeg er ligeglad med hvad det er."

„Du er nødt til at vide det. Jeg ønsker ikke at vi skal begynde med at have hemmeligheder for hinanden. Og jeg vil foretrække at du hører det fra mig."

„Hvis det vil få dig til at føle dig bedre tilpas, så i himlens navn. Men det vil ikke ændre ved noget."

Der fulgte en lang pause i den anden ende. „Dengang vi boede i Virginia, stak jeg af hjemmefra sammen med en afghansk mand. Jeg var atten år... oprørsk... dum, og... han var på stoffer... Vi var sammen i næsten en måned. Alle afghanere i Virginia snakkede om det.

Til sidst fandt padar os. Han sparkede døren op og... tvang mig til at komme med hjem. Jeg var hysterisk. Råbte og skreg. Sagde at jeg hadede ham...

Nå, men jeg kom hjem og..." Hun græd nu. „Undskyld." Jeg hørte hende lægge røret fra sig og pudse næse. „Undskyld." Hun var tilbage igen; talte videre med hæs stemme. „Da jeg kom hjem, så jeg at min mor havde haft et slagtilfælde, højre side af hendes ansigt var lammet, og... jeg følte mig så skamfuld. Hun havde ikke fortjent det.

Kort tid efter besluttede padar at vi skulle flytte til Californien." Derefter var der stille i røret.

„Hvordan går det mellem dig og din far nu?" spurgte jeg.

„Det er ikke alt vi er enige om, sådan har det altid været, men jeg er taknemmelig for at han kom og hentede mig den dag. Jeg tror fuldt og fast på at han reddede mig." Hun tav et øjeblik. Så: „Generer det dig, det jeg har fortalt dig?"

„Lidt," sagde jeg. Jeg skyldte hende at sige sandheden. Jeg kunne ikke lyve for hende og sige at jeg ikke følte mig ramt på min stolthed, min *iftikhar*, over at hun havde været sammen med en mand, og jeg endnu ikke havde haft en kvinde i min seng. Det generede mig en smule, men jeg havde grublet en del over det i ugerne før jeg bad baba om at gå *khastegari*. Og mine spekulationer var altid endt med det samme spørgsmål til mig selv: Hvordan kunne jeg, af alle mennesker, bebrejde nogen deres fortid?

„Generer det dig nok til at du har skiftet mening?"

„Nej, Soraya. Meget langt fra," sagde jeg. „Intet af hvad du har fortalt mig, ændrer noget ved noget. Jeg ønsker at vi skal gifte os."

Hun brast på ny i gråd.

Jeg misundte hende. Hun havde afsløret sin hemmelighed. Udtalt den højt. Fået den af vejen. Jeg åbnede munden og skulle lige til at fortælle hende om hvordan jeg havde forrådt Hassan, løjet, jaget ham bort og lagt et fyrre år gammelt venskab mellem baba og Ali i ruiner. Men jeg gjorde det ikke. Jeg havde en mistanke om at Soraya Taheri på mange måder var et bedre menneske end mig. For eksempel var hun modig.

TRETTEN

Da vi ankom til familien Taheris hjem den næste aften – til *lafz*, den ceremoni hvor vi 'afgav løftet' – var jeg nødt til at parkere Forden på den anden side af vejen. Deres indkørsel var fyldt op med biler. Jeg var iført et marineblåt sæt tøj som jeg havde købt dagen før efter at have kørt baba hjem fra *khaste-gari*. Jeg kiggede efter i bakspejlet om mit slips sad ordentligt.

„Du ser *khoshteep* ud," sagde baba.

„Tak, baba. Hvordan med Dem? Har De kræfter til det her?"

„Kræfter til det? Det er den lykkeligste dag i mit liv, Amir," sagde han og smilede træt.

Jeg kunne høre snak på den anden side af døren, latter og sagte afghansk musik – det lød som en klassisk *ghazal* af Ustad Sarahang. Jeg ringede på døren. Et ansigt kom til syne bag gardinet for entredøren og forsvandt igen. „Så er de her!"

hørte jeg en kvindestemme sige. Snakken forstummede. En eller anden slukkede for musikken.

Khanum Taheri lukkede op. *„Salaam alaykum,"* sagde hun med et strålende smil. Hun havde været til frisøren, så jeg, og var iført en elegant, ankellang sort kjole. Da jeg trådte ind i entreen, blev hendes øjne blanke. „Du er næppe kommet indenfor, Amir jan, før jeg begynder at græde," sagde hun. Jeg kyssede hende på hånden sådan som baba havde instrueret mig i at gøre aftenen før.

Hun gik foran os gennem en strålende oplyst gang hen til stuen. På de træbeklædte vægge så jeg billeder af de mennesker som skulle blive min nye familie: en ung khanum Taheri med brusende hår og generalen – Niagara Falls i baggrunden; khanum Taheri i en sømløs kjole, generalen i jakke med smal revers og et smalt slips, kraftigt, sort hår; Soraya på vej op i en rutsjebane, vinkende og smilende, med sølvskinnende bøjle på tænderne. Et foto af generalen i kampuniform der trykkede kong Hussein af Jordan i hånden. Et portræt af Zahir Shah.

Stuen var pakket med mindst tyve gæster som sad på stole langs væggene. Da baba kom ind, rejste alle sig. Vi gik hele vejen rundt, baba langsomt foran mig, og trykkede hænder og hilste på gæster. Generalen – som altid i sit grå jakkesæt – og baba omfavnede hinanden, klappede blidt hinanden på ryggen. De sagde deres *salaam* med respektfuldt dæmpede stemmer.

Generalen holdt mig ud i arms længde og smilede vidende, som om han sagde: 'Se, det her er den rette måde – den af-ghanske måde – at gøre det på, *bachem.'* Vi kyssede hinanden tre gange på kinden.

Vi satte os i det overfyldte rum. Baba og jeg ved siden af hinanden, over for generalen og hans kone. Babas vejrtræk-ning var blevet en smule anstrengt, og han blev ved med at tørre sveden af panden og issen med sit lommetørklæde. Han så mig se bekymret på ham, og det lykkedes ham at sende mig et lille smil. „Jeg har det udmærket," hviskede han.

Ifølge sædvane var Soraya ikke til stede.

Vi sad lidt og udvekslede høfligheder og snakkede om vind og vejr. Så rømmede generalen sig. Der blev helt stille, og alle så respektfuldt ned på deres hænder. Generalen nikkede over mod baba.

Også baba rømmede sig. Da han begyndte at tale, kunne han ikke fuldføre sine sætninger uden at holde pauser og hive efter vejret. „General sahib, khanum Jamila jan... det er med stor ydmyghed at min søn og jeg... i dag er kommet til Deres hjem. De er... mennesker af ære... fra distingverede og agtværdige familier og... af stolt herkomst. Jeg kommer her med intet uden den højeste *ihtiram*... og den største respekt for Dem, for Deres familienavn og for mindet om... Deres forfædre." Han tav. Gispede efter vejret. Tørrede panden. „Amir jan er min eneste søn... mit eneste barn, og han har været mig en god søn. Jeg håber at han vil vise sig... værdig til Deres venlighed. Jeg beder Dem om at vise Amir jan og mig den ære... at optage os i Deres familie."

Generalen nikkede høfligt.

„Det er os en ære at byde sønnen af en mand som Dem velkommen i vores familie," sagde han. „Deres ry er løbet foran Dem. Jeg var Deres ydmyge beundrer i Kabul og er det den dag i dag. Vi er beæret over at Deres familie og vores skal forenes.

Amir jan, hvad dig angår, så byder jeg dig velkommen som en søn, som husbond til min datter, mine øjnes *noor*. Din smerte skal blive vores smerte, din glæde vores glæde. Jeg håber at du vil betragte din khala Jamila og mig som dine andre forældre, og jeg vil bede for din og vores elskede Soraya jans lykke. I har begge min velsignelse."

Alle klappede, og som på stikord drejede de hovederne mod gangen. Øjeblikket jeg havde ventet på.

Soraya kom til syne for enden af gangen. Klædt i en vidunderlig mørkerød, traditionel afghansk kjole med lange ærmer og guldsøm. Babas hånd famlede efter min og lukkede sig om den. Khanum Taheri brast på ny i gråd. Langsomt, langsomt nærmede Soraya sig med en hale af yngre, kvindelige slægtninge efter sig.

Hun kyssede min fars hænder. Satte sig langt om længe ned ved siden af mig med sænket blik.

Klapsalverne rungede.

Ifølge traditionen skulle Sorayas familie nu afholde en forlovelsesfest, en *shirini-khori* – eller 'at spise konfekt'-ceremonien. Derefter skulle der følge en forlovelsesperiode på mindst et par måneder. Til sidst skulle baba afholde bryllupsfesten.

Vi var alle enige om at Soraya og jeg skulle springe *shirini-khori* over. Alle kendte grunden, ingen behøvede at sige den højt: at baba ikke havde et par måneder tilbage at leve i.

Soraya og jeg gik aldrig ud alene sammen mens forberedelserne til brylluppet tog fart – eftersom vi ikke var gift endnu, ikke engang havde haft en *shirini-khori*, blev det regnet for usømmeligt. Så jeg måtte nøjes med at køre med baba over til familien Taheri og spise middag. Sidde over for Soraya ved middagsbordet. Forestille mig hvordan det ville føles med hendes hoved mod mit bryst, forestille mig duften af hendes hår. Kysse hende. Elske med hende.

Baba brugte 35.000 dollars, det meste af sin opsparing, på *awroussi*'en, bryllupsfesten. Han lejede en enorm afghansk festsal i Fremont – manden der ejede den, kendte ham fra Kabul og gav ham en betydelig rabat. Baba betalte for *chila*'erne, vores ens vielsesringe samt den diamantring jeg valgte. Han betalte for min smoking og det traditionelle, grønne sæt tøj til *nika*'en – den ceremoni hvor vi aflagde løftet.

Jeg har kun få erindringer om de hektiske forberedelser –

hvor khanum Taheri og hendes venner gud være lovet tog sig af de fleste – der gik forud for brylluppet.

Jeg husker vores *nika*. Vi sad rundt om et bord, Soraya og jeg begge klædt i grønt – islams farve, men også forårets og en ny begyndelses farve. Jeg var i et jakkesæt, Soraya (den eneste kvinde ved bordet) i kjole med slør og lange ærmer. Baba, general Taheri (som denne dag var i smoking) og adskillige af Sorayas onkler var også til stede omkring bordet. Soraya og jeg så ned, højtideligt og respektfuldt; så kun en gang imellem undseligt på hinanden ud af øjenkrogen. Mullahen udspurgte vidnerne og læste fra Koranen. Vi aflagde vores løfter. Skrev under på vielsesattesten. En af Sorayas onkler fra Virginia, Sharif jan, khanum Taheris bror, rejste sig og rømmede sig. Soraya havde fortalt at han havde boet i USA i mere end tyve år. Han arbejdede for immigrationsdirektoratet, INS, og var gift med en amerikaner. En lille mand med et fugleagtigt ansigt og dunet hår. Han var også digter og læste et længere digt for os, tilegnet Soraya, som han havde skriblet ned på et stykke hotelbrevpapir. „Wah wah, Sharif jan!" udbrød alle da han var færdig.

Jeg kan huske at jeg gik op mod podiet, nu iført smoking, hånd i hånd med Soraya der var i hvid *pari* med slør. Baba vaklede af sted ved siden af mig, generalen og hans kone ved siden af deres datter. En procession af onkler, tanter, fætre og kusiner fulgte efter os da vi gik gennem salen og delte et hav af klappende gæster og blinkende kameralys. En af Sorayas fætre, Sharif jans søn, holdt Koranen over vores hoveder mens vi snegiede os fremad. Bryllupssangen, *ahesta boro*, drønede ud fra højtalerne, den samme sang som den russiske soldat ved kontrolposten i Mahipar havde sunget den nat baba og jeg forlod Kabul.

Gør morgenen til en nøgle og smid den i brønden,
Gå langsomt, skønne måne, gå langsomt.

Lad morgensolen glemme at gå op i øst,
Gå langsomt, skønne måne, gå langsomt.

Jeg kan huske at jeg sad på sofaen oppe på podiet, som på en tronstol, med Sorayas hånd i min, og cirka tre hundrede ansigter vendt op mod os. Vi udførte *ayena masshaf* hvor de gav os et spejl og kastede et slør over vores hoveder så vi ville være alene mens vi kiggede på hinandens spejlbilleder. Da jeg så Sorayas smilende ansigt i spejlet, i dette korte, private øjeblik, hviskede jeg for første gang at jeg elskede hende. En rødmen, rød som henna, skød op i hendes kinder.

Jeg kan se for mig farvestrålende tallerkener med *chopan*-kabob, *sholeh-goshti* og orangefarvet ris. Jeg kan se baba sidde mellem os på sofaen, smilende. Jeg kan huske sveddryppende mænd der dansede den traditionelle *attan* i en cirkel, hoppende, snurrende, hurtigere og hurtigere til tablaens hektiske rytme, indtil alle, undtagen nogle få, udmattet havde trukket sig ud af cirklen. Jeg kan huske hvor lykkelig jeg ville have været, hvis Rahim Khan også havde været til stede.

Og jeg kan huske at jeg spekulerede på om også Hassan var blevet gift. Og hvis ja, hvis ansigt han så havde set i spejlet under sløret? Hvis hennafarvede hænder havde han holdt i sine?

Omkring klokken to om natten rykkede selskabet videre fra festsalen til babas lejlighed hvor der blev brygget nye mængder te, og musikken spillede indtil naboerne tilkaldte politiet. Senere den nat, da der var mindre end en time til solopgang, og gæsterne langt om længe havde taget afsked, lagde Soraya og jeg os for første gang i samme seng. Jeg havde hele mit liv været omgivet af mænd. Den nat lærte jeg en kvindes ømhed at kende.

Det var Soraya der foreslog at hun flyttede ind hos baba og mig.

„Jeg troede du gerne ville have dit eget sted," sagde jeg.

„Når kaka jan er så syg som han er?" svarede hun. Hendes øjne fortalte mig at det ikke var nogen måde at indlede et ægteskab på. Jeg kyssede hende. „Tak."

Soraya helligede sig pasningen af min far. Hun ristede brød og lavede te om morgenen og hjalp ham op af sengen og ned igen. Hun gav ham hans smertemedicin, vaskede hans tøj, læste højt for ham fra avisens udlandssektion hver dag. Hun lavede hans yndlingsret, kartoffel-*shorwa*, selv om han knap kunne spise mere end et par spiseskefulde, og gik hver dag en lille tur med ham rundt om blokken. Og da han blev sengeliggende, vendte hun ham i sengen hver time så han ikke fik liggesår.

En dag kom jeg hjem fra apoteket med babas morfinpiller. Netop som jeg lukkede døren, fik jeg et glimt af Soraya der hurtigt gemte et eller andet under babas tæppe. „Hov, jeg så det godt! Hvad har I to for?" spurgte jeg.

„Ikke noget," sagde Soraya og smilede.

„Løgnhals." Jeg løftede op i babas tæppe. „Hvad er det her?" sagde jeg, selv om jeg så snart jeg så den læderindbundne bog, godt vidste det. Jeg lod mine fingre glide langs den guldprægede kant. Jeg mindedes fyrværkeriet den aften Rahim Khan havde givet mig den, min trettenårsfødselsdagsfest, raketter der eksploderede i buketter af rødt, grønt og gult.

„Jeg fatter ikke at du kan skrive så godt," sagde Soraya.

Baba løftede med besvær sit hoved fra puden. „Det var mig der bad hende om det. Jeg håber ikke du har noget imod det."

Jeg rakte notesbogen tilbage til Soraya og forlod værelset. Baba hadede når jeg græd.

En måned efter brylluppet kom Sorayas forældre, Sharif, hans kone Suzy og adskillige af Sorayas tanter til middag hjemme hos os. Soraya lavede *sabzi challow* – hvide ris med spinat og lam. Efter maden drak vi alle grøn te og spillede kort i firemandsgrupper. Soraya og jeg spillede med Sharif og Suzy ved kaffebordet ved siden af sofaen hvor baba lå under et uldtæppe. Han så mig spøge med Sharif, så Soraya og mig flette fingre, så mig skubbe en lok af hendes hår tilbage fra panden. Jeg kunne se hans skjulte smil, så bredt som Kabul-himlen de nætter hvor poplerne skælvede i brisen, og lyden af fårekyllingerne gav genlyd i haven.

Kort før midnat bad baba om at blive hjulpet i seng. Soraya og jeg lagde hans arme over vores skuldre og vores ind om ryggen på ham. Da vi sænkede ham ned i sengen, bad han Soraya slukke sengelampen. Han bad os bøje os ned og gav os begge et kys.

„Jeg kommer tilbage med Deres morfin og et glas vand, kaka jan," sagde Soraya.

„Ikke i aften," sagde han. „Jeg har ingen smerter."

„Okay," sagde hun. Hun trak tæppet op om ham. Vi lukkede døren efter os.

Baba vågnede ikke igen.

Alle parkeringsbåse foran moskeen i Hayward var optaget. På de visne græsmarker bag bygningen holdt biler og firehjulstrækkere tæt i lange rækker. Folk var nødt til at køre tre, fire blokke videre mod nord for at finde et sted at parkere.

Mændenes afdeling i moskeen var et stort, firkantet rum, dækket med afghanske tæpper og tynde madrasser i parallelle rækker. Mænd defilerede ind i rummet, efter at have taget skoene af udenfor, og satte sig i skrædderstilling på madrasserne. En mullah messede *surrah*'er fra Koranen ind i en mikrofon. Jeg sad henne ved indgangen, der hvor afdødes familie plejede at sidde. General Taheri sad ved siden af mig.

Gennem den åbne dør kunne jeg se bil efter bil trække ind til siden med sollyset glimtende i forruderne. De satte passagerer af, mænd i mørkt tøj, kvinder i sorte kjoler og hoveder der var dækket med den traditionelle hvide hijab.

Mens ordene fra Koranen gav genlyd i rummet, tænkte jeg tilbage på den gamle historie om baba der havde brydekamp med en sort bjørn i Baluchistan. Baba havde sloges med bjørne hele sit liv. Mistede sin unge kone. Opdrog en søn alene. Forlod sit elskede fædreland, sit *watan*. Fattigdom. Fornedrelse. Til sidst en bjørn som han ikke kunne vinde over. Men selv da havde han bestemt nederlagets betingelser.

Efter hver omgang bønner stillede sørgende sig i kø og hilste på mig på vej ud. Jeg gav dem pligtopfyldende hånden. Der var mange jeg knap nok kendte. Jeg smilede høfligt, takkede dem for deres deltagelse, lyttede til det de havde at sige om baba.

„... hjalp mig med at bygge huset i Taimani..."

„... velsigne ham..."

„... ingen anden at vende mig til, og han..."

„... skaffede mig et arbejde... kendte mig knap nok..."

„... som en bror for mig..."

Da jeg lyttede til dem, forstod jeg hvor meget af den jeg var, hvad jeg var, var defineret af baba og den gennemslagskraft han havde haft på folks tilværelse. Jeg havde hele mit liv været 'babas søn'. Nu var han borte. Baba kunne ikke længere vise vej for mig, jeg var nødt til selv at finde den.

Tanken gjorde mig stiv af skræk.

Tidligere på dagen havde jeg set dem sænke baba ned i graven i den muslimske afdeling på kirkegården. Mullahen og en anden mand var kommet op at diskutere om hvilken *ayat* der var den korrekte at recitere over graven. Det kunne have udviklet sig grimt hvis ikke general Taheri havde blandet sig. Mullahen valgte en *ayat* og reciterede den mens han tilkastede den anden mand ubehagelige blikke. Jeg så dem kaste den første skovlfuld jord ned i graven. Så gik jeg. Gik hen i den anden ende af kirkegården. Satte mig i skyggen under en rød ahorn.

Nu havde de sidste kondoleret, og moskeen var tom bortset fra mullahen der var ved at pakke mikrofonen sammen og vikle Koranen ind i et grønt klæde. Generalen og jeg trådte ud i den sene eftermiddagssol. Vi gik ned ad trappen, forbi mændene der stod i klynger og røg. Jeg hørte brudstykker af deres samtale, en fodboldkamp i Union City næste weekend, en ny afghansk restaurant i Santa Clara. Livet gik videre; og lod baba bag sig.

„Hvordan har du det, *bachem*?" spurgte general Taheri.

Jeg bed tænderne sammen. Tvang de tårer tilbage som hele dagen havde truet med at flyde over. „Jeg går hen og finder Soraya," sagde jeg.

„Okay."

Jeg gik hen til kvindernes side af moskeen. Soraya stod på trappen sammen med sin mor og et par kvinder jeg svagt genkendte fra brylluppet. Jeg gjorde tegn til Soraya. Hun sagde noget til sin mor og kom hen til mig.

„Kan vi gå nu?" spurgte jeg.

„Selvfølgelig." Hun tog mig i hånden.

Vi gik uden at sige noget ned ad en snoet grussti kantet af en række lave hække. Vi satte os på en bænk og så et ældre par knæle ned ved en grav få rækker fra os og lægge en buket margueritter foran stenen.

„Soraya?"

„Ja?"

„Jeg vil savne ham."

Hun lagde sin hånd i skødet på mig. Babas *chila* glimtede på hendes ringfinger. Bag hende kunne jeg høre babas venner køre ned ad Mission Boulevard. Snart skulle vi også køre, og for første gang i sit liv skulle baba være alene.

Soraya trak mig ind til sig, og langt om længe begyndte tårerne at flyde.

Da Soraya og jeg ikke havde haft en forlovelsesperiode, måtte jeg lære meget af det der var at vide om familien Taheri, efter at jeg havde giftet mig ind i den. For eksempel gik det op for mig at generalen en gang om måneden led af en skrækkelig migræne der varede næsten en uge. Når hovedsmerterne slog til, gik generalen ind på sit værelse, klædte sig af, slukkede alt lys, låste døren og kom ikke ud igen før anfaldet var gået over. Ingen havde tilladelse til at gå ind til ham, ingen havde tilladelse til at banke på døren. Med tiden dukkede han så op igen, som altid iført sit grå sæt tøj, lugtende af søvn og sengelinned og med opsvulmede og blodskudte øjne. Soraya fortalte mig at han og khanum Taheri havde haft hver deres soveværelse så længe hun kunne huske tilbage. Jeg hørte at han kunne være smålig, som når han tog en bid af den *qurma* hans kone satte foran ham, sukkede og skubbede den fra sig. „Jeg vil gerne lave noget andet til dig," sagde khanum Taheri så, men han ville ignorere hende, surmule og spise brød og løg. Dette gjorde Soraya vred og fik hendes mor til at græde. Soraya fortalte mig at han tog antidepressiver. Jeg hørte at familien havde levet på bistandshjælp, og at han aldrig havde haft et arbejde i USA, at han havde foretrukket at hæve en regeringsudstedt check hver måned frem for at tage et arbejde der ikke var en mand af hans format værdigt – loppemarkedet var kun en hobby for ham, en måde at omgås afghanere på. Generalen troede på at Afghanistan på et eller andet tidspunkt ville blive frit igen, monarkiet genindført, og at man igen ville få brug for hans tjeneste. Og derfor tog han hver dag sit grå jakkesæt på, trak lommeuret op og satte sig ned og ventede.

Jeg hørte at khanum Taheri – som jeg nu kaldte khala Jamila – engang havde været berømt i Kabul for sin fortryllende sangstemme. Selv om hun aldrig havde sunget professionelt, havde hun talentet til det – jeg hørte at hun kunne synge folkesange, *ghazal*'er, selv *raga*'er som normalt var en mands domæne. Men lige så meget generalen holdt af at lytte til musik – faktisk havde han en betydelig samling bånd med klassiske *ghazal*'er med afghani- og hindi-sangere – lige så meget mente han at det at optræde hellere måtte overlades til dem af tvivlsomt ry. At hun aldrig måtte synge offentligt, havde været en af generalens betingelser for at gifte sig med hende. Soraya fortalte at hendes mor havde ønsket at synge til vores bryllup, bare en enkelt sang, men at generalen havde sendt hende et af sine blikke, og at sagen dermed havde været lukket. Khala Jamila spillede lotto en gang om ugen og så Johnny Carson-show hver aften. Hun tilbragte sine dage i haven hvor hun puslede om sine roser, geranier, natskygger og orkideer.

Da jeg giftede mig med Soraya, trådte blomsterne og Johnny Carson i baggrunden. Jeg var den nye glæde i khala Jamilas liv. I modsætning til generalens forbeholdne og diplomatiske manerer – han rettede mig ikke da jeg fortsatte med at kalde ham 'general sahib' – var det ingen hemmelighed at khala Jamila tilbad mig. For det første lyttede jeg tålmodigt til hendes imponerende liste over de sygdomme hun fejlede, noget som generalen for længst havde vendt det døve øre til. Soraya fortalte mig at lige siden moderens slagtilfælde havde ethvert hjerteflimmer været et hjerteanfald, ethvert ømt led begyndende rheumatoid arthritis og ethvert øjetic endnu et slagtilfælde. Jeg kan huske første gang khala Jamila nævnte en knude i nakken for mig. „Jeg bliver hjemme fra timerne i morgen og går med Dem til lægen," sagde jeg, hvortil generalen smilede og sagde: „Så kan du lige så godt lægge bøgerne på hylden, *bachem*. Din khalas lægejournal er som Rumis værker: De fylder flere bind."

Men det var ikke kun det at hun havde fundet en tilhører til sine lange monologer om sygdom. Jeg troede fuldt og fast på at jeg ville bevare hendes betingelsesløse kærlighed selv hvis jeg var gået ud med et gevær og havde skudt en masse mennesker. For jeg havde kureret hendes hjerte for den værste sygdom. Jeg havde befriet hende for en afghansk mors største frygt: at ingen agtværdig *khastegar* ville bede om hendes datters hånd; at hendes datter skulle ældes alene, uden mand, uden børn. Alle kvinder havde brug for en mand. Også selv om han fik sangen til at forstumme i hendes bryst.

Og af Soraya hørte jeg i detaljer hvad der var sket i Virginia.

Vi var til et bryllup. Sorayas onkel Sharif, ham der arbejdede i INS, bortgiftede sin søn til en afghansk pige fra Newark. Brylluppet fandt sted i samme festsal som Soraya og jeg havde afholdt vores *awroussi* i. Vi stod mellem alle de andre gæster og så bruden modtage ringene fra brudgommens familie, da vi overhørte en ordveksling mellem to midaldrende damer der stod med ryggen til os.

„En yndig brud," sagde den ene. „Se på hende. Så *mughbool*, som månen."

„Ja," sagde den anden. „Og uberørt. Jomfru. Ingen kærester."

„Jeg ved det. Jeg siger dig at den dreng gjorde rigtigt i ikke at gifte sig med sin kusine."

Soraya brød sammen på vej hjem. Jeg trak ind til siden og holdt ind under en gadelampe på Fremont Boulevard.

„Det er lige meget," sagde jeg og strøg hendes hår tilbage. „Hvem bryder sig om det?"

„Det er så fucking uretfærdigt," hikstede hun.

„Glem det."

„Deres sønner går på natklubber på jagt efter kød og gør deres veninder gravide, de får børn uden for ægteskab, og der er ingen der siger en lyd. Åh, det er jo bare mænd der morer sig! Jeg begår en fejltagelse, og pludselig taler alle om *nang* og *namoos*, og jeg får det tværet ud i ansigtet resten af mit liv."

Jeg tørrede en tåre væk fra hendes kæbe, lige over modermærket, med tommelfingeren.

„Jeg har ikke fortalt dig det," sagde Soraya og tørrede sine øjne, „men min far havde en pistol med den aften. Han sagde... han sagde... at der var to kugler i kammeret, en til min ven, og en til ham selv hvis jeg ikke gik med hjem. Jeg skreg, kaldte min far alle mulige navne, sagde at han ikke kunne holde mig lukket inde i al evighed, at jeg ville ønske han var død." Nye tårer trillede ud under hendes vipper. „Det sagde jeg faktisk: at jeg ville ønske han var død.

Da jeg så kom hjem, slog min mor armene om mig og græd. Hun sagde noget til mig, men jeg kunne ikke forstå hvad hun sagde, fordi hun snøvlede så slemt. Så trak min far mig op på mit værelse og satte mig foran spejlet. Han rakte mig en saks og beordrede mig helt roligt til at klippe mit hår kort. Han holdt øje med mig mens jeg gjorde det.

Jeg kom ikke uden for en dør i flere uger. Og da jeg gjorde det, hviskede og tiskede folk om mig, eller jeg bildte mig ind at de gjorde det, uanset hvor jeg var. Det er fire år siden, og tusinder af kilometer herfra, og jeg hører dem stadig."

„Skråt op med dem," sagde jeg.

Hun udstødte en lyd der var en mellemting mellem en hulken og en latter. „Da jeg fortalte dig om alt det her på *khastegari*-dagen, var jeg sikker på at du ville skifte mening."

„Det kom aldrig på tale, Soraya."

Hun smilede og tog mig i hånden. „Jeg er meget heldig at have fundet dig. Du er helt anderledes i forhold til andre afghanske mænd jeg har mødt."

„Skal vi være enige om aldrig at tale om det igen?"

„Okay."

Jeg kyssede hende på kinden og drejede ud i trafikken igen.

Mens jeg kørte, spekulerede jeg på hvorfor jeg var anderledes. Måske var det fordi jeg var vokset op blandt mænd; jeg havde ikke været omgivet af kvinder og aldrig på førstehånd oplevet den dobbeltmoral hvormed det afghanske samfund behandlede dem. Måske var det fordi baba havde været en så usædvanlig afghansk far, en liberal som levede efter sit eget hoved, en fribytter som afviste eller godtog samfundsnormer som det passede ham.

Men jeg tror at en væsentlig grund til at jeg var ligeglad med Sorayas fortid, var at jeg havde min egen. Jeg kendte alt til fortrydelse.

Kort efter babas død flyttede Soraya og jeg ind i en toværelses-lejlighed i Fremont kun få gader fra generalen og khala Jamilas hus. Sorayas forældre forærede os en brun lædersofa og et Mikasa-stel i indflytningsgave. Derudover gav generalen mig yderligere en gave, en splinterny IBM skrivemaskine. I kassen havde han lagt et brev skrevet på farsi.

Amir jan, jeg håber at du vil opdage mange historier på disse taster.

General Iqbal Taheri

Jeg solgte babas folkevognsrugbrød, og til dato har jeg ikke sat mine ben på loppemarkedet. Jeg kørte ud til hans grav hver fredag, og en gang imellem fandt jeg der en frisk buket blomster, fresier, foran stenen og vidste at også Soraya havde været der.

Soraya og jeg fandt ind i en – åh, under over alle undere – ægteskabelig rutine. Vi delte tandbørster og strømper, læste på skift de forskellige avissektioner om morgenen. Hun sov i højre side af sengen, jeg foretrak den venstre. Hun holdt af bløde hovedpuder, jeg kunne bedst lide de hårde. Hun spiste sine

179

cornflakes tørre, som en snack, og skyllede efter med mælk.

Jeg blev optaget på San Jose State den sommer og valgte engelsk som hovedfag. Jeg fik aftenarbejde som vagtmand på aftenhold i et møbelfirma i Sunnyvale. Arbejdet var vanvittig kedeligt, men fordelen var betydelig: Når alle var ude ad døren klokken seks, og skyggerne begyndte at kravle ned ad gangene mellem plasticindhyllede sofaer der var stablet helt op til loftet, tog jeg mine bøger frem og læste. Det var i det fyrretræsduftende kontor i møbellageret at jeg begyndte på min første roman.

Soraya sluttede sig til mig på San Jose State den følgende sommer og valgte til sin fars raseri seminarlinjen.

„Jeg fatter ikke hvorfor du vil spilde dine evner på den måde," sagde generalen en aften over maden. „Amir jan, er du klar over at hun ikke fik andet end førstekarakterer i high school?" Han vendte sig om mod hende. „En intelligent pige som dig kunne blive sagfører, scient.pol. Og, *Inshallah*, når Afghanistan er blevet et frit land igen, kunne du hjælpe til med at skrive den nye forfatning. Der ville være hårdt brug for unge, veluddannede afghanere som dig. Måske ville de tilbyde dig en stilling i et ministerium, dit familienavn taget i betragtning."

Jeg kunne se Soraya forsøge at beherske sig, hun blev helt stiv i ansigtet. „Jeg er ikke nogen pige, padar. Jeg er en gift kvinde. I øvrigt vil de også få brug for lærere."

„Alle og enhver kan undervise."

„Er der mere ris, madar?" spurgte Soraya.

Efter at generalen var gået for at møde nogle venner i Hayward, forsøgte khala Jamila at trøste Soraya. „Han mener det godt," sagde hun. „Han ønsker kun at du er succesrig."

„Så han kan prale af sin sagførerdatter over for sine venner. Endnu en medalje til generalen!" sagde Soraya.

„Vås!"

„Succesrig," hvæsede Soraya. „I det mindste er jeg ikke som ham der bare sidder på sine hænder, mens andre mennesker er i krig mod *Showari*, og venter på at støvet har lagt sig, så han kan komme farende og kræve at få sit fine, lille embede tilbage. Det er muligt at det er dårligt lønnet at undervise, men det er hvad jeg gerne vil! Det er hvad jeg elsker at gøre, og det er for resten en hel del bedre end at hæve bistandshjælp."

Khala Jamila bed sig i læben. „Han vil aldrig tale med dig igen hvis han hører dig sige sådan."

„Bare rolig," snappede Soraya og smed sin serviet ned på tallerkenen. „Jeg skal nok lade være med at pille ved hans dyrebare selvopfattelse."

I sommeren 1988, omkring seks måneder før Sovjetunionen trak sig ud af Afghanistan, blev jeg færdig med min første roman, en far-søn-historie fra Kabul, skrevet mestendels på den skrivemaskine generalen havde foræret mig. Jeg sendte en forespørgsel til en ti tolv agenturer og var fuldkommen lamslået da jeg en morgen i august åbnede vores brevkasse og der så en anmodning fra et New Yorker-agentur om at få tilsendt hele manuskriptet. Jeg sendte det den følgende dag. Soraya kyssede det omhyggeligt indpakkede manuskript, og khala Jamila insisterede på at vi førte det ind under Koranen. Hun sagde til mig at hun ville gøre *nazr*, få et får slagtet og give kødet til de fattige, hvis min bog blev antaget.

„Ingen *nazr*, søde khala jan," sagde jeg og kyssede hende på kinden. „Bare *zakat*, giv penge til et menneske i nød, okay? Ikke noget med at slå får ihjel."

Seks uger senere ringede en mand ved navn Martin Greenwalt til mig fra New York og tilbød at repræsentere mig. Jeg fortalte kun Soraya om det. „Men det at have en agent betyder ikke nødvendigvis at min bog bliver udgivet. Vi fester først hvis Martin får solgt den."

En måned efter ringede Martin og informerede mig om at jeg nu kunne skrive forfatter på mit visitkort. Da jeg fortalte Soraya det, skreg hun.

Vi fejrede det sammen med Sorayas forældre samme aften. Khala Jamila lavede *kofta* – kødboller og hvide ris – og mandel-*ferni*. Generalen sagde med blanke øjne at han var stolt af mig. Efter at general Taheri og hans kone var gået, festede Soraya og jeg videre over en flaske Merlot som jeg havde købt på vejen hjem – generalen billigede ikke at kvinder nød alkohol, og Soraya drak ikke i hans selskab.

„Jeg er frygtelig stolt af dig," sagde hun med glasset hævet mod mig. „Kaka ville også have været stolt af dig."

„Det ved jeg," sagde jeg og ønskede at baba kunne have set mig nu.

Sent om aftenen, efter at Soraya var faldet i søvn – vin gjorde hende altid søvnig – stod jeg ude på altanen og trak frisk luft. Jeg tænkte på Rahim Khan og den lille støtteerklæring han havde skrevet efter at have læst min første historie. Og jeg tænkte på Hassan. *En dag,* Inshallah, *vil De blive en stor forfatter*, havde han engang sagt. *Og mennesker verden over vil læse Deres historier.* Der var så megen glæde i mit liv. Så megen lykke. Jeg spekulerede på om jeg havde fortjent det.

Bogen udkom om sommeren det følgende år, i 1989, og forlaget sendte mig ud på en forfatterturne til fem byer. Jeg blev en mindre berømthed i det afghanske samfund. Det var det år *Shorawi* afsluttede tilbagetrækningen fra Afghanistan. Det burde have været en sejrens stund for afghanere. I stedet for rasede krigen videre mellem mujahedinerne og den sovjetiske marionetregering med Najibullah som præsident, og afghanske flygtninge fortsatte med at strømme til Pakistan. Det var det år den kolde krig endte, det år Berlinmuren faldt, det var året for massakren på Den Himmelske Freds Plads. Midt i alt det blev Afghanistan glemt, og general Taheri, hvis håb var blusset op da russerne trak sig tilbage, satte sig ned og trak sit lommeur op igen.

Det var også det år Soraya og jeg begyndte at tænke på at få et barn.

Tanken om at blive far udløste en hvirvelstorm af følelser i mig. Jeg syntes det var skræmmende, oplivende, udfordrende og henrykkende på én og samme tid. Hvad slags far ville jeg blive? spekulerede jeg på. Jeg ville gerne være ligesom baba, men så igen ønskede jeg på ingen måde at blive som ham.

Men der gik et år, og intet skete. For hver cyklus blev Soraya mere og mere frustreret, mere utålmodig, mere irritabel. På det tidspunkt var khala Jamilas i begyndelsen subtile antydninger blevet mere direkte, som i *„Kho dega!"* Så: „Hvornår skal jeg synge *alahoo* for min lille *nawasa?"* Generalen, som den helt ud til fingerspidserne-pashtun han var, kom aldrig med den slags spørgsmål – at gøre det var det samme som at hentyde til en seksualakt mellem hans datter og en mand, og så betød det intet om vedkommende mand havde været gift med hende i over fire år. Men hans øjne blev interesserede når khala Jamila pirkede til os vedrørende en baby.

„En gang imellem kan det godt tage lidt tid," sagde jeg til Soraya en aften.

„Et år er ikke *lidt* tid, Amir," sagde hun med en anspændt stemme som slet ikke lignede hende. „Der er noget galt, jeg kan mærke det."

„Så lad os få det undersøgt."

Dr. Rosen, en buttet mand med fyldige kinder og små, regelmæssige tænder, talte med en svagt østeuropæisk accent, måske slavisk af en art. Han var lidenskabeligt optaget af tog – hans kontor var fyldt med bøger om jernbanehistorie, modellokomotiver, malerier af tog der dampede hen ad spor over grønne bakker og broer. På et skilt over hans skrivebord stod der LIVET ER ET TOG, STIG OM BORD.

Han lagde en plan for os. Jeg skulle først undersøges. „Det er nemt med mænd," sagde han og trommede med fingrene på mahognibordet. „Rørlægningen i en mand er som hans hoved: enkelt, få overraskelser. I damer derimod... nå ja, Gud gjorde sig mange tanker da han indrettede jer." Jeg spekulerede på om han serverede den om rørlægningen for alle de par der søgte hjælp hos ham.

„Hvor heldigt for os," sagde Soraya.

Dr. Rosen lo en latter der næsten lød ægte. Han gav mig en laboratoriemærkat og en plasticbeholder og rakte Soraya en henvisning til at få taget et par rutineblodprøver. Vi gav ham hånden. „Velkommen om bord," sagde han da han viste os ud.

Jeg bestod med flyvende faner.

De næste par måneder gik i ét for Soraya med alle de mange prøver hun skulle igennem. Gennemsnitlig legemstemperatur, blodprøver for ethvert tænkeligt hormon, urinprøver, flere blodprøver og flere urinprøver. Soraya gennemgik noget man kaldte en hysteroskopi – dr. Rosen førte et teleskop op i Soray-as livmoder og kiggede sig omkring. Han fandt intet. „Ingen prop i rørene," meddelte han og rullede sine latexhandsker af. Jeg ville ønske han holdt op med at kalde det det – vi var ikke et badeværelse. Da prøverne var taget, forklarede han at han ikke kunne forklare hvorfor vi ikke kunne få børn. Og det var, øjensynligt, ikke særlig usædvanligt. Det blev kaldt 'uforklarlig barnløshed'.

Så kom behandlingsfasen. Vi prøvede et middel der hed Clomid, og derefter GnRH, en række indsprøjtninger som Soraya selv administrerede. Da de slog fejl, anbefalede dr. Rosen kunstig befrugtning. Vi modtog et høfligt brev fra sundhedsvæsenet der ønskede os held og lykke, men beklagede ikke at kunne dække omkostningerne.

Vi betalte for behandlingen med det forskud jeg havde fået for min bog. In vitro-behandlingen viste sig at være langvarig, omhyggelig, frustrerende og i sidste ende frugtesløs. Efter i måneder at have siddet i venteværelser og læst ugeblade, efter endeløse papirkitler og kolde, sterile undersøgelsesværelser oplyst af lysstofrør og gentagne gange at have været igennem ydmygende og detaljerede gennemgange af vores sexliv over for totalt fremmede mennesker, efter injektioner og sonder og tusindvis af prøver, endte vi igen hos dr. Rosen og hans tog.

Han sad over for os, trommede på bordpladen og tog for første gang ordet 'adoption' i sin mund. Soraya græd hele vejen hjem.

Soraya gav sine forældre nyheden weekenden efter vores sidste snak med dr. Rosen. Vi sad ude i baghaven og grillede ørred og nippede til yoghurt-*dogh*. Det var marts måned 1991 og tidligt på aftenen. Khala Jamila havde vandet roserne og sine nyplantede kaprifolier, og duften fra dem blandede sig med lugten af stegt fisk. To gange havde hun rakt ud og strøget Soraya over håret og sagt: „Gud ved bedst, *bachem*. Måske var det ikke Hans plan med jer."

Soraya blev ved med at se ned på sine hænder. Hun var træt, vidste jeg, træt af det hele. „Lægen sagde at vi kunne adoptere," mumlede hun.

General Taheris hoved røg op da han hørte det. Han lagde låget på grillen. „Hvad gjorde han?"

„Han sagde at det var en mulighed," sagde Soraya.

Vi havde talt om det på vej derhen. Soraya var i bedste fald ambivalent. „Jeg ved det er fjollet og forfængeligt," sagde hun til mig på vej til sine forældre, „men jeg kan ikke gøre for det. Jeg har altid drømt om at holde et barn i mine arme og vide at mit blod havde ernæret det i ni måneder, at jeg en dag ville kunne se ind i dets øjne og overrasket se enten dig eller mig i dem, at den baby ville vokse op og have dit smil eller mit. Uden det... Er det forkert?"

„Nej," sagde jeg.

„Er jeg egoistisk?"

„Nej, Soraya."

„For hvis du virkelig gerne vil..."

„Nej," sagde jeg. „Hvis vi gør det, må ingen af os være i tvivl, og vi skal begge være enige om det. Alt andet ville være forkert over for barnet."

Hun hvilede hovedet mod ruden og tav hele resten af turen.

Nu satte generalen sig hen ved siden af hende. „*Bachem*, denne adoptions...snak. Jeg er ikke sikker på det er noget for os afghanere." Soraya så træt på mig og sukkede.

„For det første vil de vokse op og en dag ønske at vide hvem deres biologiske forældre er," sagde han. „Ikke at man kan bebrejde dem det. En gang imellem forlader de det hjem man har knoklet for at give dem, for at finde de mennesker der gav dem liv. Blod er en faktor man må tage med i sine beregninger, *bachem*, husk det."

„Jeg vil ikke tale om det," sagde Soraya.

„Jeg vil blot sige én ting til," sagde han. Jeg kunne høre at han var ved at tale sig varm; vi skulle til at høre et af generalens små foredrag. „Tag nu for eksempel Amir jan her. Vi kendte alle hans far, jeg vidste hvem hans farfar var i Kabul og hans oldefar før ham. Jeg kan sidde her og spore generationer af hans forfædre for dig, hvis du bad mig om det. Det er derfor jeg ikke tøvede da hans far – Gud give ham fred – gik *khastegari*. Og tro mig, hans far ville ikke være gået ind på at anmode om din hånd hvis han ikke havde vidst hvem du nedstammede fra. Blod er en faktor man må regne med, *bachem*, og hvis du adopterer, ved du ikke hvis blod du bringer ind i dit hjem.

Hvis du er amerikaner, er det ligegyldigt. Folk her gifter sig af kærlighed; familienavn og slægt er af underordnet betydning. På samme måde adopterer de børn; når blot barnet er sundt, er alle glade. Men vi er afghanere, bachem."

„Er maden ikke snart færdig?" spurgte Soraya. General Taheri kiggede lidt længere på hende. Så klappede han hende på knæet. „Vær glad over at du er sund og rask og har en god mand."

„Hvad siger du, Amir jan?" spurgte khala Jamila.

Jeg satte mit glas fra mig på muren hvor en række af hendes potteplanter stod og dryppede vand. „Jeg tror jeg er enig med general sahib."

Generalen nikkede tilfreds og gik tilbage til grillen.

Vi havde alle vores grunde til ikke at adoptere. Soraya havde sine, generalen havde sine, og jeg havde denne: Måske havde et eller andet, en eller anden, et eller andet sted, besluttet at nægte mig forældreskabet på grund af ting jeg havde gjort. Måske var det min straf, og måske var det en retfærdig straf. Måske var det ikke Hans plan med jer, havde khala Jamila sagt. Eller måske var det netop noget Han havde gået og pønset på.

Nogle måneder senere brugte vi forskuddet på min næste roman som udbetaling på et kønt lille victoriansk hus i San Franciscos Bernal Heights. Der var to soveværelser, tagrejsning, plankegulve og en lille baghave med solterrasse og bålplads. Generalen hjalp mig med at høvle solterrassen af og male vægge. Khala Jamila klagede over at vi skulle bo en times kørsel fra dem, især fordi hun mente at Soraya havde brug for al den kærlighed og støtte hun kunne få – og overså fuldstændig at hendes velmente, men anmassende medlidenhed var præcis det der fik Soraya til at flytte.

En gang imellem, når jeg lå vågen og lyttede til terrassedøren der stod og svingede i brisen, og fårekyllingerne der sang ude i haven, var det som om jeg næsten fysisk kunne mærke tomheden i Sorayas livmoder, som et levende, åndende væsen. Den havde sneget sig ind i vores ægteskab, denne tomhed, ind i vores latter og i vores elskov. Og om natten, i mørket i vores soveværelse, var det som om jeg kunne mærke den stige op fra Soraya og lægge sig imellem os. For at sove imellem os. Som et nyfødt barn.

FJORTEN

Juni 2001

Jeg lagde røret på og stirrede længe ned på det. Det var først da Aflatoon forskrækkede mig med et bjæf at det gik op for mig hvor stille der var blevet i stuen. Soraya havde skruet ned for fjernsynet.

„Du er bleg, Amir," sagde hun henne fra sofaen, den samme som hendes forældre havde givet os i indflytningsgave til vores første lejlighed. Hun havde ligget på den med Aflatoons hoved på brystet og benene begravet under en stak slidte puder mens hun skiftedes til at følge med i et program om ulves levevilkår i Minnesota og rette stile fra sin sommerskoleklasse – hun havde undervist på den samme skole i seks år nu. Hun satte sig op, og Aflatoon sprang ned fra sofaen. Det var generalen der havde givet vores cockerspaniel dens navn, farsi for 'Platon', for, som han sagde, hvis man så længe nok ind i hundens bløde, brune øjne, ville man sværge på at den tænkte kloge tanker.

Der var en antydning, men kun en antydning af fedt under

188

Sorayas hage nu. De forløbne ti år havde gjort hendes hofter lidt rundere, og der var kommet nogle få striber askegråt i hendes sorte hår. Men hun var stadig det smukkeste jeg kendte, med de buede øjenvipper og næsen, elegant kurvet som et bogstav fra et gammelt, arabisk tekststykke.

„Du er bleg," gentog Soraya og lagde stakken af stile på bordet.

„Jeg er nødt til at rejse til Pakistan."

Hun kom på benene. „Pakistan?"

„Rahim Khan er meget syg." En hånd knyttede sig inden i mig ved de ord.

„Kakas gamle forretningspartner?" Hun havde aldrig mødt Rahim Khan, men jeg havde fortalt hende om ham. Jeg nikkede.

„Åh," sagde hun. „Det gør mig ondt, Amir."

„Vi var nært knyttet til hinanden," sagde jeg. „Dengang jeg var barn, var han den første voksne person jeg regnede for min ven." Jeg så ham for mig, ham og baba der sad og drak te i babas kontor, eller med en cigaret henne ved vinduet; duften af roser der bølgede ind fra haven og fik de to røgspiraler til at spredes i luften.

„Jeg kan godt huske du har fortalt om ham," sagde Soraya. Hun tav et øjeblik. „Hvor længe vil du være væk?"

„Jeg ved det ikke. Han vil gerne se mig."

„Er det...?"

„Nej, det er ikke spor farligt. Der sker ikke noget, Soraya." Det var det spørgsmål hun havde villet stille – femten års ægteskab havde gjort os til tankelæsere. „Jeg går en tur."

„Skal jeg gå med?"

„Nej, jeg vil helst være lidt alene."

Jeg kørte til Golden Gate Park og gik langs Spreckels Lake til den nordlige ende af parken. Det var en smuk søndag eftermiddag; sollyset glitrede på vandet hvor en masse småbitte legetøjsbåde blev skubbet af sted af en frisk brise. Jeg satte mig på en bænk, så en mand kaste en fodbold til sin søn, hørte ham belære ham om ikke at kaste den tilbage med et underhåndskast, men over skulderen. Jeg så op og fik øje på et par drager, røde med lange blå haler. De dansede højt over træerne i den vestlige ende af parken, over vindmøllerne.

Jeg tænkte på det Rahim Khan havde sagt lige før han afbrød forbindelsen. Henkastet, næsten som noget han lige var kommet i tanke om. Jeg lukkede øjnene og så ham for mig i den anden ende af den skrattende langdistanceforbindelse, så ham med let åben mund, hovedet en smule på skrå. Og igen var der noget i hans bundløse, sorte blik der antydede noget om en uudtalt hemmelighed mellem os. Han vidste det med Assef, dragen, pengene, uret med lyn som visere. Han havde altid vidst det.

Kom. Det er muligt at gøre uret god igen, havde Rahim Khan sagt i telefonen før han lagde på. Henkastet, som noget han lige var kommet i tanke om.

Muligt at gøre uret god igen.

Da jeg kom hjem, talte Soraya i telefon med sin mor. „Ikke længe, madar jan. En uge, måske to... Ja, De og padar kan bo hos mig...“

Generalen havde for to år siden brækket hoften. Han havde haft et af sine migræneanfald, og da han kom ud af sit værelse, svimmel og omtåget, var han snublet i tæppet. Hans skrig havde fået khala Jamila til at komme styrtende ude fra køkkenet. „Det lød som et *jaroo*, et kosteskaft, der brækkede i to dele,“ plejede hun at sige, selv om lægen mente det var usandsynligt at hun havde hørt noget overhovedet. Generalens splintrede hofte – og alle de efterfølgende komplikationer, lungebetændelse, blodforgiftning, det langvarige ophold på et plejehjem – betød afslutningen på khala Jamilas langvarige monolog om hendes eget helbred. Og betød starten på nye om generalens. Hun fortalte alle der gad lytte, at lægerne havde sagt at hans nyrer var ved at svigte. „Men de har heller aldrig set en afghansk nyre, vel?" ville hun så stolt tilføje. Det jeg husker bedst fra generalens hospitalsophold, var hvordan khala Jamila ventede indtil han var faldet i søvn, og så sang for ham, sange jeg kunne huske fra Kabul og babas skrattende, gamle transistorradio.

Generalens skrøbelighed – og tiden der var gået – havde også bedret forholdet mellem ham og Soraya. De gik ture sammen, spiste lørdagsfrokost sammen, og en gang imellem deltog generalen også i hendes timer. Så sad han bagest i klasseværelset, iført sit skinnende, gamle, grå jakkesæt, smilende og med en stok hen over skødet. En gang imellem tog han oven i købet noter.

Den nat lå Soraya og jeg tæt sammen i sengen, hendes ryg presset op mod mit bryst, mit ansigt begravet i hendes hår. Jeg kan huske dengang vi plejede at ligge med front mod hinanden, efter at have elsket, og kysse og hviske sammen indtil vores øjne gled i, hviske om bittesmå, krøllede tæer, første smil, første ord, første skridt. Vi lå stadig en gang imellem og hviskede sammen, men nu var det om skolen, min nye bog, et fnis over en eller andens latterlige kjole til et selskab. Vores elskov var stadig god, til tider mere end det, men nogle nætter var min stærkeste følelse lettelse over at det var overstået, over at jeg nu kunne døse hen og glemme, i hvert fald for en stund, frugtesløsheden i det vi netop havde gjort. Hun sagde det aldrig, men jeg er sikker på at hun havde det på samme måde. Og de nætter rullede vi så over i hver vores side af sengen og lod vores frelser føre os bort. Sorayas var søvn. Min var, altid, en bog.

Den nat, efter at Rahim Khan havde ringet, lå jeg i mørket

191

og fulgte med øjnene de parallelle sølvstriber på væggen som månen tegnede gennem persiennerne. På et tidspunkt, lige før daggry, faldt jeg i søvn. Og drømte om Hassan der løb rundt i sneen, sømmen på hans grønne *chapan* slæbte efter ham, sneen knasede under hans sorte gummistøvler. Han råbte over skulderen: *For Dem, tusinde gange og mere!*

En uge efter sad jeg på en vinduesplads i et fly fra Pakistani International Airlines og så et par uniformerede lufthavnsfunktionærer fjerne hjulklodserne. Flyet kørte ud af terminalen, og lidt efter var vi i luften på vej op gennem skyerne. Jeg hvilede hovedet mod vinduet. Ventede, forgæves, på at søvnen skulle komme.

FEMTEN

Tre timer efter at mit fly var landet i Peshawar, sad jeg på et tyndslidt bagsæde i en tilrøget taxa. Min chauffør, en kæderygende, svedende lille mand der havde præsenteret sig selv som Gholam, kørte vildt og hensynsløst og undgik kun med nød og næppe at brase ind i andre, alt imens en endeløs strøm af ord sprøjtede ud af hans mund:

„... skrækkeligt hvad der sker i Deres land, *yar*. Afghanere og pakistanere er som brødre, det siger jeg Dem. Muslimer må hjælpe muslimer, så..."

Jeg lukkede af for hans talestrøm og gik over i en høflig nikke-modus. Jeg huskede Peshawar temmelig godt fra de få måneder baba og jeg havde opholdt os der i 1981. Vi var på vej mod vest ad Jamrud-vejen, forbi kantonnementet og dets overdådige, muromkransede huse. Travlheden i gaderne der susede forbi på den anden side af ruden, mindede mig om en endnu travlere, mere menneskefyldt version af det Kabul jeg kendte, især Kocheh-Morgha, kyllingebasaren, hvor Hassan og jeg plejede at købe kirsebærsaft og kartofler dyppet i chutney. Gaderne var fyldt med cyklister, masende og skubbende fodgængere og røgspruttende rickshawer der alle snoede sig ind og ud ad smalle stræder og gyder. Skæggede gadesælgere, draperet med tynde tæpper, solgte lampeskærme af dyrehud, tæpper, broderede sjaler og kobbersager fra rækker af små, overfyldte boder. Byen summede af lyde; råb fra gadesælgerne rungede i mine ører og blandede sig med lyden af øredøvende hindi-musik, spruttelydene fra rickshawerne og klokkeklemten fra de hestetrukne vogne. Stærke dufte, både gode og mindre gode, bølgede ind gennem bagsædevinduet, den krydrede aroma af *pakora* og den *nihari* baba havde holdt så meget af, blandede sig med en dunst af diesel, råd, skrald og ekskrementer.

Et stykke forbi Peshawar Universitets rødstensbygninger drejede vi ind i et område som min snakkesalige chauffør omtalte som 'Afghanerbyen'. Jeg så slikboder og tæppehandlere, kabob-vogne, unger med møgbeskidte hænder der solgte cigaretter, småbitte restauranter – med kort over Afghanistan malet på vinduerne – og masser af kontorer for frivillige hjælpeorganisationer. „Mange af Deres brødre her i kvarteret, *yar*, har startet deres egen forretning, men de fleste er meget fattige." Han slog klik med tungen og sukkede. „Nå, men vi nærmer os."

Jeg tænkte på sidste gang jeg havde set Rahim Khan, i 1981. Han var kommet for at sige farvel den nat baba og jeg flygtede ud af Kabul. Jeg kan huske at baba og han sagte grædende omfavnede hinanden nede i hallen. Baba og Rahim Khan havde holdt forbindelsen ved lige efter at vi var kommet til USA. De havde talt sammen fire-fem gange om året, og en gang imellem havde baba rakt mig røret. Sidste gang jeg talte med Rahim Khan, var kort efter at baba var død. Nyheden var nået frem til Kabul, og han havde ringet. Vi havde talt sammen i nogle få minutter, men så var forbindelsen blevet afbrudt.

Taxachaufføren kørte ind foran en smal beboelsesejendom på et travlt hjørne hvor to snoede veje krydsede hinanden. Jeg betalte, tog min kuffert og gik op til en gadedør fyldt med snørklede udskæringer. Der var træbalkoner med åbentstående skodder på huset – fra mange af dem hang der tøj til tørre ude i solen. Jeg gik op ad en knirkende trappe til tredje sal, ned ad en halvmørk gang til sidste dør på højre hånd. Kiggede på adressen som jeg havde skrevet ned på et stykke papir. Bankede på.

Så blev døren åbnet af et eller andet lavet af hud og knogler som foregav at være Rahim Khan.

En lærer på forfatterkurset på San Jose State plejede at sige dette om klicheer: „Undgå dem som pesten." Og så lo han ad sin egen spøg. Klassen lo med, men jeg har altid syntes at klicheer er blevet stedmoderligt behandlet, for ofte er de jo lige i øjet. Men egnethedsprøven for et klichéagtigt mundheld overskygges ofte af selve mundheldets natur som kliché. Som for eksempel den med at der står en elefant i stuen. Alle ved at den er der, men ingen taler om den. Intet kunne mere præcist beskrive de første minutter af min genforening med Rahim Khan.

Vi sad på tynde, slidte madrasser op mod væggen over for vinduet der vendte ud mod den larmende gade nedenunder. Sollyset faldt skråt ind og kastede en trekantet kile ned på det afghanertæppet der lå på gulvet. To klapstole stod op ad den ene væg, og en lille kobbersamovar stod i det modsatte hjørne. Jeg skænkede os en kop te fra den.

„Hvordan fandt De mig?" spurgte jeg.

„Det er ikke svært at finde mennesker i Amerika. Jeg købte

et kort over USA og ringede til oplysningen i alle byer i Nord-californien," sagde han. „Det er forunderligt at se dig som voksen mand."

Jeg smilede og puttede tre stykker sukker i min te. Han foretrak sin sort og bitter, huskede jeg. „Baba nåede ikke at fortælle Dem det, men jeg blev gift for femten år siden." Sand-heden var at kræftsvulsterne i babas hoved havde gjort ham glemsom.

„Er du gift? Med hvem?"

„Hendes navn er Soraya Taheri." Jeg tænkte på hende, hjemme og bekymret for mig. Jeg var glad for at hun ikke var alene.

„Taheri... Hvem er hun datter af?"

Jeg fortalte ham det. Hans øjne lyste op. „Åh ja, nu husker jeg det. Er general Taheri ikke gift med Sharif jans søster? Hed hun ikke...?"

„Jamila jan."

„*Balayt*" sagde han og smilede. „Jeg kendte Sharif jan i Kabul, for mange år siden, før han rejste til Amerika."

„Han har i mange år arbejdet i INS, immigrationsdirektora-tet, med særligt afghanske sager som sit arbejdsområde."

„*Haiii*," sukkede han. „Har du og Soraya jan børn?"

„Nej."

„Åh." Han tog slubrende en slurk te og spurgte ikke om mere; Rahim Khan har altid været et af de mest instinktive mennesker jeg har mødt.

Jeg fortalte ham en masse om baba, om hans arbejde, om loppemarkedet og om hvordan han fik en lykkelig død. Jeg fortalte ham om min uddannelse, mine bøger – fire udgivne romaner kunne jeg nu prale med. Her smilede han og sagde at han aldrig havde været i tvivl. Jeg fortalte ham at jeg havde skrevet noveller i den læderindbundne notesbog han havde foræret mig, men han kunne ikke huske at have givet mig den.

Så drejede samtalen uvægerligt over på talibanerne.

„Er det så slemt som man hører?" spurgte jeg.

„Nej, det er værre. Meget værre," sagde han. „De nægter en retten til at være menneske." Han pegede på et ar lige over højre øje der skar sig som en skæv linje gennem hans buskede øjenbryn. „Jeg var til en fodboldkamp på Ghazi Stadion i 1998. Kabul mod Mazar-i-Sharif, tror jeg, og spillerne har for resten forbud mod at spille i korte bukser. Usømmeligt, går jeg ud fra." Han lo træt. „Nå, men Kabul scorede, og manden ved siden af mig jublede højt. Pludselig kom så den her skæggede, unge fyr som patruljerede i gangene, han så ikke ud til at være mere end atten år, han kom hen til mig og slog mig i panden med skæftet på sin Kalashnikov. 'Gør det en gang til, og jeg skærer tungen ud på dig, dit gamle æsel!' sagde han." Rahim Khan gned sig hen over arret med en kroget finger. „Jeg var gammel nok til at være hans bedstefar, og der sad jeg, med blodet løbende ned ad ansigtet, og sagde undskyld til sådan en søn af en køter."

Jeg skænkede mere te. Rahim Khan fortalte videre. Meget af det vidste jeg i forvejen, noget af det var ukendt. Han fortalte mig at han, som aftalt mellem ham og baba, havde boet i babas hus siden 1981 – det vidste jeg godt. Baba havde 'solgt' huset til Rahim Khan kort før han og jeg flygtede fra Kabul. Sådan som baba havde anskuet situationen dengang, var problemerne i Afghanistan en kortvarig afbrydelse af vores tilværelse der – tiden med selskaber i huset i Wazir Akbar Khan og udflugter til Paghman ville med sikkerhed komme igen. Så han havde overdraget huset til Rahim Khan så denne kunne holde øje med det indtil den dag oprandt.

Rahim Khan fortalte mig nu om hvordan forskellige fraktioner havde sat sig på forskellige dele af Kabul dengang Nordalliancen overtog styret af Kabul mellem 1992 og 96. „Hvis man for eksempel tog fra Shar-e-Nau til Kerteh-Parwan for at købe et tæppe, risikerede man at blive skudt af en snigskytte eller sprængt i luften af et missil – hvis man altså overhovedet kom forbi kontrolposterne. Man var i realiteten nødt til at have et visum for at komme fra et kvarter til et andet. Så folk blev hvor de var, og bad til at det næste missil ikke ramte deres hjem." Han fortalte mig hvordan folk bankede huller i deres husmure så de kunne undgå de livsfarlige gader og i stedet bevæge sig rundt i kvarteret gennem hullerne i husene. Andre steder bevægede folk sig rundt i underjordiske tunneler.

„Hvorfor rejste De ikke?" spurgte jeg.

„Kabul var mit hjem. Det er det stadig." Han lo. „Kan du huske gaden der gik fra dit hjem til *qishla*'en ved siden af Istiqlal Mellemskole?"

„Ja." Det var en genvej til skolen. Jeg kom i tanke om den dag Hassan og jeg var gået igennem militærområdet, og soldaterne havde drillet Hassan med hans mor. Hassan havde grædt i biografen, og jeg havde lagt armen om ham.

„Da talibanerne rullede ind og smed Alliancen ud af Kabul, dansede jeg i den gade," sagde Rahim Khan. „Og, tro mig, jeg var ikke alene om det. Folk festede i Chaman, i Deh-Mazang, tiljublede talibanerne i gaderne, klatrede op på deres mandskabsvogne og fik taget billeder af sig selv sammen med dem. Folk var så trætte af de evindelige kampe, trætte af missiler, skud, eksplosioner, trætte af at se Gulbuddin og hans kohorter skyde på alt hvad der rørte sig. Alliancen gjorde større skade på Kabul end *Shorawi*. De ødelagde din fars børnehjem, vidste du det?"

„Hvorfor?" spurgte jeg. „Hvorfor ødelægge et børnehjem?" Jeg mindedes den dag det blev indviet, og jeg sad bag ved baba. Blæsten slog hans persianerhue af hans hoved, og alle havde grinet, og efter at han havde holdt sin tale, havde alle rejst sig og klappet. Og nu var det blot endnu en bunke brokker. Alle de penge baba havde brugt, alle de aftener hvor han havde grublet over tegningerne, alle de besøg til byggepladsen for at sikre sig at hver eneste sten, hver eneste bjælke, hver eneste hulsten blev lagt nøjagtigt hvor den skulle være...

„Det var nabohuset der skulle have været ramt," sagde Rahim Khan. „Du vil ikke ønske at vide, Amir jan, hvordan det var at grave igennem alle de murbrokker. Afrevne lemmer..."

„Så da talibanerne kom..."

„De var helte," sagde Rahim Khan.

„Langt om længe fred."

„Ja, håbet er en forunderlig størrelse. Langt om længe fred. Men hvad var prisen?" Et voldsomt hosteanfald fik Rahim Khans magre krop til at rokke frem og tilbage. Da han spyttede ud i sit lommetørklæde, blev det rødt. Jeg tænkte på at tiden var inde til at tale om den elefant i stuen som vi hele tiden lod som om ikke var der.

„Hvordan har De det?" spurgte jeg. „Jeg mener, hvordan har De det *rigtigt*?"

„Faktisk er jeg døende," sagde han med gurglende stemme. Endnu et hosteanfald. Mere blod på lommetørklædet. Han duppede sig om munden, tørrede sveden fra først den ene hule tinding og så den anden med ærmet, og så hurtigt op på mig. Da han nikkede, vidste jeg at han havde læst det næste spørgsmål på mit ansigt. „Ikke længe," sagde han.

„Hvor længe?"

Han trak på skuldrene. Hostede igen. „Jeg tror ikke jeg holder sommeren over," svarede han.

„Tag med mig hjem. Jeg kan skaffe Dem en god læge. De finder hele tiden på nye behandlingsmetoder. Der er ny medicin og behandlingsforsøg, vi kunne tilmelde Dem et af..." Jeg rablede og vidste det selv. Men det var bedre end at græde, noget jeg formentlig alligevel ville ende med at gøre.

Han lo, og jeg så at han manglede en del tænder i undermunden. Det var den mest trætte latter jeg nogensinde havde hørt. „Jeg kan se at Amerika har fyldt dig med den optimisme der har gjort landet så mægtigt. Det er godt nok. Vi er et melankolsk folkefærd, os afghanere, ikke sandt? Vi har det med at svælge i *ghamkhori* og selvmedlidenhed. Vi giver op over for tab, over for lidelse, regner det for en kendsgerning i livet, ser det oven i købet som en nødvendighed. *Zendagi migzara*, siger vi. Livet går videre. Men jeg bøjer mig ikke for skæbnen her, jeg ser bare realiteterne i øjnene. Jeg har opsøgt adskillige dygtige læger, og de har alle givet mig det samme svar. Jeg har tillid til dem og tror på dem. Der *er* sådan noget som Guds vilje."

„Der er kun det man gør, og det man ikke gør," sagde jeg.

Rahim Khan lo. „Der lød du nøjagtig som din far. Jeg savner ham meget. Men det *er* Guds vilje, Amir jan. Det er det virkelig." Han tav lidt. „Men i øvrigt er der en anden grund til at jeg bad dig komme. Jeg ville gerne se dig før jeg døde, ja, men der er også noget andet."

„Hvad som helst."

„Alle de år jeg boede i din fars hus, ikke sandt? Jeg boede der ikke alene."

„Ikke det?"

„Jeg boede der ikke alene i alle årene, mente jeg. Hassan boede der sammen med mig."

„Hassan," sagde jeg. Hvornår var sidste gang jeg havde sagt hans navn højt? Skyldfølelsen borede sig endnu en gang igennem mig, som gammel pigget ståltråd, som om det at sige hans navn havde brudt en fortryllelse, frigjort skylden så den kunne begynde forfra med at pine mig. Pludselig var luften i Rahim Khans lille lejlighed for tæt, for hed, for fyldt med lugten nede fra gaden.

„Jeg tænkte på at skrive og fortælle dig om det, men jeg var ikke sikker på du ønskede at vide det. Tog jeg fejl?"

Sandheden var et nej. Løgnen var et ja. Jeg bestemte mig for et svar midt imellem. „Det ved jeg ikke."

Han hostede endnu en blodig slimklat op i lommetørklædet. Da han bøjede hovedet for at spytte den ud, så jeg skorpede sår på hans isse. „Jeg bad dig om at komme hertil fordi jeg har en bøn til dig. Jeg vil bede dig gøre noget for mig. Men før jeg gør det, vil jeg gerne fortælle dig om Hassan. Forstår du?"

„Ja," mumlede jeg.

„Jeg vil gerne fortælle dig om ham. Jeg vil gerne fortælle dig det hele. Vil du lytte?"

Jeg nikkede.

Så nippede Rahim Khan til sin te. Hvilede hovedet mod væggen og begyndte at fortælle.

SEKSTEN

Der er mange grunde til at jeg i 1986 tog til Hazarajat for at finde Hassan. Den vigtigste var, Allah tilgive mig, at jeg var ensom. På det tidspunkt var de fleste af mine venner og slægtninge enten døde eller flygtet til Pakistan eller Iran. Til sidst kendte jeg knap nok et eneste menneske i Kabul, den by jeg har boet i hele mit liv. Alle var væk. Jeg kunne gå en tur i Karteh-Parwan – hvor melonsælgerne plejede at holde til i gamle dage, kan du huske det? – og der var ingen jeg genkendte. Ingen at hilse på, ingen at sætte sig sammen med til en kop *chai*, ingen at udveksle historier med, kun *roussi*-soldater der patruljerede i gaderne. Så med tiden holdt jeg op med at tage ind til byen. Jeg tilbragte tiden i din fars hus, oppe på hans kontor, læste din mors gamle bøger, lyttede til nyhederne, så kommunistisk propaganda i fjernsynet. Så bad jeg *namaz*, lavede mad, spiste, læste lidt mere, bad lidt mere og gik i seng. Jeg stod op om morgenen, bad en bøn, startede forfra.

Og med min gigt blev det sværere og sværere for mig at holde huset i ordentlig stand. Jeg havde smerter i knæene og ryggen – når jeg stod op om morgenen, tog det mig mindst en time at ryste stivheden ud af mine led, især om vinteren. Jeg ville ikke lade din fars hus forfalde, der havde været for mange gode timer i det hus, så mange minder, Amir jan. Det var ikke rigtigt – din far havde selv tegnet huset; det havde betydet så meget for ham, og i øvrigt havde jeg lovet ham at passe på det dengang du og han tog til Pakistan. Nu var der kun mig og huset, og... Jeg gjorde mit bedste. Jeg forsøgte at vande træerne, slå græs, luge blomsterbedene, ordne det der skulle ordnes, men jeg var ikke en ung mand længere.

Alligevel ville jeg måske nok have kunnet klare det lidt endnu. Men så nåede nyheden om din fars død frem... og for første gang følte jeg en knugende ensomhed i huset. En forfærdelig ensomhed.

Så en dag fyldte jeg benzin på Buicken og kørte til Hazarajat. Jeg kunne huske at din far, efter at Ali havde opsagt sin stilling i huset, dengang fortalte mig at han og Hassan var flyttet til en lille landsby uden for Bamiyan. Ali havde, så vidt jeg erindrer, en fætter der. Jeg havde ingen anelse om hvorvidt Hassan stadig boede der, om nogen overhovedet kendte ham eller vidste hvor han var. Der var trods alt gået ti år siden Ali og Hassan forlod din fars hus. Hassan ville have været en voksen mand i 1986, toogtyve-treogtyve år gammel. Hvis han da overhovedet var i live – *Shorawi*, må det rådne op i helvede for hvad det gjorde mod vores *watan*, dræbte så mange af vores unge mænd. Men det behøver jeg ikke fortælle dig.

Men, gud være lovet, han var der. Det tog ikke lang tid at finde ham – det eneste jeg skulle, var at spørge mig lidt for i Bamiyan, og folk viste mig vej til den landsby han boede i. Jeg husker ikke navnet på den, måske havde den ikke engang et navn, men jeg husker at det var en brændende hed sommerdag, og jeg kom kørende ad en hullet jordvej. Så langt øjet rakte på begge sider, var der kun solafsvedne buske, krogede, tynde træstammer og vissent græs, blegt som strå. Jeg passerede et dødt æsel på vejen. Og så drejede vejen, og der midt i det øde landskab, så jeg en klynge lerklinede huse med kun høj himmel og bjerge som en række skæve tænder som baggrund.

Folk i Bamiyan havde sagt at jeg nemt ville kunne finde ham – han boede i det eneste hus der havde en muromkranset have. Muddermuren som var lav og fyldt med huller, lukkede sig om et lille hus – som i virkeligheden ikke var meget mere end en rønne. Barfodede børn løb rundt og legede ude på vejen, slog til en laset tennisbold med en pind, og de stirrede noget da jeg kom kørende og standsede bilen. Jeg bankede på lågen i muren og trådte ind i en lille have hvor der ikke voksede ret meget mere end en række jordbær og et enkelt citrontræ. Der stod en *tandoor* i hjørnet under et akacietræ, og jeg så en mand sidde på hug ved siden af den. Han bankede dej ud på en lang træspatel og klaskede den op mod *tandoor*'ens side. Han tabte dejen da han fik øje på mig. Jeg måtte tvinge ham til at holde op med at kysse mine hænder.

„Lad mig se på dig," sagde jeg. Han trådte et skridt tilbage. Han var blevet så høj – jeg stod på tæer og nåede kun lige akkurat op til hans hage. Bamiyan-solen havde hærdet hans hud og farvet den adskillige grader mere mørk end jeg huskede det, og han havde mistet et par af fortænderne. Der var lidt forpjusket skægvækst på hans hage. Bortset fra det havde han de samme smalle, grønne øjne, det samme ar på overlæben, det samme runde ansigt, det samme venlige smil. Du ville have genkendt ham med det samme, Amir jan, det ved jeg.

Vi gik indenfor. Der sad en ung lyshudet hazarakvinde i et hjørne og syede på et sjal. Det var tydeligt at hun ventede sig. „Min kone, Rahim Khan," sagde Hassan stolt. „Hun hedder Farzana jan." Farzana jan var genert, så underdanig at hun talte med en stemme der næppe var mere end en hvisken, og hun ville ikke løfte hovedet og møde mit blik med sine egne smukke, nøddebrune øjne. Men med den måde hun så på Hassan på, kunne han lige så godt have siddet på tronen i *Arg*.

„Hvornår er barnet ventet?" spurgte jeg efter at vi havde sat os. Der var ikke andet end det samme rum, og i det kun et trevlet tæppe, nogle få tallerkener, et par madrasser og en olielampe.

„*Inshallah*, først på vinteren," sagde Hassan. „Jeg beder til at det er en dreng der kan få min fars navn."

„Nu vi taler om Ali, hvor er han?"

Hassan så ned. Han fortalte mig at Ali og hans fætter – som havde ejet huset – to år tidligere var blevet dræbt af en landmine lige uden for Bamiyan. En landmine. Findes der en mere afghansk måde at dø på, Amir jan? Og af en eller anden grund var jeg sikker på at det var Alis højre ben – det forkrøblede polioben – der til sidst var faldet ham i ryggen og havde trådt på den landmine. Jeg blev dybt bedrøvet over at høre at Ali var død. Din far og jeg voksede, som du ved, op sammen, og Ali havde været hos ham så længe jeg kunne huske tilbage. Jeg kan huske da vi var små, det år Ali fik polio og var nær ved at dø. Din far gik grædende rundt i huset i al den tid han var syg.

Farzana lavede *shorwa* til os med bønner, roer og kartofler. Vi vaskede hænder og dyppede friskbagt *naan* fra *tandoor*'en i *shorwa*'en – det var det bedste måltid mad jeg havde fået i måneder. Det var da at jeg spurgte Hassan om han ville flytte tilbage til Kabul og bo hos mig. Jeg fortalte ham om huset, om hvordan jeg ikke kunne klare det alene længere. Jeg fortalte ham at jeg ville betale godt, at han og hans *khanum* ville komme til at bo godt. De så på hinanden og sagde ikke noget. Senere, efter at vi havde vasket hænder, og Farzana havde serveret druer for os, sagde Hassan at landsbyen var hans hjem nu; han og Farzana havde skabt et liv sammen der.

„Og Bamiyan ligger tæt ved. Vi har venner der. Tilgiv mig, Rahim Khan, jeg håber De forstår."

„Selvfølgelig," sagde jeg. „Der er ingen grund til at undskylde. Jeg forstår."

Det var mens vi drak te efter *shorwa*'en at Hassan spurgte til dig. Jeg fortalte ham at du var i Amerika, men at meget mere vidste jeg ikke. Hassan havde så mange spørgsmål. Var du gift? Havde du børn? Hvor høj var du? Satte du stadig drager op og gik i biografen? Var du lykkelig? Han sagde at han var blevet gode venner med en gammel farsi-lærer i Bamiyan som havde lært ham at læse og skrive. Hvis han skrev et brev, ville jeg så videresende det til dig? Og troede jeg mon at du ville svare på brevet? Jeg fortalte ham alt hvad jeg vidste om dig fra de få telefonsamtaler jeg havde haft med din far, men jeg kendte ikke svarene på de fleste af hans spørgsmål. Så spurgte han mig om din far. Da jeg fortalte ham det, begravede han sit ansigt i hænderne og brast i gråd. Han græd som et barn resten af aftenen.

De insisterede på at jeg skulle blive og sove der om natten. Farzana redte op til mig på en madras og gav mig et glas brøndvand i tilfælde af at jeg blev tørstig. Hele den nat hørte jeg hende hviske til Hassan og hørte ham græde.

Næste morgen fortalte Hassan mig at han og Farzana havde besluttet at tage med mig til Kabul.

„Jeg burde ikke være kommet," sagde jeg. „Du havde ret, Hassan jan. Du har et liv her. Det var formasteligt af mig bare at dukke op og bede dig smide hvad du havde i hænderne. Det er mig der har brug for tilgivelse."

„Vi har ikke meget i hænderne at smide med, Rahim Khan," sagde Hassan. Hans øjne var stadig røde og ophovne. „Vi tager med Dem. Vi vil hjælpe Dem med at passe huset."

„Er du fuldstændig sikker?"

Han nikkede og så ned i jorden. „Agha sahib var som en

anden far for mig… må Gud give ham fred. "

De samlede alle deres ejendele midt på et laset stykke stof og bandt hjørnerne sammen. Vi læssede bylten op i Buicken. Hassan stod på tærsklen ind til huset og holdt Koranen mens vi alle kyssede den og passerede under den. Så kørte vi tilbage til Kabul. Jeg kan huske at Hassan, da jeg drejede væk, vendte sig om og så en sidste gang på deres hjem.

Da vi kom til Kabul, opdagede jeg at Hassan ikke agtede at flytte *ind* i huset. „Men der står så mange værelser tomme, Hassan jan. Der er ingen der bor i dem," sagde jeg.

Men han ville ikke. Han sagde det var et spørgsmål om *ihtiram*, om respekt. Han og Farzana flyttede deres ting ind i den lille rønne i haven hvor han var født. Jeg tryglede dem om at vælge et af gæsteværelserne, men Hassan ville ikke høre tale om det. „Hvad vil Amir jan tænke?" sagde han til mig. „Hvad vil han tænke når han kommer tilbage til Kabul efter krigen og opdager at jeg har taget hans plads i huset?" Derefter gik Hassan i sort i de næste fyrre dage i sorg over din far.

Det var ikke noget jeg bad dem om, men de to mennesker klarede al madlavningen, al tøjvasken. Hassan tog sig af blomsterne i haven, gennemvandede dem, fjernede visne blade og plantede rosenbuske. Han malede murene. Inde i huset fejede han i værelser hvor ingen i mange år havde sovet, og gjorde rent i badeværelser som ingen havde badet i. Som om han gjorde huset klart til at en eller anden skulle komme tilbage. Kan du huske muren bag den række majs din far plantede, Amir jan? Hvad var det nu du og Hassan kaldte den? 'Muren med den skrantende majs'. Et missil ødelagde et stykke af den midt om natten først på efteråret. Hassan byggede den op igen med sine bare næver indtil den var hel igen. Jeg aner ikke hvad jeg skulle have gjort uden ham.

Sent på efteråret fødte Farzana en dødfødt lille pige. Hassan kyssede babyens livløse ansigt, og vi begravede hende i haven i nærheden af roserne. Vi dækkede den lille grav med blade fra poppeltræerne. Jeg bad en bøn for hende. Farzana blev inde i hytten hele dagen og jamrede – det er en hjerteskærende lyd, Amir jan, en mors jamren. Jeg beder til Allah at du aldrig vil få den at høre.

Uden for muren omkring huset rasede der en krig. Men vi tre, i din fars hus, skabte vores eget lille helle derinde. Mit syn begyndte at svækkes sent i 1980'erne, så jeg fik Hassan til at læse højt for mig fra din mors bøger. Vi sad nede i hallen, ved siden af kaminen, og Hassan læste for mig fra Masnawi eller Khayyám mens Farzana lavede mad ude i køkkenet. Og hver eneste morgen lagde Hassan en blomst på graven henne ved roserne.

Tidligt i 1990 var Farzana blevet gravid igen. Det var også det år, midt på sommeren, at en kvinde tildækket med en himmelblå burqa en morgen bankede på porten. Da jeg gik derhen, stod hun og svajede frem og tilbage som om hun var for svag til at holde sig oprejst. Jeg spurgte hende hvad hun ville, men hun ville ikke svare.

„Hvem er du?" sagde jeg. Men så faldt hun bare om lige der midt i indkørslen. Jeg råbte på Hassan, og han hjalp mig med at bære hende ind i huset, ind i stuen. Vi lagde hende på sofaen og tog burqaen af hende. Under den så vi en tandløs kvinde med strittende gråt hår og sår på armene. Hun lignede en der ikke havde fået noget at spise i mange dage. Men det værste var hendes ansigt. En eller anden havde taget en kniv og... Amir jan, der var dybe ar på kryds og tværs hen over det. Et sted var kniven gået fra hagen helt op til hårgrænsen, og den havde ikke sparet hendes venstre øje på vej derop. Det var grotesk. Jeg duppede hende på panden med en våd klud, og hun slog øjnene op. „Hvor er Hassan?" hviskede hun.

„Jeg er her," sagde Hassan. Han tog hendes hånd og gav den et klem.

Hendes tilbageværende øje drejede op mod ham. „Jeg er gået længe og meget langt for at se om du er lige så smuk i virkeligheden som du er i mine drømme. Og det er du. Mere end det." Hun førte hans hånd op til sit arrede ansigt. „Smil til mig. Vær sød at smile til mig."

Hassan smilede, og den gamle kone græd. „Du smilede da du kom ud af mig, har nogen fortalt dig det? Og jeg kunne ikke engang tage dig i mine arme. Allah tilgive mig, jeg ville ikke holde dig."

Ingen havde set Sanaubar siden hun stak af med en flok sangere og dansere dengang i 1964, lige efter at hun havde bragt Hassan til verden. Du så hende aldrig, Amir, men da hun var ung, var hun en skønhed. Hun havde smilehuller i kinderne og en gang der fordrejede hovederne på mænd. Ingen kunne gå forbi hende på gaden, det være sig mand eller kvinde, uden at se en ekstra gang på hende. Og nu...

Hassan slap hendes hånd og løb ud af huset. Jeg fulgte efter, men han var mig for hurtig. Jeg så ham løbe op ad bakken hvor I to plejede at lege. Hans hæle sendte støvskyer op. Jeg lod ham gå. Jeg sad hos Sanaubar hele dagen mens himlen skiftede farve fra strålende blå til mørkviolet. Hassan var stadig ikke kommet tilbage da mørket faldt på, og månen badede skyerne i lys. Sanaubar græd og sagde at det havde været en fejl at komme tilbage, måske en større fejl end at tage fra ham. Men jeg fik hende til at blive. Hassan ville komme tilbage, det var jeg helt sikker på.

Han kom næste morgen, træt og trist at se på, som om han ikke havde sovet hele natten. Han tog Sanaubars hånd i begge sine og sagde til hende at hun gerne måtte græde hvis hun havde behov for det, men hun behøvede ikke at gøre det, hun var hjemme nu, sagde han, hjemme hos sin familie. Han kærtegnede arrene på hendes ansigt og lod en hånd glide gennem hendes hår.

Hassan og Farzana plejede hende så hun genvandt sine kræfter. De madede hende og vaskede hendes tøj. Jeg installerede hende i et af gæsteværelserne ovenpå. En gang imellem kunne jeg se ud ad vinduet ned i haven og se Hassan og hans mor på knæ sammen mens de plukkede tomater eller trimmede en rosenbusk og talte sammen. De indhentede alle de mange spildte år, gætter jeg på. Så vidt jeg ved spurgte han ikke en eneste gang hvor hun havde været henne, eller hvorfor hun var gået, og hun kom aldrig selv ind på det. Der er vel historier som man ikke behøver at fortælle, tror jeg.

Det var Sanaubar der hjalp Hassans søn til verden den vinter i 1990. Det var ikke begyndt at sne endnu, men det var en iskold vind der blæste ude i haven og fik blomsterbuske til at bøje sig og rasle med bladene. Jeg kan huske at Sanaubar kom ud af hytten med sin sønnesøn i armene, indhyllet i et uldent tæppe. Hun stod med et strålende smil under en mørkegrå himmel, tårerne strømmede ned ad hendes kinder, den kolde blæst purrede op i hendes hår, og hun klamrede sig til barnet som om hun aldrig ville give slip. Ikke denne gang. Hun rakte ham til Hassan, og han rakte ham til mig, og jeg messede *Ayat-ul-kursi*-bønnen ind i den lille drengs øre.

De gav ham navnet Sohrab efter Hassans yndlingshelt, i *Shahnameh*, ved du nok, Amir jan. Det var en smuk, lille dreng, sød som sukker og med faderens gemyt. Du skulle have set Sanaubar sammen med den baby, Amir jan. Han blev midtpunktet i hendes liv. Hun syede tøj til ham, lavede legetøj til ham af små stumper træ, klude og vissent græs. Da han fik feber, sad hun oppe hele natten og fastede i tre dage. Hun brændte *isfand*-frø for ham i en potte for at fordrive *nazar*, det onde øje. Da Sohrab var to år gammel, kaldte han hende Sasa. De var uadskillelige, de to.

Hun levede længe nok til at opleve hans fireårsfødselsdag, men så en morgen vågnede hun bare ikke op. Hun så rolig ud, fredelig, som om hun ikke længere havde noget imod at dø. Vi begravede hende på kirkegården oppe på bakken, den ved siden af granatæbletræet, og jeg bad også en bøn for hende. Det var et skrækkeligt tab for Hassan – det gør altid mere ondt at have noget og så miste det end slet ikke at have haft noget. Men det var værre for lille Sohrab. Han blev ved med at gå rundt i huset og lede efter Sasa, men du ved hvordan det er med børn. De glemmer så hurtigt.

Vi er nu fremme ved 1995. *Showari* havde lidt nederlag og var for længst væk, og Kabul tilhørte Massoud, Rabbani og mujahedinerne. Opgøret mellem krigsherrerne var vildt, og ingen anede om de ville overleve dagen. Vores ører vænnede sig til hylet fra granater, til kanonild, vores øjne til synet af mænd der gravede lig ud af bunker af murbrokker. Kabul i de dage, Amir jan, var meget tæt på at være et helvede på jorden. Men Allah var god mod os. Wazir Akbar Khan var ikke så ofte under angreb, så vi havde det ikke så slemt som i andre kvarterer.

På dage hvor missilregnen ikke var så slem, og ildkampene lidt roligere, kunne Hassan finde på at tage Sohrab til zoologisk have for at se løven Marjan, eller i biografen. Hassan lærte ham at skyde med slangebøsse, og senere, da Sohrab var otte, var han livsfarlig med den. Han kunne stå på terrassen og ramme en kogle på en spand halvvejs nede i haven. Hassan lærte ham også at læse og skrive – hans søn skulle ikke vokse op som analfabet ligesom Hassan selv. Jeg kom til at holde meget af den dreng – jeg havde set ham tage sit første skridt, hørt ham sige det første ord. Jeg købte børnebøger til Sohrab i boghandlen over for Cinema Park – den er også ødelagt nu – og Sohrab læste dem lige så hurtigt som jeg kunne skaffe dem hjem. Han mindede mig om dig, Amir jan, om hvor meget du læste da du var lille. En gang imellem læste jeg højt for ham om aftenen, legede gætteleg med ham, lærte ham korttricks. Jeg savner ham forfærdeligt.

Om vinteren løb Hassan og Sohrab drager op. Der var ikke nær så mange drageturneringer som i gamle dage – ingen følte sig i sikkerhed ret længe ad gangen uden for deres huse – men der fandt stadig nogle enkelte sted. Hassan satte Sohrab op på skuldrene, og så travede de ned ad gaden, løb drager op, klatrede op i de træer hvor dragerne var landet. Kan du huske, Amir jan, hvor god en drageløber Hassan var? Han var stadig fantastisk god. Når vinteren var forbi, hængte Hassan og Sohrab de drager op på væggen i hallen som de havde løbet op i løbet af vinteren. De hængte dem op som om det var malerier.

Jeg fortalte dig hvordan vi festede i 1996 da talibanerne kom til og satte punktum for krigen. Jeg kan huske jeg kom hjem den aften og fandt Hassan ude i køkkenet hvor han sad og lyttede til radioen. Der var et dystert udtryk i hans øjne. Jeg spurgte hvad der var i vejen, og han rystede på hovedet. „Gud hjælpe hazaraerne nu, Rahim Khan sahib," sagde han.

„Krigen er forbi, Hassan," sagde jeg. „Der bliver fred nu, Inshallah, og lykke og glæde. Ikke flere missiler, ikke flere drab, ikke flere begravelser!" Men han slukkede blot for radioen og spurgte om der var noget han kunne gøre for mig før han gik i seng.

Et par uger efter blev det forbudt at sætte drager op. Og to år efter, i 1998, massakrerede talibanerne hazaraerne i Mazar-i-Sharif.

SYTTEN

Rahim Khan rettede langsomt benene ud og lænede sig op ad den nøgne væg på den forsigtige, velovervejede måde som hos et menneske hvis mindste bevægelse udløser jagende smerter.

Udenfor skrydede et æsel, og en eller anden råbte noget på urdu. Solen var på vej ned, glødende rød gennem sprækker mellem de faldefærdige huse.

Det slog mig igen, uhyrligheden af det jeg havde gjort den vinter og sommeren efter. Navnene rungede i mit hoved: Hassan, Sohrab, Ali, Farzana og Sanaubar. At høre Rahim Khan sige Alis navn var som at finde en gammel, støvet spilledåse som ikke havde været åbnet i årevis; melodien begyndte med det samme at spille: *Hvem har du spist i dag, Babalu? Sig det så, din skævøjede Babalu!* Jeg forsøgte at genkalde mig Alis stivnede ansigt, virkelig *se* for mig hans rolige øjne, men tiden er en grådig tingest – en gang imellem spiser den detaljerne fra sig selv.

„Bor Hassan så stadig i huset?" spurgte jeg.

Rahim Khan løftede sin tekop op til de sprukne læber og nippede til den. Så fiskede han en kuvert op af vestelommen og rakte den til mig. „Til dig."

Jeg flåede kuverten op. Indeni lå der et polaroidfoto og et sammenfoldet brev. Jeg stirrede på billedet i et helt minut.

En høj mand med hvid turban på hovedet og iført en grønstribet *chapan* stod med en lille dreng foran en smedejernsport. Solen kom ind fra venstre og kastede skygge på halvdelen af det runde ansigt. Han kneb øjnene sammen og smilede mod kameraet og afslørede derved at der manglede nogle fortænder. Selv på dette slørede polaroid udstrålede manden i *chapan* selvsikkerhed og afslappethed. Det var måden han stod på, med let skrævende ben, armene mageligt over kors og hovedet en smule på skrå mod solen. Især var det måden han smilede på. Et enkelt blik på billedet, og man ville have konkluderet at her var en mand som mente at livet havde behandlet ham godt. Rahim Khan havde ret: Jeg ville have genkendt ham hvis jeg var bumpet ind i ham på gaden. Den lille dreng var barfodet, den ene arm var slynget omkring mandens lår, det barberede hoved hvilede mod faderens hofte. Også han smilede og kneb øjnene sammen.

Jeg åbnede brevet. Det var skrevet på farsi. Ikke en prik manglede, ikke en tværstreg var glemt, ingen ord fløj sammen – skriften var næsten barnlig i sin nethed.

Jeg begyndte at læse:

I Allahs navn, den mest menneskekærlige, den barmhjertigste, Amir jan, med min dybeste respekt.

Farzana jan, Sohrab og jeg beder til at dette seneste brev finder Dem ved godt helbred og i lyset af Allahs store nåde. Overbring venligst min varmeste tak til Rahim Khan sahib for at have givet Dem det. Mit håb er at jeg en dag vil stå med et af Deres breve i min hånd og læse om Deres liv i Amerika. Måske vil tilmed et fotografi begunstige vores øjne. Jeg har fortalt Farzana jan og Sohrab meget om Dem, om at vi voksede op sammen og legede sammen og løb rundt i gaderne. De ler ad historierne om alle de gavtyvestreger De og jeg lavede!

Amir agha.

Desværre er vores barndoms Afghanistan for længst en saga blot. Venlighed er forsvundet fra landet, og man kan ikke gå fri af myrderierne. Altid myrderierne. I Kabul er frygten overalt, i gaderne, på stadion, på markederne, det er en del af vores liv her, Amir agha. Barbarerne der regerer vores *watan*, bryder sig ikke om menneskelig anstændighed. Forleden dag ledsagede jeg Farzana jan til basaren for at købe kartofler og *naan*. Hun spurgte sælgeren hvor meget kartoflerne kostede, men han hørte det ikke, jeg tror han måske var døv på det ene øre. Så hun spurgte med lidt højere stemme, og pludselig kom en ung talibaner løbende og slog hende på låret med en stok. Han slog så hårdt at hun faldt. Han skreg ad hende og bandede og sagde at Ministeriet for Dyder og Laster ikke tillod kvinder at tale med høj stemme. I flere dage havde hun et blåt mærke på låret, men hvad kunne jeg gøre andet end at stå og se min kone blive banket? Hvis jeg havde gjort noget, ville køteren med sikkerhed have skudt mig, og det med et smil om munden! Og hvordan skal det så gå Sohrab? Det myldrer i forvejen med sultne forældreløse børn på gaderne, og hver dag takker jeg Allah for at jeg er i live, ikke fordi jeg frygter døden, men fordi min kone har en mand, og min søn ikke er forældreløs.

Jeg ville ønske at De kunne se Sohrab. Han er en god dreng. Rahim Khan sahib og jeg har lært ham at læse og skrive så han ikke vokser op lige så uvidende som sin far. Og som han dog kan bruge en slangebøsse! En gang imellem tager jeg Sohrab med ind til Kabul og køber slik til ham. Abemanden i Shar e Nau er der stadig, og hvis vi ser ham, betaler jeg ham for at få aben til at danse for Sohrab. De skulle se hans grin! Han og jeg går ofte op til kirkegården på bakken. Kan De huske hvordan vi sad under granatæbletræet og læste *Shahnameh*? Tørke har udtørret bakken, og træet har ikke båret frugt i årevis, men Sohrab og jeg sidder i dets skygge, og jeg læser op for ham fra *Shahnameh*. Det er vel unødvendigt at nævne at hans yndlingshistorie er den om hans navnebror, Rostam og Sohrab. Det varer ikke længe før han selv vil kunne læse bogen. Jeg er en meget stolt og meget heldig far.

Amir agha.

Rahim Khan er meget syg. Han hoster hele dagen, og jeg ser blod på hans ærme når han tørrer sig om munden. Han har tabt sig meget, og jeg ville ønske at han kunne spise lidt af den *shorwa* og ris som Farzana jan laver til ham. Men han tager kun en enkelt bid eller to, og selv det tror jeg er af høflighed over for Farzana jan. Jeg er så bekymret for den kære mand at jeg beder for ham hver eneste dag. Han rejser til Pakistan om et par dage for at tale med læger der, og, *Inshallah*, kommer han tilbage igen med gode nyheder. Men i mit hjerte frygter jeg for ham. Farzana jan og jeg har sagt til lille Sohrab at Rahim Khan sahib nok skal blive rask. De er kommet til at holde meget af hinanden. Rahim Khan sahib plejede at gå med ham til basaren for at købe balloner og kiks, men nu har han ikke længere kræfter til det.

Jeg har drømt meget i den sidste tid, Amir agha. Nogle af drømmene er mareridt, om lig der hænger og rådner op på fodboldbaner med blodfarvet græs underneden. Jeg vågner af disse mareridt, gispende efter vejret og helt svedig. Men for det meste er mine drømme gode, og lovet være Allah for det. Jeg drømmer at Rahim Khan sahib bliver rask. Jeg drømmer at min søn vokser op som et godt menneske, et frit menneske og et betydningsfuldt menneske. Jeg drømmer at *lawla*'erne igen blomstrer i Kabuls gader, og at *rubab*-musikken igen spiller i samovar-husene, og at drager flyver oppe på himlen. Og jeg drømmer om at De en dag kommer tilbage til Kabul for at besøge vores barndoms land.

Hvis De gør det, vil en gammel, trofast ven stå og vente på Dem.

Må Allah altid være med Dem.
Hassan

Jeg læste brevet to gange. Jeg foldede det sammen og kiggede igen på fotografiet i et minut. Jeg puttede begge dele i lommen. "Hvordan har han det?" spurgte jeg.

"Det brev blev skrevet for seks måneder siden, få dage før jeg rejste til Peshawar," sagde Rahim Khan. "Jeg tog billedet dagen før jeg tog af sted. En måned efter at jeg var ankommet til Peshawar, blev jeg ringet op af en af mine naboer i Kabul. Han fortalte mig denne historie: Kort efter min afrejse bredte der sig det rygte at der boede en hazarafamilie alene i det store hus i Wazir Akbar Khan, eller det var hvad talibanerne påstod. Et par taliban-folk kom for at undersøge sagen og forhøre Hassan. De anklagede ham for at lyve da han sagde at han boede der sammen med mig, selv om mange af naboerne, inklusive ham der havde ringet til mig, bekræftede Hassans ord. Talibanerne sagde han var en løgner og tyv ligesom alle hazaraer og beordrede ham og hans familie ud inden solnedgang. Hassan protesterede. Men min nabo sagde at talibanerne kiggede op på det store hus som – hvad var nu hans ord? – ja, som 'ulve der kigger på en flok får'. De sagde til Hassan at de ville flytte ind, angiveligt for at det skulle være i trygge hænder indtil jeg kom tilbage. Hassan protesterede igen. Så de trak ham ud på gaden—"

"Nej!" hviskede jeg.

"—og beordrede ham ned på knæ—"

"Nej, åh gud, nej!"

"—og dræbte ham med et nakkeskud."

"Nej!"

"—Farzana kom skrigende ud og gik til angreb—"

"Nej!"

"—og så skød de også hende. I selvforsvar, hævdede de senere—"

Men det eneste jeg kunne klare, var at hviske: "Nej, nej, nej!" igen og igen.

Jeg blev ved med at tænke tilbage på den dag i 1974, på hospitalsstuen efter Hassans hareskårsoperation. Baba, Rahim Khan, Ali og jeg sad rundt om Hassans seng og så ham studere sin nye læbe i lommespejlet. Nu var alle i det rum enten døde eller døende. Bortset fra mig.

Så så jeg noget andet: En mand i sildebensmønstret vest der trykker løbet på en Kalashnikov mod Hassans baghoved. Eksplosionen giver genlyd i gaden uden for min fars hus. Hassan falder sammen på asfalten, hans liv med uigengældt loyalitet flyver fra ham som de drager der blev ført af sted med vinden, og som han plejede at løbe op.

„Talibanerne flyttede ind i huset," fortsatte Rahim Khan. „Påskuddet var at de havde jaget en tyv på flugt. Hassan og Farzanas mordere blev frikendt eftersom de havde handlet i selvforsvar. Ingen tog til orde imod dommen. Mest fordi de var bange for talibanerne, tror jeg. Men ingen ville sætte noget på spil på grund af et hazaratjenerpar."

„Hvad med Sohrab?" spurgte jeg. Jeg følte mig udmattet, drænet for kræfter. Rahim Khan begyndte at hoste, og det varede længe før han holdt op igen. „Jeg har hørt at han er på et børnehjem et eller andet sted i Karteh-Seh. Amir jan…" Han begyndte at hoste igen. Da han holdt op, så han ældre ud end øjeblikket før, som om han ældedes for hvert hosteanfald. „Amir jan, jeg tilkaldte dig fordi jeg gerne ville se dig før jeg døde, men det var ikke den eneste grund."

Jeg sagde ikke noget. Jeg tror jeg allerede vidste hvad han skulle til at sige.

„Jeg ønsker at du tager til Kabul. Jeg ønsker at du henter Sohrab hertil," sagde han.

Jeg kæmpede for at finde de rette ord. Jeg havde knap nok haft tid til at fordøje den kendsgerning at Hassan var død.

„Vær rar at høre på mig. Jeg kender et amerikansk par her i Peshawar, et ægtepar ved navn Thomas og Betty Caldwell.

216

De er kristne, og de leder en lille hjælpeorganisation ved hjælp af private donationer. De tager sig især af afghanske børn der har mistet deres forældre. Jeg har set stedet. Det er rent og trygt, børnene bliver passet omhyggeligt, og mr. og mrs. Caldwell er gode mennesker. De har allerede sagt at Sohrab vil være velkommen hos dem, og—"

„Rahim Khan, De kan ikke mene det alvorligt."

„Børn er skrøbelige, Amir jan. Kabul er i forvejen fyldt med fysisk og psykisk nedbrudte børn, og jeg ønsker ikke at Sohrab skal blive endnu et."

„Rahim Khan, jeg ønsker ikke at tage til Kabul. Jeg kan ikke!" sagde jeg.

„Sohrab var en begavet lille dreng. Vi kan give ham en ny tilværelse her, nyt håb, sammen med folk som vil elske ham. Thomas agha er et godt menneske, og Betty khanum meget kærlig, du skulle se hvordan hun er over for de forældreløse."

„Hvorfor mig? Hvorfor kan De ikke betale nogen for at gøre det? Jeg vil betale hvis det er et spørgsmål om penge."

„Det er ikke et spørgsmål om penge!" brølede Rahim Khan. „Jeg er et døende menneske, og jeg vil ikke lade mig fornærme! Det har *aldrig* været et spørgsmål om penge for mig, det ved du! Og hvorfor lige dig? Jeg tror vi begge ved hvorfor det kun kan være dig, ikke sandt?"

Jeg ønskede ikke at forstå den bemærkning, men det gjorde jeg selvfølgelig alligevel. Jeg forstod den kun alt for godt. „Jeg har en kone i Amerika, et hjem, en karriere – og en familie. Kabul er en farlig by, det ved De, og De vil have mig til at sætte alt på spil på grund af..." Jeg tav brat.

„Amir jan," sagde Rahim Khan, „engang da du ikke var til stede, sad din far og jeg og talte sammen. Ved du hvor bekymret han var for dig dengang? Jeg kan huske han sagde til mig: 'En dreng som ikke vil kæmpe for sig selv, bliver til en mand der ikke vil kæmpe for noget.' Spørgsmålet er om det er sådan en mand du er blevet til."

Jeg slog blikket ned.

„Det jeg beder dig om, er at opfylde en gammel mands sidste ønske," sagde han alvorligt.

Han havde haft den bemærkning i baghånden. Nu spillede han sit bedste kort. Eller det var hvad jeg troede dengang. Hans ord hang i stilheden mellem os, men i det mindste havde han vidst hvad han skulle sige. Jeg ledte stadig efter de rette ord, og det var mig der var forfatteren blandt os. Til sidst lod jeg mig nøje med dette: „Måske havde baba ret."

„Det gør mig ondt at du tror det, Amir."

Jeg kunne ikke møde hans blik. „Det gør De måske ikke?"

„Hvis jeg havde gjort det, ville jeg ikke have bedt dig komme."

Jeg sad og drejede min vielsesring rundt og rundt. „De har altid haft for god en mening om mig, Rahim Khan."

„Og du har altid tænkt for ringe om dig selv." Han tøvede. „Men der er mere. Noget du ikke ved."

„Rahim Khan, jeg—"

„Sanaubar var ikke Alis første kone."

Nu så jeg op.

„Han var gift før, med en hazarakvinde fra Jaghori-egnen. Det var længe før du blev født. De var gift i tre år."

„Hvad har det med sagen at gøre?"

„I tre år fik de ingen børn, så hun forlod ham og giftede sig med en mand i Khost. *Ham* fik hun tre døtre med. Det er hvad jeg forsøger at fortælle dig."

Jeg begyndte at se hvor han ville hen. Men jeg ønskede ikke at høre resten. Jeg havde et godt liv i Californien, et smukt victoriansk hjem med tagrejsning, et dejligt ægteskab, en lovende forfatterkarriere, svigerforældre der elskede mig. Jeg havde ikke brug for det her pis.

„Ali var steril," sagde Rahim Khan.

„Nej, han var ikke. Han og Sanaubar fik Hassan sammen. De fik Hassan—"

„Nej, de gjorde ikke," sagde Rahim Khan.

„Jo, de gjorde!"

„Nej, det gjorde de ikke, Amir."

„Hvem var—?"

„Jeg tror du ved hvem."

Jeg følte mig som en mand der gled ned ad en stejl skrænt. Klyngede mig til buske og græstotter som alle gled ud af hænderne på mig. Rummet bølgede op og ned, fra side til side. „Vidste Hassan det?" spurgte jeg gennem læber som ikke føltes som mine egne. Rahim Khan lukkede øjnene. Rystede på hovedet.

„I skiderikker," mumlede jeg. Jeg rejste mig op. „I forbandede skiderikker!" skreg jeg. „Jer alle sammen, sådan nogen forbandede, løgnagtige skiderikker!"

„Vær venlig at sætte dig ned," sagde Rahim Khan.

„Hvordan kunne I holde det skjult for ham? Fra *ham?*" brølede jeg.

„Vær sød at tænke dig om, Amir jan. Det var en skammelig situation. Folk ville snakke. Alt hvad en mand havde dengang, alt hvad han var, var hans ære, hans navn, og hvis folk snakkede... Vi kunne ikke sige det til nogen, det må du da kunne forstå." Han rakte ud efter mig, men jeg slog hans hånd væk. Gik hen mod døren.

„Amir jan, vær sød ikke at gå."

Jeg åbnede døren og vendte mig om mod ham. „Hvorfor ikke? Hvad vil De kunne sige til mig? Jeg er otteogtredive år gammel, og jeg har lige fundet ud af at hele mit liv er en fucking løgn! Hvad vil De kunne sige for at gøre det bedre? Intet. Ikke en skid!"

Og med de ord stormede jeg ud af lejligheden.

ATTEN

Solen var næsten gået ned, og tilbage var en himmel indhyllet i violette og røde farver. Jeg gik ned ad den travle, smalle gade der førte væk fra Rahim Khans lejlighed. Gaden var en larmende gennemkørselsvej midt i en labyrint af stræder og gyder fyldt med fodgængere, cyklister og rickshawer. Der hang skilte på alle hjørner, reklamer for Coca-Cola og cigaretter; biografreklamer fra Lollywood med sensuelle skuespillerinder der dansede med kønne, mørklødede mænd på marker fyldt med morgenfruer.

Jeg gik ind i et tilrøget, lille samovar-hus og bad om en kop te. Jeg tippede tilbage på klapstolen og gned mig i ansigtet. Følelsen af at glide ned mod en afgrund begyndte at fortage sig. I stedet for havde jeg det som en mand der vågner i sit eget hus og opdager at der er flyttet om på møblerne så hjørner og hyggekroge ser fremmede ud. Desorienteret må han revurdere sine omgivelser, revurdere sig selv.

Hvordan kunne jeg have været så blind? Sporene havde været overalt omkring mig, og nu kom de flyvende tilbage: Baba der hyrede dr. Kumar til at ordne Hassans hareskår. Baba der aldrig glemte Hassans fødselsdag. Jeg kan huske den dag vi lagde tulipanløg, dengang jeg spurgte baba om han nogensinde havde overvejet at anskaffe sig nye tjenere. *Hassan bliver her hos os,* havde han ophidset sagt. *Han bliver lige her hos os hvor han hører hjemme. Dette er hans hjem, og vi er hans familie.* Han havde grædt, *grædt*, da Ali meddelte at han og Hassan rejste fra os.

Tjeneren satte en tekop på bordet foran mig. Der hvor bordbenene krydsede som et X, var der en ring med messingkugler, hver på størrelse med en valnød. En af kuglerne var drejet løs. Jeg bøjede mig ned og strammede den. Jeg ville ønske at jeg lige så nemt kunne ordne mit eget liv. Jeg tog en

slurk af den sorteste te jeg havde drukket i mange år, og for-
søgte at tænke på Soraya, på generalen og khala Jamila, på
den roman der skulle skrives færdig. Jeg forsøgte at følge med
i trafikken der strømmede forbi ude på gaden, de mange men-
nesker der myldrede ind og ud af små konfektbutikker. For-
søgte at lytte til *qawali*-musikken der spillede fra en transistor-
radio på nabobordet. Alt muligt. Men jeg blev ved med at se
baba for mig den dag jeg bestod min sidste eksamen, da han
sad i den Ford han lige havde foræret mig, lugtende af øl, og
hans ord rungede i mine ører: *Jeg ville ønske at Hassan havde
været her i dag.*

Hvordan havde han kunnet lyve for mig i alle de mange år?
For Hassan? Han havde siddet med mig på skødet da jeg var
lille, set mig lige i øjnene og sagt: *Der findes kun én synd...
Når du lyver, stjæler du en mands krav på sandhed.* Havde
han ikke sagt netop de ord til mig? Og nu, femten år efter at
jeg havde lagt ham i graven, hørte jeg at baba havde været en
tyv. Og en tyv af værste skuffe, for det han havde stjålet,
havde været helligt: fra mig retten til at vide at jeg havde en
bror, fra Hassan retten til at vide hvem han var, og fra Ali
hans ære. Hans *nang*. Hans *namoos*.

Spørgsmålene blev ved med at komme myldrende: Hvordan
havde baba kunnet se Ali i øjnene? Hvordan havde Ali kunnet
bo i det hus, dag ud og dag ind, vel vidende at hans herre
havde frataget ham hans ære på den værste måde en afghansk
mand kunne gøres æreløs på? Og hvordan skulle jeg kunne få
dette nye billede af baba til at stemme overens med det der
havde været ætset ind i mit hoved så længe: Da han i sit gamle
brune sæt tøj vaklede op ad Taheris indkørsel for at anmode
om Sorayas hånd?

Her er endnu en kliché som min lærer på universitetet ville
have hånet: Som far, så søn. Men det var sandt, var det ikke?
Det havde vist sig at baba og jeg lignede hinanden mere end

jeg nogensinde havde anet. Vi havde begge forrådt de mennesker som ville være gået i døden for os. Og med denne erkendelse kom en ny: at Rahim Khan havde tilkaldt mig ikke blot for at jeg skulle sone mine egne synder, men også babas.

Rahim Khan havde sagt at jeg altid havde tænkt for ringe om mig selv. Men var det sandt? Det var sandt at jeg ikke havde tvunget Ali til at træde på en landmine, og jeg havde ikke tilkaldt talibanerne så de kunne skyde Hassan. Men jeg havde jaget Hassan og Ali ud af huset. Var det for langt ude at forestille sig at meget kunne være gået anderledes hvis jeg ikke havde gjort det? Måske ville baba have taget dem med til Amerika. Måske ville Hassan nu have haft sit eget hjem, et arbejde, en familie, en tilværelse i et land hvor folk var ligeglade med at han var en hazara, fordi de færreste anede hvad en hazara var. Måske. Men så igen, måske ikke.

Jeg kan ikke tage til Kabul, havde jeg sagt til Rahim Khan. *Jeg har en kone i Amerika, et hjem, en karriere – og en familie.* Men hvordan kunne jeg pakke sammen og rejse hjem når mine gerninger måske havde kostet Hassan chancen for at opnå netop disse ting?

Jeg ville ønske at Rahim Khan ikke havde ringet. Jeg ville ønske han havde ladet mig leve videre i lykkelig uvidenhed. Men han *havde* ringet. Og det Rahim Khan havde afsløret, forandrede alting. Fik mig til at se tilbage på hele mit liv, længe før den vinter i 1975, helt tilbage til dengang en syngende hazarakvinde stadig ammede mig; fik mig til at se løgne, forræderi og hemmeligheder der kørte i ring.

Det er muligt at gøre uret god igen, havde han sagt.

En måde at bryde den onde cirkel på.

Ved hjælp af en lille dreng. En forældreløs dreng. Hassans søn. Et eller andet sted i Kabul.

I rickshawen på vej tilbage til Rahim Khans lejlighed sad jeg og tænkte på dengang baba sagde at mit problem var at en anden altid havde udkæmpet mine kampe for mig. Jeg var nu otteogtredive år gammel. Jeg havde fået høje tindinger, mit hår var gråsprængt, og på det seneste havde jeg opdaget små, fine rynker i øjenkrogene. Jeg var ældre nu, men måske endnu ikke for gammel til at begynde at udkæmpe mine egne kampe. Baba havde løjet om mange ting, havde det vist sig, men måske var det én af de ting han ikke havde løjet om.

Jeg kiggede igen på det runde ansigt på fotoet, på den måde hvorpå solen faldt ind på det. Min brors ansigt. Hassan havde elsket mig, elsket mig som ingen anden havde eller ville komme til igen. Han var død nu, men en del af ham levede videre. Den del befandt sig i Kabul.

Og ventede.

Rahim Khan bad *namaz* i hjørnet af stuen da jeg kom tilbage. Han var blot en mørk silhuet mod en blodrød himmel der bøjede sig mod vest. Jeg ventede på at han skulle blive færdig.

Så sagde jeg til ham at jeg ville tage til Kabul. Bad ham om at kontakte mr. og mrs. Caldwell næste dag.

„Jeg vil bede for dig, Amir jan," sagde han.

NITTEN

Igen køresyge. Da vi kørte forbi det skudgennemhullede skilt med KHYBER-PASSET BYDER DIG VELKOMMEN, begyndte min mund at fyldes med spyt. Et eller andet i min mave vred og vendte sig. Farid, min chauffør, så køligt på mig i bakspejlet. Der var ingen medlidenhed at spore i hans øjne.

„Kan vi rulle vinduet ned?" spurgte jeg.

Han tændte en cigaret og placerede den mellem de to tilbageværende fingre på venstre hånd, den der lå på rattet. Uden at tage øjnene fra vejen bøjede han sig ned og tog skruetræk-keren der lå mellem hans fødder, og rakte mig den. Jeg stak den ind i det lille hul i døren hvor håndtaget skulle have været, og drejede den rundt for at rulle mit vindue ned.

Farid sendte mig endnu et affærdigende blik, denne gang med en antydning af uvilje i det, og røg videre på sin cigaret. Han havde ikke sagt mere end ti-tyve ord til mig siden vi forlod Jamrud-fortet.

„*Tashakor*," mumlede jeg. Jeg stak hovedet ud ad vinduet og lod den kolde eftermiddagsluft suse forbi ansigtet. Vejen gennem Khyber-passets stammeland snoede sig rundt mellem klippeblokke af skifer og kalksten og var nøjagtig som jeg huskede den – baba og jeg havde kørt samme vej engang i 1974. De vegetationsløse bjerge rejste sig fra dybe kløfter og hævede sig højt op mod himlen med takkede tinder. Gamle borge med mure af soltørrede, forvitrede lersten lå højt på klippeskrænterne. Jeg forsøgte at holde mit blik klistret på det snedækkede Hindu Kush-bjerg på nordsiden, men hver gang min mave var faldet blot en smule til ro, skred vognen rundt i endnu et sving, og kvalmen bølgede igennem mig på ny.

„Prøv med en citron."

„Hvad?"

„Citron. God mod køresyge," sagde Farid. „Jeg har altid en med på den her tur."

„Nej, men ellers tak," sagde jeg. Bare tanken om at fylde min mave med syre, fik det til at vende sig i mig. Farid gnæggede. „Jeg ved det ikke er smart som amerikansk medicin, bare et gammelt middel min mor lærte mig."

Jeg fortrød at jeg havde forspildt chancen for at tø ham lidt op. „I så fald skulle De måske give mig en."

Han fiskede en papirpose op fra sædet ved siden af sig og tog en halv citron op af den. Jeg bed i den, ventede et par minutter. „De har ret. Jeg har det allerede bedre," løj jeg. Som en afghaner. Jeg vidste at det var bedre at føle sig utilpas end at være uforskammet. Jeg tvang mig til at smile.

„Et gammelt *watani*-trick, ingen brug for smart medicin," sagde han. Hans tonefald var på grænsen til at være surt. Han knipsede asken af cigaretten og sendte sig selv et selvtilfreds blik i bakspejlet. Han var tadsjiker, en ranglet, mørklødet mand med et vejrbidt ansigt, smalle skuldre og en lang hals med et vældigt adamsæble der stak ud gennem hans skæg hver gang han drejede hovedet. Han var klædt omtrent som mig, selv om man vel egentlig må sige at det var omvendt: et løst-spundet uldtæppe slået over en grå *pirhan-tumban* og en vest. På hovedet bar han en brun *pakol*, sat en smule på skrå, lige-som tadsjik-helten Ahmad Shah Massoud – af tadsjikerne benævt 'Løven fra Panjsher'.

Det var Rahim Khan der havde præsenteret mig for Farid i Peshawar. Han havde fortalt at Farid var niogtyve år gammel, men han havde et vagtsomt, furet ansigt som hos en mand der var tyve år ældre. Han var født i Mazar i Sharif og boede der indtil hans far flyttede familien til Jalalabad da Farid var ti år. Fjorten år gammel havde han og hans far meldt sig til jihad mod *Shorawi*. De havde kæmpet i Panjsher-dalen i to år indtil helikopterild havde flænset den ældre mand til døde. Farid havde to koner og fem børn. „Han har haft syv," sagde Rahim Khan med et bedrøvet blik, men havde mistet de to yngste døtre nogle få år forinden i en landmineeksplosion lige uden for Jalalabad, den samme eksplosion der havde revet tæerne af hans fødder og tre fingre af venstre hånd. Efter det flyttede han med sine koner og børn til Peshawar.

„Kontrolpost," snerrede Farid. Jeg sank en smule sammen i sædet, lagde armene over kors og glemte et øjeblik alt om kvalme. Men jeg havde ikke behøvet være nervøs. To pakistanske militssoldater nærmede sig vores ramponerede Land Cruiser, kastede et overfladisk blik ind i kabinen og vinkede os videre.

Farid var den første på en liste over mange forberedelser Rahim Khan og jeg havde truffet, en liste der inkluderede at veksle dollars til kaldar- og afghani-penge, min beklædning og en *pakol* – mærkeligt nok havde jeg aldrig gået med sådan en dengang jeg boede i Afghanistan – billedet af Hassan og Sohrab, og til sidst det allervigtigste: et kunstigt skæg, sort og ned til brystet som påbudt af sharia – eller i det mindste den version af shariaen som talibanerne fulgte. Rahim Khan kendte en mand i Peshawar som var ekspert i at lave dem, en gang imellem til vestlige krigskorrespondenter.

Rahim Khan ville gerne have haft at jeg blev lidt længere så vi kunne have gennemtygget vores plan lidt grundigere, men jeg vidste at jeg var nødt til at komme af sted hurtigst muligt. Jeg var bange for at jeg ville skifte mening. Jeg var bange for at begynde at overveje, gruble, spekulere og ende med at overtale mig selv til ikke at tage af sted. Jeg var bange for at mit liv i Amerika ville ende med at trække mig tilbage, at jeg ville vade ud i den store, rivende flod igen og overtale mig selv til at glemme, til at lade alt det jeg havde erfaret i den seneste tid, synke ned til bunden. Jeg var bange for at jeg ville lade strømmen føre mig bort fra alt det jeg var nødt til at gøre. Bort fra Hassan. Bort fra den fortid der kaldte på mig. Og bort fra den sidste chance jeg ville få for at blive udfriet. Så jeg tog af sted før der var den mindste mulighed for at noget af dette skete. Med hensyn til Soraya, så kom det ikke på tale at fortælle hende at jeg tog tilbage til Afghanistan. Havde jeg gjort det, ville hun have købt en billet til det første fly til Pakistan.

Vi var kommet over grænsen, og fattigdomstegnene var overalt omkring os. På begge sider af vejen så jeg små landsbyer dukke op her og der, som legetøj der var smidt ind mellem klipperne, halvt sammenfaldne, lerklinede huse og hytter der ikke bestod af meget mere end fire træstolper og et tyndslidt tæppe som tag. Jeg så børn i laset tøj løbe efter en fodbold uden for husene. Nogle kilometer senere fik jeg øje på en klynge hugsiddende mænd der, som en flok krager, sad oven på skelettet af et udbrændt russisk bæltekøretøj med vinden der løftede op i sømmen på de tæpper de havde kastet over sig. Bag dem gik en kvinde klædt i brun burqa med en stor lerpotte på den ene skulder ned ad en opkørt vej mod en række jordhytter.

„Sært," sagde jeg.

„Hvad?"

„Jeg føler mig som turist i mit eget land," sagde jeg med blikket på en gedehyrde der førte fem-seks afpillede geder af sted langs vejen. Farid snøftede. Knipsede sin cigaret ud ad vinduet. „Tænker De stadig på det her som Deres land?"

„En del af mig vil altid gøre det," sagde jeg, mere forsvarsberedt end det havde været min mening.

„Efter at have boet i Amerika i tyve år?" sagde han og veg behændigt uden om et hul i vejen på størrelse med en badebold.

Jeg nikkede. „Jeg voksede op i Afghanistan."

Farid snøftede igen.

„Hvorfor gør De det?"

„Lige meget," mumlede han.

„Nej, jeg vil gerne vide det. Hvorfor gør De det?"

Jeg så hans øjne skyde lyn i bakspejlet. „De vil gerne vide det?" snerrede han så. „Lad mig nu se, agha sahib. De boede formentlig i et stort to- eller treetages hus med en dejlig have som Deres havemand havde fyldt med blomster og frugttræer. Alt sammen inde bag en mur, selvfølgelig. Deres far kørte rundt i en amerikansk bil. De havde tjenere, formentlig hazaraer. Deres forældre hyrede folk til at udsmykke huset til de elegante *mehmani*'er som de holdt så deres venner kunne komme over til en drink og prale af deres rejser til Europa og Amerika. Og jeg vil vædde min førstefødte søns øjne på at dette er første gang De har haft en *pakol* på hovedet." Han grinede til mig og afslørede en mund fyldt med for tidligt rådne tænder. „Brænder tampen?"

„Hvorfor siger De de ting til mig?" spurgte jeg.

„Fordi De spurgte!" spyttede han. Han pegede på en gammel mand i laset tøj der traskede ned ad en jordvej med en stor hessianbylt fyldt med småkrat bundet på ryggen. „Det er det rigtige Afghanistan, agha sahib. Det er det Afghanistan jeg kender. De? De har *altid* været en turist her, De var bare ikke klar over det."

Rahim Khan havde advaret imod at forvente en varm velkomst i Afghanistan fra dem der var blevet tilbage og havde udkæmpet krigene. „Det gør mig ondt med Deres far," sagde jeg. „Det gør mig ondt med Deres døtre, og det gør mig ondt med Deres hånd."

„Det siger mig ingenting," sagde han. Han rystede på hovedet. „Hvorfor er De i det hele taget kommet tilbage? For at sælge Deres babas hus? Stikke pengene i lommen og flygte tilbage til mor i Amerika?"

„Min mor døde i barselsseng," sagde jeg.

Han sukkede og tændte en ny cigaret. Tav.

„Kør ind til siden."

„Hvad?"

„Kør ind til siden, for helvede!" sagde jeg. „Jeg skal kaste op." Jeg tumlede ud af bilen da den holdt stille på vejen.

Sent på eftermiddagen skiftede terrænet fra soltørrede tinder og nøgne bjergskråninger til et grønnere, mere venligt landskab. Vejen over passet var gået gennem Landi Kotal og videre gennem Shinwari-territoriet til Landi Khana. Vi var kommet ind i Afghanistan ved Torkham. Fyrretræer flankerede vejen, færre end jeg huskede, og mange af dem var uden nåle, men det var godt at se træer igen efter den anstrengende tur gen-

nem Khyber-passet. Vi nærmede os Jalalabad hvor Farid hav-
de en bror som ville give os husly for natten.

Solen var ikke helt forsvundet da vi kørte ind i Jalalabad,
hovedstaden i Nangarhar, en by engang berømt for sine frugt-
haver og sit varme klima. Farid kørte forbi bygninger og sten-
huse i byens centrale kvarter. Der var ikke så mange palmetræ-
er som jeg huskede, og nogle af husene var blevet reduceret til
mure uden tag og bunker af lerbrokker.

Farid drejede ind på en smal, uasfalteret vej og parkerede
Land Cruiseren langs en indtørret vandrende. Jeg gled ud af
bilen, strakte mig og trak vejret dybt ind. I gamle dage susede
vinden hen over overrislede marker rundt om Jalalabad hvor
bønderne dyrkede sukkerrør som mættede byens luft med søde
dufte. Jeg lukkede øjnene og ledte efter sødmen. Jeg fandt den
ikke.

„Kom nu," sagde Farid utålmodigt. Vi gik op ad en sti forbi
et par bladløse popler langs en række sammenfaldne mudder-
mure. Farid gik foran mig hen til et forfaldent hus og bankede
på plankedøren.

En ung kvinde med havgrønne øjne og et hvidt tørklæde om
hovedet kiggede ud. Hun så mig først, krympede sig, fik så øje
på Farid og lyste op. *„Salaam alaykum*, kaka Farid!"

„Salaam, Maryam jan," svarede Farid og sendte hende
noget han havde nægtet mig hele dagen: et varmt smil. Han
plantede et kys på toppen af hendes hoved. Den unge kvinde
trådte til side og kiggede vurderende på mig da jeg fulgte efter
Farid ind i det lille hus.

Der var lavt til det lerklinede loft, jordvæggene var uden
udsmykning, og det eneste lys kom fra et par olielamper i et
hjørne. Vi tog skoene af og trådte ind på en stråmåtte der
dækkede hele gulvet. Langs den ene væg sad tre unge drenge
i skrædderstilling på en madras dækket med et tæppe med
flossede kanter. En høj, skægget mand med brede skuldre kom

på benene for at hilse på os. Farid og han omfavnede og kyssede hinanden. Farid præsenterede ham for mig som Wahid, hans storebror. „Han er fra Amerika," sagde han til Wahid og pegede med tommelfingeren tilbage mod mig. Han forlod os og gik hen for at hilse på de tre drenge.

Wahid placerede mig op ad væggen over for drengene som havde kastet sig over Farid og nu kravlede rundt på ham. På trods af mine protester beordrede Wahid en af drengene til at hente endnu et tæppe så jeg kunne sidde mere behageligt på jorden, og bad Maryam om at komme med te til mig. Han spurgte hvordan turen fra Peshawar over Khyber-passet var gået.

„Jeg håber ikke I mødte nogen *dozd*'er," sagde han. Khyberpasset var berygtet både for terrænet og de banditter der huserede der og overfaldt vejfarende. Før jeg nåede at svare, blinkede han til mig og sagde med høj stemme: „Men ingen *dozd* gider selvfølgelig spilde tid på en bil så grim som min brors."

Farid var midt i en brydekamp med den mindste af de tre drenge og kildede ham i siden med sin intakte hånd. Knægten lo højt og spjættede med benene. „I det mindste har jeg en bil," stønnede Farid. „Hvordan har dit æsel det nu om dage?"

„Man sidder bedre på mit æsel end i din bil."

„*Khar khara mishnassah*," kom det lynhurtigt tilbage fra Farid. Man skal være et æsel for at kende et æsel. De lo alle larmende, og jeg lo med. Jeg hørte kvindestemmer inde i det tilstødende rum. Jeg kunne se halvdelen af rummet fra det sted hvor jeg sad. Maryam og en ældre kvinde iført en brun hijab – formentlig var det hendes mor – talte lavmælt sammen mens de hældte vand fra en kedel ned i en tepotte.

„Hvad laver De så i Amerika, Amir agha?" spurgte Wahid.

„Jeg er forfatter," sagde jeg. Jeg mente at kunne høre Farid klukle over det.

230

„Forfatter?" sagde Wahid, helt tydeligt imponeret. „Skriver De så om Afghanistan?"

„Jeg har gjort det. Men ikke i øjeblikket," svarede jeg. Min sidste roman, *Sæson for aske*, handlede om en universitetslærer der slutter sig til en flok sigøjnere efter at have overrasket sin kone i seng med en af sine elever. Det var ikke nogen dårlig bog. Nogle anmeldere havde kaldt den en 'god' bog, og en enkelt havde oven i købet brugt ordet 'medrivende'.

„Måske skulle De skrive om Afghanistan igen," sagde Wahid. „Fortælle resten af verden hvad talibanerne gør ved vores land."

„Øh, forstår De... jeg er ikke den slags forfatter."

„Åh," sagde Wahid og nikkede og rødmede lidt. „De ved selvfølgelig bedst. Det tilkommer ikke mig at foreslå..."

I samme øjeblik kom Maryam og den anden kvinde ind med et par kopper og en tepotte på en lille bakke. Jeg rejste mig høfligt, lagde hånden mod brystet og bøjede hovedet. *„Salaam alaykum,"* sagde jeg.

Kvinden, som nu havde trukket sin hijab hen over underansigtet, bøjede også hovedet. *„Salaam,"* svarede hun med næppe hørlig stemme. Vi fik aldrig øjenkontakt. Hun skænkede te mens jeg stod op.

Kvinden placerede den dampende kop te foran mig og forlod rummet med helt lydløse skridt på de bare fødder. Jeg satte mig ned og nippede til den stærke, sorte te. Til sidst brød Wahid den forlegne tavshed.

„Hvad bringer Dem så tilbage til Afghanistan?"

„Det der bringer dem *alle* tilbage til Afghanistan, kære bror," sagde Farid henvendt til Wahid, men med et foragtende blik rettet mod mig.

„*Bas!*" snappede Wahid.

„Det er altid det samme," sagde Farid. „Sælge jord, sælge hus, kradse pengene ind og løbe som mus. Tage tilbage til

Amerika, bruge pengene på en familieferie i Mexico."

„Farid!" brølede Wahid. Hans børn, ja også Farid, krympede sig. „Har du glemt dine manerer? Dette er *mit* hus! Amir agha er min gæst i aften, og jeg tillader ikke at du vanærer mig på denne måde!"

Farid åbnede munden, var lige ved at sige noget, tænkte sig om og sagde ingenting. Han faldt sammen mod væggen, mumlede et eller andet uhørligt og lagde sin ene lemlæstede fod over den anden. Hans anklagende øjne kiggede vedholdende på mig.

„Tilgiv os, Amir agha," sagde Wahid. „Min brors mund har lige siden barndommen været to skridt foran hans hoved."

„Det er min egen skyld," sagde jeg og forsøgte at smile trods Farids intense blik. „Jeg er ikke fornærmet. Jeg burde for længst have fortalt Farid om mit ærinde i Afghanistan. Jeg er her ikke for at sælge noget. Jeg skal til Kabul for at finde en dreng."

„En dreng?" gentog Wahid.

„Ja." Jeg fiskede polaroidfotoet op af skjortelommen. Synet af Hassan flåede den friske skorpe af sorgen over hans død. Jeg var nødt til at se væk. Jeg rakte det til Wahid. Han kiggede nøje på billedet. Så fra mig til billedet og tilbage igen.

„Denne dreng?"

Jeg nikkede.

„Denne hazaradreng?"

„Ja."

„Hvad betyder han for Dem?"

„Hans far betød meget for mig. Det er manden på billedet. Han er død nu."

Wahid blinkede. „Han var Deres ven?"

Mit instinkt bød mig at sige ja, som om jeg, et eller andet sted dybt nede, gerne ville holde babas hemmelighed skjult. Men der havde været tilstrækkeligt med løgne. „Han var min halvbror." Jeg sank en klump i halsen og tilføjede: „Min uægte halvbror." Jeg drejede tekoppen mellem mine hænder. Pillede ved hanken.

„Det var ikke min mening at være nyfigen."

„De var ikke nyfigen," sagde jeg.

„Hvad vil De med ham?"

„Tage ham med tilbage til Peshawar. Der er folk dér der vil tage sig af ham."

Wahid rakte fotoet tilbage og lod en kraftig hånd hvile på min ene skulder. „De er en mand af ære, Amir agha. En sand afghaner."

Jeg krympede mig indvendigt.

„Jeg er stolt over at have Dem som min gæst i aften," sagde Wahid. Jeg takkede ham og så stjålent hen på Farid. Han sad med sænket blik nu og pillede ved den frynsede kant på strå-måtten.

Lidt efter kom Maryam og hendes mor ind med to dampende skålfulde grønsags *shorwa* og to små brød. „Jeg beklager at vi ikke kan tilbyde Dem kød," sagde Wahid. „Kun talibanerne har råd til kød nu om dage."

„Det her ser pragtfuldt ud," sagde jeg. Og det var ikke løgn. Jeg spurgte om han og drengene ikke skulle have noget, men Wahid sagde at familien havde spist før vi kom. Farid og jeg rullede ærmerne op, dyppede brødet i *shorwa*'en og spiste med fingrene.

Mens jeg spiste, så jeg Wahids sønner, alle tre magre med snavsede ansigter og kortklippet brunt hår under hovedkalot-terne, sende stjålne blikke hen mod mit digitale armbåndsur. Den yngste hviskede et eller andet i sin brors øre. Broderen nikkede uden at tage blikket fra mit ur. Den ældste af drenge-ne – jeg gættede på at han måtte være omkring tolv år – rok-kede frem og tilbage med øjnene klistret til mit håndled. Efter maden, efter at jeg havde vasket hænder i det vand som Maryam hældte op fra en lerkande, bad jeg om Wahids tilladelse til at give hans drenge en *hadia*, en gave. Han sagde nej, men gav modstræbende sin tilladelse da jeg insisterede. Jeg klipsede uret af og rakte det til den yngste af drengene. Han mumlede et forlegent: *"Tashakor."*

"Man kan se hvad klokken er i alle byer i verden," fortalte jeg ham. Drengene nikkede høfligt og lod uret gå på omgang så de alle kunne se det. Men de mistede hurtigt interessen, og inden længe lå uret glemt på stråmåtten.

"De skulle have fortalt mig det," sagde Farid senere. Vi lå ved siden af hinanden på to stråmåtter som Wahids kone havde rullet ud til os.

"Fortalt Dem hvad?"

"Grunden til at De ville til Afghanistan." Den barske undertone som jeg havde døjet med lige siden jeg første gang hilste på ham, var nu forsvundet ud af hans stemme.

"De spurgte ikke," sagde jeg.

"De skulle have fortalt mig det."

"De spurgte ikke."

Han rullede om på siden med front mod mig. Lagde armen ind under hovedet. "Måske vil jeg hjælpe Dem med at finde denne dreng."

"Mange tak, Farid," sagde jeg.

"Det var forkert af mig at drage forhastede slutninger."

Jeg sukkede. "Bare rolig. De havde mere ret end De anede."

Hans hænder er bundet på ryggen med et groft stykke reb der bider igennem huden på hans håndled. Et stykke sort klæde er bundet for hans øjne. Han knæler med bøjet hoved på gaden, på kanten af en rende fyldt med stillestående vand. Hans knæ skraber mod den hårde jord og bløder gennem bukserne mens han rokker i bøn. Det er sent på eftermiddagen, og den lange

skygge som han kaster, rokker frem og tilbage på gruset. Han
mumler noget uhørligt. Jeg træder et skridt nærmere. Tusinde
gange og mere, mumler han. For Dem, tusinde gange og mere.
Frem og tilbage rokker han. Han løfter hovedet. Jeg ser et
svagt ar på overlæben.

Vi er ikke alene.

Løbet er det første jeg ser. Så manden der står bag ham.
Han er høj, klædt i sildebensmønstret vest og sort turban. Han
ser ned på den bagbundne mand med øjne der ikke afslører
andet end vidtstrakt, grotteagtig tomhed. Han træder et skridt
tilbage og løfter geværet. Sætter løbet mod den knælende
mands baghoved. Et øjeblik rammer det svindende sollys
metallet og glimter.

Geværet går af med et øredøvende brag.

Jeg følger med øjnene løbets opadgående kurve. Jeg ser
ansigtet bag krudtrøgen der hvirvler ud af mundingen. Jeg er
manden i den sildebensmønstrede vest.

Jeg vågnede med et skrig der sad fast i halsen.

Jeg trådte udenfor. Stod i halvmånelysets sølvskær og kiggede
op på den stjernebestrøede himmel. Fårekyllingerne sang ude
i det tætte mørke, og en brise fik træernes blade til at rasle.
Jorden var kølig under mine bare fødder, og pludselig, for
første gang siden vi krydsede grænsen, følte jeg at jeg var
kommet hjem. Efter alle de mange år var jeg hjemme igen,
stod på mine forfædres jord. Det var den jord hvor min oldefar
havde giftet sig med sin tredje hustru før han året efter døde i
den koleraepidemi der hærgede i Kabul i 1915. Hun havde
født ham hvad hans første to koner ikke havde kunnet: en søn.
Det var på denne jord at min farfar var taget på jagt sammen
med kong Nadir Shah og havde skudt en hjort. Min mor døde
på denne jord. Og på denne jord havde jeg kæmpet for min
fars kærlighed.

Jeg satte mig op ad husets lermur. Det slægtskab jeg pludselig følte med det gamle land… det kom bag på mig. Jeg havde været længe nok væk til at glemme og blive glemt. Jeg havde et hjem i et land som for de mennesker der lå og sov på den anden side af muren, lige så godt kunne befinde sig i en anden galakse. Jeg troede jeg havde glemt alt om dette land. Men det havde jeg ikke. Og i det nøgne skær fra en halvmåne mærkede jeg Afghanistan nynne under mine fødder. Måske havde Afghanistan heller ikke glemt mig.

Jeg så mod vest og forundredes over at der stadig lå et Kabul et eller andet sted bag de bjerge. Det fandtes virkelig, var ikke kun et gammelt minde eller overskriften på en Associated Press-artikel på side 15 i *San Francisco Chronicle*. Et eller andet sted bag de bjerge mod vest lå den by og sov hvor min bror med hareskåret og jeg havde sat drager op. Et eller andet sted dér var den bagbundne mand i min drøm død en meningsløs død. Engang, bag de bjerge, havde jeg truffet et valg. Og nu, et kvart århundrede senere, havde dette valg ført mig tilbage til denne jord.

Jeg skulle lige til at gå ind igen da jeg hørte stemmer inde fra huset. Jeg genkendte en af dem som Wahids.

„… ikke noget tilbage til børnene.“

„Vi er sultne, men vi er ikke barbarer! Han er vores gæst! Hvad andet kunne jeg gøre?“ spurgte han træt.

„… finde noget i morgen.“ Det lød som om hun var på grådens rand. „Hvad skal jeg give…“

Jeg listede væk. Jeg forstod nu hvorfor drengene ikke havde vist mere interesse for uret. De havde overhovedet ikke kigget på det. De havde kigget på min mad.

Vi sagde farvel tidligt næste morgen. Lige før jeg satte mig op i Land Cruiseren, takkede jeg Wahid for hans gæstfrihed. Han pegede på det lille hus bag sig. „Det er Deres hjem,“ sagde han. Hans tre sønner stod og kiggede på os henne fra døren. Den lille havde uret på – det dinglede fra hans tændstiktynde håndled.

Jeg kiggede i sidespejlet da vi kørte. Wahid stod omgivet af sine drenge i den støvsky som hjulene hvirvlede op. Det faldt mig ind at i en anden verden ville de drenge ikke have været så sultne at de ikke havde kræfter til at løbe efter bilen.

Tidligere på morgenen, da jeg var sikker på at ingen kiggede, havde jeg gjort noget jeg også havde gjort for seksogtyve år siden: lagt en håndfuld krøllede pengesedler ind under en madras.

TYVE

Farid havde advaret mig. Det havde han virkelig. Men det viste sig at han havde talt for døve øren.

Vi kom kørende ad en kraterfyldt vej der snor sig fra Jalalabad til Kabul. Sidste gang jeg kørte den vej, sad jeg i en presenningdækket lastvogn der var på vej i den modsatte retning. Baba havde nær fået sig selv skudt af en syngende, vind og skæv *roussi*-officer – baba havde gjort mig så vred den nat, så bange, og, i sidste ende, så stolt. Vejen mellem Kabul og Jalalabad, en knogleraslende tur ned fra et højtliggende pas og rundt og rundt mellem bjerge, var nu et mindesmærke, et mindesmærke over to krige. Tyve år forinden havde jeg set noget af den første krig med egne øjne. Dystre påmindelser om den lå strøet ud langs vejen: udbrændte, russiske bæltekøretøjer, væltede militærlastbiler, nu kun rustne vrag, en knust russisk jeep der var kørt i afgrunden. Den anden krig havde jeg fulgt med i på tv-skærmen. Og nu så jeg den med Farids øjne.

Farid var en mand i sit rette element da han ubesværet snoede sig rundt mellem hullerne i vejen. Han var blevet meget mere snakkesalig efter vores overnatning i Wahids hus. Han havde sat mig på passagersædet og kiggede på mig når han talte. Han havde også smilet til mig en gang eller to, og vi var blevet dus. Med den lemlæstede hånd på rattet udpegede han små landsbyer med lerklinede huse langs vejen hvor han en-gang havde kendt folk. De fleste af dem, sagde han, var enten døde eller boede i flygtningelejre i Pakistan. „Og en gang imellem er de døde de heldigste," sagde han.

Han pegede på de sammenstyrtede, sodsværtede rester af en lillebitte landsby. Det eneste der stod tilbage, var sorte, tagløse mure. Jeg så en hund ligge og sove henne ved en af murene. „Der boede engang en af mine venner," sagde Farid. „Han var meget dygtig til at reparere cykler. Han spillede også godt på tabla. Talibanerne myrdede ham og hans familie og brændte landsbyen ned til grunden."

Vi kørte langsomt forbi den nedbrændte landsby, og hunden rørte sig ikke.

I gamle dage tog turen fra Jalalabad til Kabul to timer, måske lidt mere. Det tog Farid og mig fire timer at komme dertil. Og da vi gjorde det... Farid advarede mig netop som vi passerede Mahipar-dæmningen.

„Kabul er ikke som du husker den," sagde han.

„Det har jeg hørt."

Farid sendte mig et blik som om det at høre ikke var det samme som at se med egne øjne. Og han havde ret. For da Kabul langt om længe rullede sig ud foran os, var jeg sikker på, helt sikker på, at han et eller andet sted var kørt forkert. Farid måtte have set det på mit lamslåede ansigt; efter at have fragtet folk frem og tilbage fra Kabul, ville det være et for ham velkendt udtryk hos folk der ikke havde set Kabul i lang tid.

Han klappede mig på skulderen. „Velkommen hjem," sagde han mørkt.

Ruiner og tiggere. Uanset hvor jeg så hen, var det det jeg så. Jeg kunne godt huske tiggere fra gamle dage – baba havde altid en ekstra håndfuld afghani-sedler i lommen til dem; jeg havde aldrig set ham afvise en tigger. Men nu, nu sad de på hvert eneste gadehjørne, klædt i trevlede hessiansække, med møgbeskidte hænder rakt frem mod de forbipasserende. Og tiggerne var for det meste børn nu, afpillede med udslukte øjne, nogle af dem kun fem eller seks år gamle. De sad på skødet af deres burqa-indhyllede mor langs rendestene på travle gader og messede: „*Bakhshesh, bakhshesh*!" Og noget andet, noget som jeg ikke havde lagt mærke til med det samme: Næsten ingen af dem sad med en voksen mand – krigene havde gjort fædre til en sjælden vare i Afghanistan.

Vi var på vej vestpå mod Karteh-Seh-kvarteret ad det som jeg huskede som en hovedfærdselsåre i halvfjerdserne: Jadeh Maywand. Lige nord for os snoede den nu knastørre Kabul-flod sig gennem byen. På bakkerne mod syd rejste den sammenskudte gamle bymur sig. Lige øst for den lå Bala Hissar-fortet – den gamle fæstning som krigsherren Dostum havde besat i 1992 – på Shirdarwaza-bjergkæden, de samme bjerge hvorfra mujahedinerne havde sendt byger af missiler ned mod Kabul mellem 1992 og 96 og været årsag til det meste af den skade jeg nu var vidne til. Shirdarwaza-bjergene strakte sig hele vejen mod vest. Det var fra de bjerge at jeg kan huske braget fra *Topeh chasht*, 'eftermiddagskanonen'. Den blev affyret hver dag ved middagstid og også som signal om at dagfasten var forbi i ramadan-måneden. Dengang kunne man høre braget fra kanonen i hele byen.

„Jeg plejede at komme her til Jadeh Maywand da jeg var barn," mumlede jeg. „Der plejede at være butikker her, og hoteller. Neonlys og restauranter. Jeg plejede at købe drager af en gammel mand ved navn Saifo. Han havde en lille dragebutik henne ved det gamle politihovedkvarter."

„Politigården ligger der stadig," svarede Farid. „Vi mangler ikke politi i denne by. Men du vil ikke kunne finde drager eller dragebutikker på Jadeh Maywand eller noget andet sted i Kabul. Den tid er forbi."

Jadeh Maywand var forvandlet til et gigantisk sandslot. De bygninger der ikke var faldet fuldstændig sammen, var tæt på at gøre det: Tage var faldet ned, mure gennemhullede af granatild. Hele husblokke var blevet reduceret til brokker. Jeg så et skudgennemhullet skilt halvt begravet i en bunke sten. Der stod DRIK COCA-CO—. Jeg så børn lege i ruinerne af vinduesløse huse midt mellem bjerge af lersten. Cyklister og muldyrstrukne vogne snoede sig ind og ud mellem børn, herreløse hunde og bunker af møg. En støvsky hang over byen, og på den anden side af floden steg en enkelt røgsøjle til vejrs.

„Hvor er alle træerne?" spurgte jeg.

„Folk fældede dem for at skaffe brændsel til vinteren," sagde Farid. „*Shorawi* fældede også en hel del af dem."

„Hvorfor?"

„Snigskytter plejede at gemme sig bag dem."

Sorgen vældede op i mig. At komme tilbage til Kabul var som at løbe ind i en gammel, længst glemt ven og se at livet havde behandlet ham skidt; at han var blevet hjemløs og forarmet.

„Min far byggede et børnehjem i Shar-e-Kohna, den gamle by, længere mod syd," sagde jeg.

„Det husker jeg godt," sagde Farid. „Det blev ødelagt for et par år siden."

„Gider du holde ind til siden?" spurgte jeg. „Jeg vil gerne gå en lille tur."

Farid kørte ind til kantstenen i en lille baggade ved siden af en faldefærdig, forladt bygning uden dør. „Her lå der engang et apotek," mumlede Farid da vi var kommet ud af bilen. Vi gik tilbage til Jadeh Maywand og drejede mod højre i vestlig retning. „Hvad er det der lugter af?" spurgte jeg. Et eller andet fik mine øjne til at løbe i vand.

„Diesel," svarede Farid. „Elektricitetsværket går hele tiden ned, så der ingen strøm er. Folk bruger diesel i stedet for."

„Diesel. Kan du huske hvad der lugtede af her i gaden i gamle dage?"

Farid smilede. „Kabob."

„Lamme-kabob," sagde jeg.

„Lam." Farid smagte på ordet. „De eneste mennesker i Kabul der nu spiser lam, er talibanerne." Han trak mig i ærmet. „Og når man taler om…"

En ladvogn nærmede sig. „Skægkontrol," mumlede Farid.

Det var første gang jeg så talibanerne. Jeg havde set dem på tv, på internettet, på forsiden af tidsskrifter og i aviserne. Men her stod jeg nu, mindre end tyve meter fra dem, og sagde til mig selv at den pludselig smag i min mund ikke var uforfalsket, nøgen angst. Sagde til mig selv at alt kødet på min krop ikke var kravlet helt ind i knoglerne, og at mit hjerte ikke var ved at gå i stå. Her kom de. I al deres magt og vælde.

Den røde Toyota pickup kørte langsomt forbi os. En hånd fuld bistert udseende unge mænd sad på hug på ladet med Kalashnikover slynget over skulderen. De havde alle skæg og bar turban. En af dem, en mørkhudet mand først i tyverne med kraftige, rynkede øjenbryn, hvirvlede en pisk rundt i hånden og slog taktfast på siden af bilen med den. Hans årvågne blik faldt på mig. Fastholdt mit blik. Jeg havde aldrig følt mig så nøgen i hele mit liv. Så sendte talib'en en tobaksbrun spytklat ned på vejen og så væk. Jeg opdagede at jeg kunne trække vejret igen. Pickuppen kørte videre ned ad Jadeh Maywand med en støvsky efter sig.

„Hvad er der i vejen med dig?" hvæsede Farid.

„Hvad?"

„Vov ikke at stirre på dem. Forstår du mig? Aldrig nogensinde!"

„Det var ikke min mening at gøre det," sagde jeg.

„Deres ven har ret, agha. De kunne lige så godt have pirket til en gal hund med en pind," sagde en eller anden. Denne nye stemme tilhørte en gammel tigger med bare fødder som sad på trappen til en medtaget bygning. Han var iført en tyndslidt *chapan* der næppe bestod af mere end trevler, og en snavset turban. Venstre øjenlåg hang ned over en tom øjenhule. Han pegede med en gigtkroget hånd i den retning pickuppen var forsvundet. „De kører rundt og kigger. Kigger og håber på at en eller anden provokerer dem. Før eller siden går deres håb i opfyldelse. Så fester køterne, og dagens kedsomhed er langt om længe forbi, og alle siger 'Allah-u-akbar'! Og på de dage hvor ingen forbryder sig, ja, det er de dage med tilfældig vold, ikke sandt?"

„Hold øjnene rettet mod dine fødder når talibanerne er i nærheden," sagde Farid.

„Deres ven giver gode råd," messede tiggeren. Han hostede slim op og spyttede det ud i et beskidt lommetørklæde. „Tilgiv mig, men har De et par afghanier til overs?" gispede han.

„*Bas*. Vi går," sagde Farid og trak mig i armen.

Jeg rakte den gamle mand hundredtusind afghanier, eller det der svarer til omkring tre dollars. Da han bøjede sig frem for at tage pengene, steg stanken – som sur mælk og fødder der ikke havde set vand og sæbe i mange uger – op i min næse og sendte indholdet i min mave op i halsen på mig. Han skyndte sig at stikke pengene ned i bukselinningen mens øjnene flakkede fra side til side. „En million tak for Deres gavmildhed, agha sahib."

„Ved De hvor børnehjemmet i Karteh-Seh ligger?" spurgte jeg.

„Det er ikke svært at finde, lige vest for Darulaman Boulevard," sagde han. „Børnene blev flyttet herfra til Karteh-Seh efter at det gamle børnehjem var blevet ramt af et missil.

Hvilket er lidt som at redde børnene ud af løveburet og smide dem ind i tigerens."

„Tak, agha," sagde jeg. Jeg vendte mig om for at gå.

„Det var første gang, ikke?"

„Første gang hvad?"

„Første gang De så en talib?"

Jeg svarede ikke. Den gamle tigger nikkede og smilede. Afslørede en håndfuld tilbageværende tænder, alle skæve og gule. „Jeg kan huske første gang jeg så dem komme kørende ind i Kabul. Hvor var det en skøn dag!" sagde han. „Slut med myrderierne! *Wah wah*! Men som digteren siger: 'Hvor sømløs forekom kærlighed, og så kom problemerne!'"

Et smil brød ud på mit ansigt. „Den *ghazal* kender jeg. Det er Hãfez."

„Korrekt," svarede den gamle „Jeg burde vide det. Jeg plejede at undervise på universitetet."

„Gjorde De det?"

Den gamle mand hostede. „Fra 1958 til 1996. Jeg underviste i Hãfez, Khayyám, Rumi, Beydel, Jami, Saadi. Et år var jeg gæsteforelæser i Teheran. 1971, var det. Jeg forelæste over den mystiske Beydel. Jeg kan huske at de alle stod op og klappede. Ha!" Han rystede på hovedet. „Men De så de unge mænd i pickuppen. Hvad af værdi tror De at den slags mænd ser i sufisme?"

„Min mor underviste på universitetet," sagde jeg.

„Hvad hed hun?"

„Sofia Akrami."

Det lykkedes ham at blinke med et øje der var sløret af stær. „'Ørkenukrudt trives, men forårets blomster springer ud og visner.' Hvilken gratie, hvilken værdighed, hvilken tragedie."

„Kendte De min mor?" spurgte jeg og knælede ned foran den gamle mand.

„Ja da," svarede den gamle tigger. „Vi plejede at sidde og

tale sammen efter timerne. Sidste gang var en regnvejrsdag lige
før de afsluttende eksamener hvor vi delte en skive vidunderlig
nøddetærte. Nøddetærte med te og honning. Hun var temme-
lig langt henne på det tidspunkt, og så meget desto smukkere.
Jeg vil aldrig glemme hvad hun sagde til mig den dag."

„Hvad? Vær rar at fortælle mig det." Baba havde altid
beskrevet min mor i overfladiske vendinger som: 'Hun var en
storartet kvinde.' Men jeg havde altid tørstet efter detaljer:
Måden hendes hår havde skinnet på i solskin, hvilken is hun
holdt mest af, hvilke sange hun elskede at nynne med på, og
om hun bed negle? Baba tog sine minder om hende med sig i
graven. Måske ville alene det at sige hendes navn have mindet
ham om hans skyld, om det han havde gjort efter hendes død.
Eller måske havde tabet af hende været så stort, hans smerte
så voldsom, at han ikke havde kunnet holde ud at tale om
hende. Måske begge dele.

„Hun sagde: 'Jeg er så bange.' Og jeg sagde: 'Hvorfor?', og
hun sagde: 'Fordi jeg er så inderligt lykkelig, dr. Rasul. Så stor
lykke gør mig bange.' Jeg spurgte igen hvorfor, og hun sagde:
'De lader en være lykkelig hvis de gør klar til at tage noget fra
en!', og jeg sagde: 'Tys nu. Ikke så meget vås.'"

Farid tog mig i armen. „Vi må gå nu, Amir," sagde han
lavmælt. Jeg rev armen til mig. „Hvad ellers? Hvad sagde hun
ellers?"

Udtrykket i den gamle mands ansigt blev blødt. „Jeg ville
ønske jeg kunne huske det for Dem. Men det kan jeg ikke.
Deres mor gik bort for mange år siden, og min hukommelse er
lige så ødelagt som disse huse. Det gør mig ondt."

„Bare en lille ting, hvad som helst."

Den gamle mand smilede. „Jeg skal forsøge at grave i hu-
kommelsen, og det er et løfte. Kom tilbage en anden gang."

„Tak," sagde jeg. „Mange, mange tak." Og jeg mente det.
Nu vidste jeg at min mor havde kunnet lide te og nøddetærter

med honning, at hun engang havde brugt ordet 'inderligt', at hun havde været bekymret over sin lykke. Jeg havde netop erfaret mere om min mor fra denne gamle mand på gaden end jeg nogensinde havde fra baba.

På vej tilbage til bilen var der ingen af os der kommenterede hvad de fleste ikke-afghanere ville have regnet for et usandsynligt tilfælde: at en tigger på gaden skulle have kendt min mor. For vi vidste begge at i Afghanistan, og især i Kabul, var den slags absurditeter almindelige. Baba plejede at sige: „Tag to afghanere som aldrig har mødt hinanden, sæt dem i samme rum i ti minutter, og de vil have fundet ud af hvordan de er beslægtet med hinanden."

Vi efterlod den gamle mand på trappen op til en bygning. Det var min mening at tage ham på ordet og komme tilbage for at se om han var kommet i tanke om flere historier om min mor. Men jeg så ham aldrig igen.

Vi fandt det nye børnehjem i den nordlige del af Karteh-Seh ved bredden af den udtørrede Kabul-flod. Det var en flad, barakagtig ejendom med arrede mure og vinduer der var blændet med planker. Farid havde på vej dertil fortalt mig at Karteh-Seh var et af de værst tilredte kvarterer i byen, og da vi steg ud af bilen, var beviserne på det overvældende. Vejene var fyldt med kratere og flankeret af bygninger der var skudt i grus, og forladte hjem. Vi kom forbi en væltet bil der ikke var ret meget mere end en rustbunke, et fjernsynsapparat uden skærm og halvt begravet i en bunke brokker, og en mur sprøjtemalet med ordene ZENDA BAD TALIBAN – Længe leve talibanerne.

En lille, tynd og halvskaldet mand med pjusket gråt skæg lukkede op. Han var iført en pjaltet tweedjakke, hovedkalot og et par briller med et revnet glas, der dinglede ude på næsetippen. Bag brillerne smuttede øjne så små som sorte ærter fra mig til Farid. „*Salaam alaykum.*"

„*Salaam alaykum,*" sagde jeg. Jeg viste ham polaroidbilledet. „Vi leder efter denne dreng."

Han kastede et overfladisk blik på fotoet. „Beklager. Jeg kender ham ikke."

„De så ikke særlig omhyggeligt på billedet, min ven," sagde Farid. „Hvad med at kigge nøjere efter."

„*Loftan,*" tilføjede jeg. Vær så venlig.

Manden bag døren tog billedet. Kiggede på det. Rakte det tilbage til mig. „Nej, beklager. Jeg kender så godt som alle børn i denne institution, og ham her ser ikke bekendt ud. Og nu, hvis De vil være så venlig, jeg har travlt." Han lukkede døren. Låste den.

Jeg bankede på døren med knoerne. „Agha! Agha, vær venlig at lukke op. Vi vil Dem ikke noget ondt."

„Jeg gentager: Han er ikke her," lød hans stemme fra den anden side. „Vær venlig at gå jeres vej."

Farid trådte hen til døren og lagde panden mod den. „Ven, vi har intet med talibanerne at gøre," sagde han med lav, forsigtig stemme. „Manden som er sammen med mig, ønsker at bringe denne dreng i sikkerhed."

„Jeg kommer fra Peshawar," sagde jeg. „En af mine gode venner kender et amerikansk ægtepar som bestyrer et hjem for forældreløse børn." Jeg kunne mærke mandens tilstedeværelse på den anden side af døren. Kunne fornemme at han stod der, lyttede, tøvede, fanget mellem mistro og håb. „Hør her, jeg kendte Sohrabs far," sagde jeg. „Hans navn var Hassan. Hans mor hed Farzana. Han kaldte sin farmor for Sasa. Han kan læse og skrive. Og han er god med en slangebøsse. Der er håb for denne dreng, agha, en mulighed for at slippe ud af landet. Vær rar at åbne døren."

Kun stilhed på den anden side.

„Jeg er hans halvonkel," sagde jeg.

Der gik et øjeblik. Så raslede en nøgle i låsen. Mandens smalle ansigt kom til syne i sprækken. Han så fra mig hen på Farid og tilbage igen. „En af de ting De nævnte, er forkert."

„Hvad?"

„Han er *fantastisk* med en slangebøsse."

Jeg smilede.

„Han har den altid på sig. Han har den hængende i bukselinningen uanset hvor han er henne."

Manden som lukkede os ind, præsenterede sig som Zaman, direktør for børnehjemmet. „Kom, vi går op på mit kontor," sagde han.

Vi fulgte efter ham ad halvmørke, beskidte gange hvor barfodede børn iført hullede sweatere tumlede rundt. Vi kom forbi rum med kun måtter på gulvet og vinduer med kun plastic for. Metalsenge, de fleste uden madras, stod tæt op ad hinanden.

„Hvor mange børn bor der her?" spurgte Farid.

„Flere end vi har plads til. Omkring to hundrede halvtreds," sagde Zaman over skulderen. „Men de er ikke alle *yateem*. Mange af dem har mistet deres far i krigen, og deres mødre kan ikke forsørge dem fordi talibanerne ikke tillader dem at have et arbejde. Og så kommer de her med børnene." Han slog ud med armen i en bred bue og tilføjede mørkt: „Det er bedre end ude på gaden, men ikke meget. Det var aldrig meningen at nogen skulle bo i det her hus – det plejede at være lager for en tæppefabrikant. Så der er ikke varmt vand, og de har ladet brønden løbe tør." Han sænkede stemmen. „Jeg har bedt talibanerne om penge til en ny brønd flere gange end jeg kan mindes, men de snurrer bare deres bedekranse og siger at der ingen penge er. Ingen penge." Han snøftede.

Han pegede på en række senge langs væggen. „Vi har ikke senge nok og ikke nok madrasser til dem vi har. Værre endnu:

Vi har ikke nok tæpper." Han pegede på en lille pige der sjippede med to andre børn. „Kan I se den pige der? Sidste vinter måtte børnene deles om tæpperne. Hendes bror frøs ihjel." Han gik videre. „Sidst jeg så efter, havde vi ris tilbage til under en måned, og når vi løber tør, vil børnene skulle spise brød til morgenmad *og* aftensmad." Jeg bed mærke i at han ikke omtalte frokost.

Han stod stille og vendte sig om mod mig. „Der er meget lidt plads her, næsten ingen mad, intet tøj, ikke noget rent drikkevand. Men tragedien er at de børn her er de heldige. Hjemmet er fyldt til bristepunktet, og jeg må hver dag vise mødre væk der kommer med deres børn." Han trådte et skridt nærmere. „De siger at der er håb for Sohrab? Jeg beder til at det ikke er en løgn, agha. Men... det er tænkeligt at De er kommet for sent."

„Hvad mener De?"

Zamans blik flakkede. „Følg mig."

Det der gjorde det ud for direktørkontor, var fire nøgne, revnede vægge, en måtte på gulvet, et bord og to klapstole. Da Zaman og jeg satte os ned, så jeg en grå rotte stikke hovedet frem fra et hul i væggen og flintre hen over gulvet. Jeg krympede mig da den standsede for at snuse først til mine sko og derefter til Zamans før den smuttede ud ad døren.

„Hvad mente De med at det måske er for sent?" spurgte jeg.

„Kunne De tænke Dem lidt *chai*? Jeg kunne lave noget."

„Nej tak. Jeg vil hellere snakke."

Zaman vippede tilbage på stolen og lagde armene over kors. „Hvad jeg har at sige, er ikke rart. For ikke at tale om at det kan være meget farligt."

„For hvem?"

„For Dem. Mig. Og selvfølgelig Sohrab hvis det ikke allerede er for sent."

„Jeg er nødt til at vide det," sagde jeg.

Han nikkede. „Som De vil. Men først er jeg nødt til at stille Dem et spørgsmål: Hvor vigtigt er det for Dem at finde Deres nevø?"

Jeg tænkte tilbage på alle de slåskampe vi udkæmpede som børn, alle de gange Hassan kæmpede på mine vegne, to mod en, en gang imellem tre mod en. Jeg stod og krympede mig, overvejede at blande mig, men gjorde det aldrig, der var altid et eller andet der havde holdt mig tilbage.

Jeg så ud på gangen, så en flok børn danse i rundkreds. En lille pige hvis venstre ben var amputeret lige under knæet, sad på en ussel madras og så smilende og klappende til mens de andre dansede. Jeg så at også Farid kiggede på børnene; hans egen lemlæstede hånd hang ned langs siden. Jeg tænkte på Wahids drenge… og pludselig vidste jeg det bare: Jeg ville ikke rejse fra Afghanistan uden Sohrab. „Fortæl mig hvor han er," sagde jeg.

Zaman kiggede lidt længere på mig. Så nikkede han, tog en blyant op og snurrede den rundt mellem fingrene. „Hold mit navn ude af det."

„Det lover jeg."

Han trommede på bordet med blyanten. „På trods af det løfte har jeg en mistanke om at jeg vil komme til at fortryde dette, men måske er det godt det samme. Jeg er alligevel dømt til undergang. Men hvis noget kan gøres for Sohrab… Jeg fortæller Dem det fordi jeg tror på Dem. De ligner en desperat mand." Han tav længe. Så: „Der er en talib-officer," mumlede han. „Han kommer på besøg et par gange om måneden. Han har penge med, ikke meget, men bedre end ingenting." Hans flakkende blik ramte mig, jog videre. „Normalt vælger han en pige. Men ikke altid."

„Og det tillader De?" sagde Farid bag mig. Han var på vej rundt om bordet, hen mod Zaman.

„Hvad skal jeg stille op?" svarede Zaman hidsigt. Han skubbede sig væk fra bordet.

„De er direktør for børnehjemmet her," sagde Farid. „Deres job er at beskytte disse børn."

„Jeg kan ikke gøre noget for at forhindre det."

„De sælger børnene!" glammede Farid.

„Farid, sæt dig ned. Lad os høre resten af historien," sagde jeg. Men det var for sent. For pludselig sprang Farid hen over bordet. Zamans stol fløj gennem rummet da Farid faldt over ham og maste ham ned mod gulvet. Direktøren sparkede ud under Farid og udstødte dæmpede skrig. Hans ben ramte en skrivebordsskuffe, og papirerne væltede ud.

Jeg løb rundt om bordet og så hvorfor Zamans skrig var dæmpede: Farid var ved at kværke ham. Jeg greb fat om Farids skuldre med begge hænder og trak hårdt til. Han forsøgte at rykke sig ud af grebet. „Så er det nok!" glammede jeg. Men Farid var rød i hovedet, og hans læber trukket tilbage i en snerren. „Jeg slår ham ihjel! Du kan ikke forhindre mig i det! Jeg slår ham ihjel!" hvæsede han.

„Slip ham!"

„Jeg slår ham ihjel!" Noget i hans stemme sagde mig at hvis jeg ikke lynhurtigt fandt på noget, ville jeg blive vidne til mit første mord.

„Børnene kigger på os, Farid. De kigger på os," sagde jeg. Skuldermusklerne strammedes lidt mere under mine hænder, og et øjeblik troede jeg at han ville fortsætte med at strangulere Zaman. Så drejede han hovedet og fik øje på børnene. De stod tavse i døren, med hinanden i hånden; nogle af dem græd. Jeg kunne mærke Farids muskler blive slappe. Han lod hænderne falde og rejste sig. Han så ned på Zaman og lod en spytklat lande lige midt i hans ansigt. Så gik han hen til døren og lukkede den.

Zaman kæmpede sig på benene, tørrede blodet fra munden

med ærmet, spyttet af kinden. Hostende og hivende efter vejret satte han sin hovedkalot på plads, sine briller; så opdagede han at begge glas nu var gået i stykker og tog dem af igen. Han begravede ansigtet i hænderne. I lang tid var der ingen af os der sagde noget.

„Han tog Sohrab for en måned siden," kvækkede Zaman til sidst uden at tage hænderne fra ansigtet.

„Og De kalder Dem direktør?" sagde Farid.

Zaman lod hænderne falde. „Jeg har ikke fået løn i seks måneder. Jeg er ruineret fordi jeg har brugt al min opsparing på dette børnehjem. Alt hvad jeg ejede eller havde arvet, er blevet solgt for at drive det her gudsforladte sted. De tror måske ikke jeg har familie i Pakistan eller Iran? Jeg kunne være stukket af ligesom alle de andre. Men det gjorde jeg ikke. Jeg blev. Jeg blev på grund af *dem*." Han pegede på døren. „Hvis jeg nægter ham ét barn, tager han ti. Så jeg lader ham tage et og overlader dommen til Allah. Jeg sluger min stolthed og tager hans beskidte, modbydelige penge. Og bagefter går jeg til basaren og køber mad til børnene."

Farid slog blikket ned.

„Hvad sker der med de børn han tager med?" spurgte jeg.

Zaman gned sig i øjnene med pege- og tommelfinger. „En gang imellem kommer de tilbage."

„Hvem er han? Hvor finder vi ham?" sagde jeg.

„Gå til Ghazi Stadion i morgen. De vil kunne se ham i halvlegen. Det er ham med de sorte solbriller." Han samlede sine ødelagte briller op og drejede dem rundt mellem hænderne. „Jeg vil gerne have at De går nu. Børnene er bange."

Han fulgte os ud.

Da vi kørte, så jeg tilbage på Zaman i sidespejlet; han stod i døråbningen med en flok børn omkring sig der klyngede sig til hans løsthængende skjorte. Jeg så at han havde taget brillerne på.

Vi krydsede floden og kørte mod nord via den travle Pashtu-
nistan Plads. Baba plejede at tage mig med på Khyber Restau-
rant der. Vi spiste altid kabob. Bygningen fandtes stadig, men
der var hængelås for dørene, vinduerne var smadrede, og
bogstaverne K og R manglede i navnet.

Jeg så et lig i nærheden af restauranten. Der havde fundet en
lynchning sted. En ung mand med et opsvulmet og blåt ansigt
dinglede for enden af et reb der var bundet til en gadelygte.
Det tøj han havde haft på den sidste dag af sit liv, var trevlet,
blodigt. Kun få så ud til at bemærke ham.

Vi kørte tavse hen over pladsen og videre i retning af Wazir
Akbar Khan. Uanset i hvilken retning jeg så, lå en støvsky hen
over byen og dens soltørrede lerstenshuse. Et par gader nord
for Pashtunistan Plads pegede Farid på to mænd der stod og
talte livligt sammen på et travlt gadehjørne. Den ene stod og
hoppede på ét ben; det andet var amputeret under knæet. Han
havde sit kunstige ben i armene. „Ved du hvad de står og
laver? De prutter om prisen på benet."

„Mener du han er ved at sælge sit ben?"

Farid nikkede. „Man kan få en god pris for den slags på det
sorte marked. Nok til at ens unger kan få mad et par uger."

Til min overraskelse havde de fleste huse i Wazir Akbar Khan
stadig tag og intakte mure. Faktisk var de i ret god stand. Over
murene sås stadig træer, og vejene var ikke nær så sønderbom-
bede som dem i Karteh-Seh. Falmede gadeskilte, nogle af dem
forvredne og gennemhullede af kugler, viste stadig vej.

„Det her er ikke særlig slemt," sagde jeg.

„Det er ikke så sært. Det er her de fleste betydningsfulde
personer bor."

„Talibanere?"

„Også dem," sagde Farid.

„Hvem ellers?"

Han drejede ind på en bred gade med nogenlunde rene fortov og muromkransede huse på begge sider. „Folkene bag talibanerne. De virkelige hjerner bag denne regering, hvis man da kan kalde den det. Arabere, tjetjenere, pakistanere," sagde Farid. Han pegede mod nordvest. „15. Gade, den vej der, kaldes Sarak-e-Mehmana." Gæsternes Gade. „Det er hvad de kaldes her, gæster. Jeg tror at vores gæster en dag vil pisse ud over hele tæppet."

„Jeg tror det er der!" sagde jeg. „Derovre!" Jeg pegede på det landemærke som plejede at vise mig vej da jeg var lille. *Hvis du nogensinde farer vild*, havde baba sagt igen og igen, *så husk at vores gade er den med det lyserøde hus for enden.* Det lyserøde hus med et stejlt, tjæret tag havde i gamle dage været det eneste hus i den farve. Det var det stadig.

Farid drejede ind i gaden. Jeg fik med det samme øje på babas hus

Vi finder den lille skildpadde bag vinrosens sammenfiltrede grene ude i haven. Vi ved ikke hvordan den er kommet der, og vi er for ophidsede til at bryde os om det. Vi maler dens skjold knaldrødt, det er Hassans idé, og den er god. På den måde vil vi altid kunne finde den inde mellem buskene. Vi leger at vi er et par fandenivoldske opdagelsesrejsende som har fundet et gigantisk præhistorisk monster i en eller anden fjern jungle, og at vi har bragt det med tilbage så resten af verden kan se det. Vi sætter det ned i en sæbekassebil som Ali byggede til Hassan sidste vinter i fødselsdagsgave, og lader som om den er et stålbur. Kom og se det ildspyende monster! Vi marcherer rundt på plænen med sæbekassebilen efter os, rundt om æble- og kirsebærtræer som bliver til skyskrabere der rækker mod himlen, og med hoveder der stikker ud ad tusindvis af vinduer for at følge med i det skue der breder sig ud nedenunder. Vi går over den lille buede bro som baba har bygget i nærheden af en klynge figentræer; den bliver til en stor hængebro som forbinder byer, og den lille dam underneden bliver til et skummende hav. Fyrværkeri eksploderer over broens massive piller, og bevæbnede soldater saluterer os på begge sider foran gigantiske stålkabler der suser mod himlen. Den lille skildpadde bumper rundt i sæbekassebilen da vi trækker af sted med den i den snoede, murstensbelagte indkørsel uden for smedejernsporten og gengælder verdensledere hilsen som de står der og klapper. Vi er Hassan og Amir, berømte eventyrere og verdens største opdagelsesrejsende som netop skal til at modtage en medalje for vores heltedåd.

Jeg gik forsigtigt op ad indkørslen hvor der nu voksede ukrudt mellem de solblegede mursten. Jeg stod uden for porten til min fars hus og følte mig som en fremmed. Jeg tog fat om de rustne tremmer og tænkte på hvordan jeg tusindvis af gange var løbet gennem disse låger da jeg var barn, i ærinder som nu intet betød, men som havde forekommet mig så vigtige dengang. Jeg kiggede ind.

Den videre vej gennem haven op til huset hvor Hassan og jeg skiftedes til at falde den sommer vi lærte at cykle, så ikke så bred ud som jeg huskede den. Asfalten var revnet i siksak-mønster, og ukrudt voksede op gennem revnerne. De fleste af poppeltræerne var blevet fældet – de træer Hassan og jeg plejede at klatre op i og sende solens stråler fra lommespejle ind i vores naboers huse. De der stadig stod der, var så godt som bladløse. Muren med den skrantende majs var intakt selv om jeg ikke så nogen majs, skrantende eller andet, hverken ved muren eller andetsteds. Malingen var begyndt at skalle, og visse steder var den helt forsvundet. Græsplænen havde samme brune farve som den støvsky der hang over byen; indimellem var der bare pletter hvor der overhovedet ikke voksede noget.

Der holdt en jeep i indkørslen, og det så helt forkert ud: Babas sorte Mustang hørte til her. Den Mustang hvis otte cylindre i årevis med et brøl var kommet til live og havde vækket mig om morgenen. Jeg så at jeepen havde dryppet olie og lavet en plet som en stor Rorschach-blækklat på asfalten. Bag jeepen lå en væltet trillebør. Jeg kunne ikke få øje på nogen af de rosenbuske som baba og Ali havde plantet i venstre side af indkørslen, kun jord der bredte sig ud over asfalten. Og ukrudt.

Farid dyttede to gange bag mig. „Vi må hellere se at komme videre, agha. Det ender med at man ser os!" råbte han.

„Et minut mere," sagde jeg.

Selve huset var meget langt fra det vidtstrakte, hvide hus jeg huskede fra min barndom. Det så mindre ud. Taget hang, og pudsen var revnet. Vinduerne ind til stuen, hallen og gæstebadeværelset ovenpå var itu og lappet lemfældigt med klar plastic eller træplanker der var sømmet fast til rammerne. Malingen, som engang havde været blændende hvid, var bleget til en spøgelsesagtig grå nuance og visse steder slidt væk så man kunne se murværket underneden. Trappen op til huset var smuldret. Som så meget andet i Kabul var min fars hus et billede på fordums pragt.

Jeg fandt vinduet til mit gamle værelse, på første sal, tredje vindue til venstre for trappen. Jeg stillede mig på tæer, men kunne ikke se andet bag ruden end skygger. For femogtyve år siden havde jeg stået bag det vindue, regnen havde slået mod ruderne, og min ånde havde fået glasset til at dugge. Jeg havde set Hassan og Ali læsse deres ejendele ind i bagagerummet på min fars bil.

„Amir," kaldte Farid igen.

„Jeg kommer nu," råbte jeg tilbage.

Jeg følte en vanvittig trang til at gå ind. Havde lyst til at gå op ad trappen hvor Ali plejede at få Hassan og mig til at tage vores vinterstøvler af før vi gik ind. Jeg havde lyst til at gå ind i hallen, indsnuse duften af appelsinskal som Ali plejede at smide i kaminen så den kunne brænde sammen med savsmulden. Sidde ved køkkenbordet, drikke te med en skive *naan* til, høre Hassan synge gamle hazarasange.

Endnu et dyt. Jeg gik tilbage til Land Cruiseren der holdt ved fortovet. Farid sad bag rattet og røg en cigaret.

„Der er en ting til jeg er nødt til at se," sagde jeg til ham.

„Kan du gøre det hurtigt?"

„Giv mig ti minutter."

„Så gør det." Og så, netop som jeg skulle til at gå: „Glem det. Det gør det nemmere."

„Nemmere hvad?"

„At komme videre," sagde Farid. Han knipsede sin cigaret ud ad vinduet. „Hvor meget mere er du nødt til at se? Lad mig spare dig besværet: Intet af det du husker, har overlevet. Det er bedst at glemme."

„Jeg ønsker ikke længere at glemme," sagde jeg. „Giv mig ti minutter."

Vi kom næsten aldrig til at svede, Hassan og jeg, når vi gik op ad bakken lige nord for babas hus. Vi fór rundt på bakketoppen, legede tagfat, eller sad på skråningen hvor der var en fin udsigt til lufthavnen i det fjerne. Vi sad og så fly lette og lande. Løb så lidt rundt igen.

Nu føltes hvert eneste åndedrag som at suge ild ned i lungerne da jeg langt om længe nåede op på toppen af den stejle bakke. Sveden haglede ned ad mit ansigt. Jeg stod et øjeblik og hev efter vejret og holdt mig i siden. Så kiggede jeg mig om efter kirkegården. Det tog mig ikke lang tid at finde den. Den var der stadig, og det samme var granatæbletræet.

Jeg lænede mig op ad en af de store stenstolper foran kirkegården hvor Hassan havde begravet sin mor. Den gamle jernlåge der havde siddet i stolperne, var forsvundet, og gravstenene kunne kun lige akkurat anes mellem det høje ukrudt der havde erobret stedet. Et par krager sad på den lave mur der gik hele vejen rundt om kirkegården.

Hassan havde sagt i sit brev at granatæbletræet ikke havde båret frugt i mange år. Ved synet af det hensygnende, bladløse træ tvivlede jeg på at det nogensinde ville komme til det igen. Jeg stod under det, mindedes de mange gange vi var klatret op i det, havde siddet med dinglende fødder på dets grene mens sollyset dansede ind mellem bladene og lavede et mosaikmønster af lys og skygge på vores ansigter. Den skarpe smag af granatæble krøb ind i min mund.

Jeg satte mig på hug og følte med hænderne rundt på stammen. Jeg fandt det jeg ledte efter. Skæremærkerne var ikke så dybe længere, næsten flydt sammen, men det stod der stadig: 'Amir og Hassan, sultaner af Kabul'. Jeg fulgte hvert bogstav med fingrene. Kradsede små barkstykker væk fra de små fordybninger.

Jeg satte mig med krydsede ben ved foden af træet og kiggede mod syd ud over min barndoms by. Dengang ragede trætoppe op over murene omkring alle huse. Himlen havde været høj og blå, og vasketøjet havde hængt til tørre, blændende hvidt i sollyset. Hvis man lyttede nøje efter, ville man måske have kunnet høre frugtsælgeren råbe når han kørte rundt i Wazir Akbar Khan med sin æselkærre: *Kirsebær! Abrikoser! Druer!* Tidligt om aftenen ville man have kunnet høre *azan*, muezzinens kalden til bøn fra moskeen i Shar-e-Nau.

Jeg hørte et dyt og så Farid vinke op mod mig. Det var på tide at komme videre.

Vi kørte igen mod syd, tilbage til Pashtunistan Plads. Vi passerede flere røde pickupper fyldt med bevæbnede, skæggede unge mænd på ladet. Farid bandede lavmælt hver gang vi passerede en.

Jeg betalte for et værelse på et lille hotel i nærheden af Pashtunistan Plads. Tre små piger i ens sorte kjoler og hvide tørklæder klyngede sig til en lille, bebrillet mand bag skranken. Han afkrævede mig 75 dollars, en horribel pris hotellets medtagne tilstand taget i betragtning, men jeg var ligeglad. Udbytning for at finansiere en strandvilla på Hawaii var en ting. At gøre det for at kunne give sine børn mad en helt anden.

Der var ikke varmt vand og heller intet skyl i wc'et. Kun en metalseng med en slidt madras, et slidt tæppe og en træstol i hjørnet. Vinduet der vendte ud mod pladsen, var gået i stykker og ikke forsøgt repareret. Da jeg satte kufferten fra mig, lagde jeg mærke til blodpletter på væggen bag sengen.

Jeg gav Farid nogle penge, og han gik ud for at skaffe mad. Han kom tilbage med fire spyd sydende kabob, friskbagt *naan* og en skål hvide ris. Vi satte os på sengen og slugte maden. *Her* var noget som ikke havde ændret sig i Kabul: Kabob'en var lige så saftig og pragtfuld som jeg huskede den.

Den nat lå jeg på sengen og Farid på gulvet, indhyllet i et ekstra tæppe som hotelejeren afkrævede mig flere penge for. Der kom ikke noget lys ind i rummet ud over måneskæret der strømmede ind gennem det ødelagte vindue. Farid sagde at ejeren havde fortalt ham at der ikke havde været strøm i Kabul i to dage nu, og hans generator var i stykker. Vi talte lidt sammen. Han fortalte mig om sin opvækst i Mazar-i-Sharif og Jalalabad. Han fortalte mig om en episode kort efter at han og hans far havde sluttet sig til jihad og kæmpet mod *Showari* i Panjsher-dalen. De var strandet uden mad og måtte spise græshopper for at overleve. Han fortalte mig om den dag hans far blev skudt fra en helikopter og døde, og om den dag hans døtre trådte på en landmine og også døde. Han udspurgte mig om Amerika. Jeg fortalte ham at i Amerika kunne man gå ind i en almindelig købmandsbutik og købe femten-tyve forskellige slags morgenmadsprodukter. Lammekødet var altid frisk og mælken kold, der var masser af frugt, og vandet var rent. Der var et tv-apparat i alle hjem, og alle tv'er var fjernbetjent, og man kunne købe en parabolantenne hvis man havde lyst til det. Modtage over fem hundrede kanaler.

„Fem hundrede?" udbrød Farid.

„Fem hundrede."

Et stykke tid var der ingen af os der sagde noget. Netop som jeg troede at Farid var faldet i søvn, begyndte han at klukle: „Har du hørt hvad mullah Nasruddin gjorde da hans datter kom hjem og klagede over at hendes mand slog hende?" Jeg kunne fornemme hans smil i mørket, og et smil bredte sig også på mit eget ansigt. Der fandtes ikke den afghaner i verden der ikke kendte mindst tre-fire vittigheder om denne tumpe af en mullah.

„Hvad?"

„Han gav hende et lag tæsk og sendte hende så tilbage til manden med besked om at denne mullah ikke var noget fjols: Hvis sjoveren agtede at slå mullahens datter, ville mullahen til gengæld slå sjoverens kone."

Jeg lo. Delvis ad vittigheden, delvis fordi afghansk humor tilsyneladende aldrig ændrede sig. Krige rasede, internettet blev opfundet, en robot havde rullet rundt oppe på Mars, og i Afghanistan fortalte man stadig mullah Nasruddin-vittigheder. „Har du hørt om dengang mullahen lagde en stor, tung sæk på skulderen og red af sted på sit æsel?" spurgte jeg.

„Nej."

„En eller anden på gaden spurgte ham hvorfor han ikke lagde sækken på æselets ryg? Og han sagde: 'Det ville være ondt. Det stakkels dyr har nok at slæbe på i forvejen.'"

Vi udvekslede mullah Nasruddin-historier indtil vi løb tør, og der blev stille igen.

„Amir?" sagde Farid og vækkede mig fra min halvdøs.

„Ja?"

„Hvorfor er du kommet hertil? Hvorfor er du i *virkelighe-den* kommet hertil?"

„Det har jeg jo sagt."

„På grund af drengen?"

„På grund af drengen."

Farid vendte sig om på gulvet. „Det er svært at tro."

„En gang imellem har jeg selv svært ved at tro at jeg virkelig er her."

„Nej… Det jeg ville spørge om, er hvorfor *den* dreng. Du kommer hele den lange vej fra Amerika på grund af en… shia?"

Det kvalte latteren i mig. Og søvnen. „Jeg er træt," sagde jeg. „Skal vi ikke lægge os til at sove nu?"

Farids snorken gav genlyd i det tomme værelse. Jeg lå vågen med hænderne foldet på brystet og kiggede ud på den stjerne-oplyste nat gennem det ødelagte vindue og tænkte på at det folk sagde om Afghanistan, måske var sandt. Måske *var* det et håbløst sted.

Ghazi Stadion var ved at være fyldt op da vi gik ind ad adgangstunnelen. Flere tusind mennesker myldrede frem og tilbage på de tætpakkede betonhylder. Børn legede i gangene og jagtede hinanden op og ned ad trinnene. Duften af garbanzo-bønner i krydret sovs hang i luften iblandet lugten af møg og sved. Farid og jeg gik forbi et par gadehandlere der solgte cigaretter, pinjekerner og kiks.

En mager dreng i tweedjakke tog mig om albuen og talte ind i øret på mig. Spurgte om jeg ville købe nogle 'sexede bille-der'.

„Meget sexede, agha," sagde han med årvågne øjne der fór fra side til side – han mindede mig om en pige i Tenderloin,

San Francisco, som for nogle få år siden havde forsøgt at sælge mig crack. Han slog jakken til side for at jeg kunne få et flygtigt glimt af hans sexede billeder: postkort fra hindi-film der viste sensuelle, dådyrøjede skuespillerinder fuldt påklædte i armene på deres mandlige medspiller. „Meget sexede," henåndede han.

„Nej tak," sagde jeg og maste mig forbi ham.

„Hvis de fanger ham, risikerer han en omgang pisk som vil vække hans far fra de døde," mumlede Farid.

Der var selvfølgelig ingen bestemte pladser, ingen til høfligt at vise os hen til den rette afdeling, gang, række og plads. Det havde der aldrig været, ikke engang i monarkiets dage. Vi fandt et par nogenlunde gode pladser lige til venstre for midtbanen, selv om Farid havde måttet skubbe og puffe for at få dem.

Jeg kan huske hvor grøn banen havde været dengang i 70'erne da baba plejede at tage mig med til fodboldkampe. Nu var banen i en elendig forfatning. Der var huller og kratere overalt, tydeligst var et par dybe huller nede bag sydendens mål. Og der var overhovedet intet græs, kun jord. Da de to hold langt om længe kom på banen – alle i lange bukser selv om det var meget varmt – og kampen begyndte, blev det svært at følge boldens bane i de støvskyer som spillerne sparkede op. Unge talibanere, alle bevæbnet med pisk, slentrede op og ned ad gangene og slog ud efter dem der jublede for højt.

De kom ind med dem kort efter at der var blevet fløjtet af for første halvleg. Et par støvede, røde pickupper som dem jeg havde set rundtomkring i byen efter at jeg var kommet hertil, kørte gennem en port og ind på banen. Folk kom på benene. En kvinde i grøn burqa sad i den ene bil, en mand med bind for øjnene i den anden. Pickupperne kørte hele vejen rundt på løbebanen, langsomt så alle kunne nå at få et glimt af parret. Det havde den ønskede effekt: Folk strakte hals, pegede, stod på tæer. Ved siden af mig hoppede Farids adamsæble op og ned mens han dæmpet bad en bøn.

De røde pickupper kørte ind på fodboldbanen, hen mod det ene mål med to ens støvskyer efter sig. Solstrålerne reflekteredes i deres hjulkapsler. En tredje pickup mødte dem nede ved målet. Denne bil var fyldt med noget, og pludselig forstod jeg formålet med de to huller bag målet. De tømte den tredje pickup. En anspændt mumlen bredte sig blandt tilskuerne.

„Vil du gerne blive?" spurgte Farid alvorligt.

„Nej," sagde jeg. Jeg havde aldrig nogensinde ønsket mig så brændende et andet sted hen som jeg gjorde nu. „Men vi er nødt til det."

To talib'er med Kalashnikover slynget over skulderen hjalp manden med bindet for øjnene ned af den første pickup, og to andre hjalp den burqa-klædte kvinde. Kvindens ben gav efter under hende, og hun faldt om på jorden. Soldaterne trak hende op, og hun faldt igen. Da de forsøgte at løfte hende op på benene, skreg hun og sparkede. Jeg vil aldrig, så længe jeg lever, glemme lyden af det skrig. Det var som lyden fra et vildt dyr der forsøgte at vriste sit ødelagte ben ud af en bjørnesaks. To andre talib'er kom til og hjalp med at tvinge hende ned i et af de dybe huller. Manden lod sig derimod modstandsløst hjælpe ned i det hul der var gravet til ham. Nu stak kun parrets overkroppe op fra jorden.

En buttet, hvidskægget præst i grå gevandter stod i nærheden af målet og rømmede sig i den håndholdte mikrofon. Bag ham skreg kvinden videre i sit hul. Han bad en omfattende bøn fra Koranen med en nasal stemme der bølgede gennem stilheden der pludselig havde sænket sig blandt folk. Jeg tænkte på noget baba engang for længe siden havde sagt til mig: *Pis på de der selvretfærdige abers skæg. De bestiller ikke andet end at pille ved deres bedekranse og recitere fra en bog skrevet på et sprog som de ikke fatter en lyd af. Gud hjælpe os hvis*

Afghanistan nogensinde falder i kløerne på dem.

Da bønnen var færdig, rømmede præsten sig igen. „Brødre og søstre!" råbte han på farsi med en stemme der drønede gennem stadion. „Vi er til stede i dag for at fuldbyrde sharia. Vi er til stede i dag for at fuldbyrde en dom. Vi er til stede i dag fordi Allahs vilje og profeten Muhammads ord – må freden være med ham – stadig lever og trives i Afghanistan, vores elskede land. Vi lytter til hvad Gud siger, og vi adlyder fordi vi ikke er andet end ydmyge, magtesløse væsener foran Guds åsyn. Og hvad siger Gud så? Jeg spørger jer! HVAD SIGER GUD? Gud siger at en synder skal straffes på en måde der passer til hans synd. Disse er ikke mine ord, ej heller mine brødres ord. Disse er GUDS ord!" Han pegede med den frie hånd op mod himlen. Det dunkede i mit hoved, og solen føltes glohed på min hud.

„En synder skal straffes på en måde der passer til hans synd!" gentog præsten ind i mikrofonen og sænkede så stemmen, dramatisk, og udtalte hvert ord meget langsomt. „Og hvilken straf, brødre, er passende til en ægteskabsbryder? Hvorledes skal vi straffe dem der bringer vanære over det hellige ægteskab? Hvad skal vi stille op med dem som spytter Gud i ansigtet? Hvordan skal vi reagere over for dem der kaster sten mod vinduerne i Guds hus? VI SKAL KASTE DE STEN TILBAGE!" Han slukkede for mikrofonen. En lav mumlen bredte sig gennem menneskemængden.

Ved siden af mig rystede Farid på hovedet. „Og de kalder sig muslimer," hviskede han.

Så steg en høj, bredskuldret mand ud af pickuppen. Synet af ham udløste enkelte hurraråb blandt tilskuerne. Denne gang blev ingen slået for at juble for højt. Den høje mands blændende hvide tøj glitrede i sollyset. Sømmen på hans løsthængende skjorte blafrede i brisen. Han bredte armene ud som var han Jesus på korset, og hilste på tilskuerne ved at dreje rundt en fuld omgang. Da han stod vendt mod vores afdeling, så jeg at han havde sorte, runde solbriller på, ligesom dem John Lennon havde brugt.

„Det må være vores mand," sagde Farid.

Den høje talib med de uigennemsigtige solbrilleglas gik hen til den bunke sten de havde læsset af den tredje pickup. Han tog en sten og viste folk den. Der blev helt stille bortset fra en summende lyd der pulserede gennem stadion. Jeg så mig omkring og opdagede at alle sad og slog klik med tungen. Talib'en, der helt absurd mest af alt lignede en baseball-kaster oppe på kastehøjen, slyngede stenen mod manden i hullet. Den ramte ham på siden af hovedet. Kvinden skreg igen. Jeg lukkede øjnene og skjulte ansigtet i hænderne. Tilskuerne udstødte et 'åh' for hver sten der blev kastet, og det gik for sig i en rum tid. Da de tav, spurgte jeg Farid om det var forbi. Han sagde nej. Jeg gik ud fra at folk var blevet hæse. Jeg ved ikke hvor meget længere jeg sad med ansigtet begravet i hænderne. Jeg ved at jeg lukkede øjnene op da jeg hørte folk omkring mig spørge: „Mord? Mord?" Er han død?

Manden i hullet var nu ét søle af blod og iturevet tøj. Hans hoved var faldet forover og hvilede med hagen mod brystet. Talib'en med John Lennon-solbrillerne stod og kastede sten op i luften mens han så hen på en anden mand der sad på hug ved siden af hullet. Den hugsiddende mand havde et stetoskop i ørerne og sad og lyttede til mandens bryst. Han fjernede stetoskopet og rystede på hovedet, nej, i retning af talib'en med solbrillerne. Alle tilskuere stønnede.

John Lennon gik tilbage til stenbunken.

Da det var forbi, da de blodige lig uden videre var blevet slynget op på ladet af de røde pickupper – på hver deres lad – skyndte et par mænd sig at skovle hullerne til. En af dem gjorde et halvhjertet forsøg på at dække blodpølene ved at kaste jord på. Et par minutter efter overtog fodboldholdene banen. Anden halvleg var i gang.

Vores møde var aftalt til klokken tre om eftermiddagen. Hurtigheden hvormed det var kommet i stand, var stærkt overraskende. Jeg havde regnet med forsinkelser, i det mindste at skulle svare på spørgsmål og vise papirer. Men jeg blev mindet om hvor uofficielt selv officielle sager stadig blev håndteret i Afghanistan: Det eneste Farid skulle gøre, var at sige til en af de piskbevæbnede talibanere at vi havde noget privat at tale med den hvidklædte mand om. Farid og han udvekslede et par ord. Fyren med pisken nikkede så og råbte noget på pashto til en ung mand nede på banen som løb hen til målet hvor talib'en med solbrillerne stod og talte med den buttede præst der havde prædiket for os. De talte sammen alle tre. Jeg så fyren med solbrillerne kigge op. Han nikkede. Sagde noget i budbringerens øre. Den unge mand kom tilbage med beskeden.

Mødet var arrangeret. Klokken tre.

ENOGTYVE

Farid drejede Land Cruiseren op ad indkørslen til et stort hus i Wazir Akbar Khan. Han parkerede i skyggen under piletræer hvis grene hang ud over muren omkring en grund på 15. gade, Sarak-e-Mehmana, Gæsternes Gade. Han slukkede motoren, og vi sad tavse et minuts tid og lyttede til klikkelyden fra motoren der kølede af. Farid skiftede stilling i sædet og legede med nøglerne der stadig hang i tændingen. Jeg kunne se at han samlede mod til at sige noget til mig.

„Jeg tror jeg bliver her i bilen," sagde han til sidst en smule undskyldende. Han ville ikke se på mig. „Det her er din sag, og jeg..."

Jeg klappede ham på armen. „Du har allerede gjort langt

mere end jeg har betalt dig for. Jeg forventer ikke at du går
med ind." Men jeg ville ønske at jeg ikke behøvede at gå alene
derind. Trods alt det jeg havde erfaret om baba, ville jeg ønske
at han stod ved siden af mig nu. Baba ville være braset ind
gennem døren og have forlangt at blive ført til den der bestem-
te; han ville have pisset på skægget på hvem som helst der stod
i vejen for ham. Men baba havde været død i mange år og lå
begravet på den afghanske afdeling på den lille kirkegård i
Hayward. Så sent som i sidste måned havde Soraya og jeg lagt
en buket margueritter og fresier på hans grav. Jeg var helt
alene.

Jeg steg ud af bilen og gik hen til den høje træport i indkør-
slen. Jeg ringede på klokken, men der lød ingen summelyd –
stadig ingen strøm – og jeg var nødt til at hamre på porten. Et
øjeblik efter hørte jeg anspændte stemmer på den anden side,
og et par mænd bevæbnet med Kalashnikover lukkede op.

Jeg skævede tilbage mod Farid og hviskede stumt: *Jeg er
snart tilbage*, uden på nogen måde at være sikker på at jeg
ville være det.

De bevæbnede mænd kropsvisiterede mig fra top til tå,
klappede mig på benene, befølte mig i skridtet. En af dem
sagde noget på pashto, og de klukkede begge to. Vi trådte
gennem porten. De to vagter eskorterede mig hen over en
velplejet græsplæne og forbi et bed med geranier og lave buske
langs husmuren. En gammel pumpe stod længst tilbage i går-
den. Jeg kan huske at kaka Homayoun havde haft sådan en
pumpe i sit hus i Jalalabad – tvillingerne, Fazila og Karima, og
jeg plejede at smide småsten i brønden og lytte efter plasket.

Vi gik op ad et par trin og ind i det store, sparsomt møblere-
de hus. Vi gik gennem hallen – et stort afghansk flag hang på
den ene af væggene – og mændene viste mig ovenpå til et rum
med to ens mintgrønne sofaer og et stort fjernsyn i hjørnet
længst tilbage. Et bedetæppe med et lidt for aflangt billede af

Mekka var sømmet til en af væggene. Den ældste af de to mænd gjorde tegn med geværløbet mod den ene sofa. Jeg satte mig ned. De forlod rummet.

Jeg krydsede benene. Strakte dem ud igen. Placerede mine svedige hænder på knæene. Fik det mig til at virke nervøs? Jeg foldede dem, besluttede at det var værre, og lagde til sidst armene over kors. Blodet dunkede i mine tindinger. Jeg følte mig ganske forfærdeligt alene. Tanker fløj gennem mit hoved, men jeg ønskede slet ikke at tænke på noget, for en nøgtern del af mig vidste at det jeg havde rodet mig ud i, var det glade vanvid. Jeg var tusinder af kilometer fra min kone, sad i et rum der føltes som en fængselscelle, og ventede på en mand som jeg samme dag havde set myrde to mennesker. Det *var* vanvid. Værre end det, det var uansvarligt. Der var en meget reel chance for at jeg var på vej til at gøre Soraya til *biwa*, enke, i en alder af seksogtredive. *Det her er ikke dig, Amir*, sagde en del af mig. *Du er en kryster. Det er lige præcis hvad du er. Og det er ikke så slemt, for det forsvarede er at du aldrig har løjet for dig selv hvad det angik. Ikke om det. Der er intet galt i at være en kujon når blot fejheden udspringer af forsigtighed. Men en kujon der glemmer hvad han er... Gud se i nåde til ham.*

Der stod et kaffebord foran sofaen. Benene krydsede i et X og havde en ring med valnøddestore messingkugler der hvor metalbenene mødtes på midten. Jeg havde set et bord som det et andet sted. Hvor? Og så huskede jeg det: i det lille travle tehus i Peshawar. På bordet stod en skål med røde druer. Jeg tog en og spiste den. Jeg var nødt til at beskæftige mig med noget, hvad som helst, for at gøre stemmen tavs oppe i mit hoved. Druen var sød. Jeg spiste en til, uvidende om at det skulle blive min sidste faste føde i meget lang tid.

Døren gik op, og de to bevæbnede mænd kom tilbage på hver sin side af den høje, hvidklædte talib som stadig havde sine John Lennon-solbriller på der fik ham til at ligne en bred-skuldret, New Age-guru af en slags.

Han satte sig over for mig og lagde hænderne på armlænet på sin stol. I lang tid sagde han ingenting. Sad bare der og så på mig. Den ene hånd trommede på armlænet, den anden drejede på en bedekrans af turkisblå perler. Han var iført en sort vest over den hvide skjorte, og havde et guldur om håndleddet. Jeg så en indtørret blodplet på hans venstre ærme. Der var noget morbidt fascinerende ved at han ikke havde skiftet tøj siden henrettelserne tidligere på dagen.

Fra tid til anden løftede han hånden fra armlænet, og hans tykke fingre slog imod noget i luften. Langsomme strygende bevægelser, op og ned, fra side til side, som om han kærtegnede et usynligt kæledyr. Et af hans ærmer trak sig tilbage, og jeg så mærker på underarmen – jeg havde set samme slags mærker hos hjemløse i San Franciscos mere skumle kvarterer.

Hans hud var meget blegere end de to andre mænds, næsten gullig, og små sveddråber skinnede på hans pande lige under den sorte kant på turbanen. Også hans skæg, der gik ned til brystet som de andres, var lysere end normalt.

„*Salaam alaykum*," sagde han.

„*Salaam*."

„Du kan godt lægge det, ved du," sagde han.

„Undskyld?"

Han vendte håndfladen opad mod en af de bevæbnede mænd og gjorde en bevægelse. *Rrriiiip*. Pludselig sved huden på mine kinder, og vagten kastede fnisende mit skæg op i luften og greb det igen. Talib'en grinede. „Et af de bedste jeg har set i lang tid, må jeg indrømme. Men det er meget bedre sådan, synes jeg. Er du ikke enig?" Han gned sig i hånden, knipsede med fingrene, åbnede og lukkede hånden. „Nå, *Inshallah*, du nød vel forestillingen i dag?"

„Var det hvad det var?" spurgte jeg og gned mig på kinderne. Jeg håbede ikke min stemme afslørede den nøgne angst jeg pludselig følte.

„Offentlig eksekvering af en dom er altid en fantastisk forestilling, broder. Drama. Spænding. Og især belæring af masserne." Han knipsede med fingrene. Den yngste vagt tændte en cigaret for ham. Talib'en lo. Mumlede et eller andet. Han rystede på hånden og havde nær tabt cigaretten. „Men hvis du ville se en helt fantastisk forestilling, skulle du have været med mig i Mazar. August 1998, var det."

„Undskyld?"

„Vi lod dem ligge ude til hundene."

Jeg forstod hvad han talte om.

Han rejste sig, gik en gang rundt om sofaen, to gange. Satte sig ned igen. Han talte hurtigt videre: „Vi gik fra dør til dør, råbte på mændene og drengene. Vi skød dem der, lige foran deres familier. Lod dem se det hele. Gav dem en påmindelse om hvem de var, hvem de tilhørte." Det var lige før han gispede nu. „En gang imellem sparkede vi døren op og brød ind i deres hjem. Og... og jeg ville... og jeg ville dreje løbet på mit gevær hele vejen rundt og skyde og skyde indtil røgen sved i øjnene på mig." Han bøjede sig frem som en mand der skulle til at fortælle mig en stor hemmelighed. „Du forstår ikke betydningen af ordet 'befriende' før du har gjort den slags, har stået i et rum fyldt med mål og ladet kuglerne flyve, uden skyld og anger. Og vidst at du var dydig, god og anstændig. Vidst at du udførte Guds arbejde. Det er åndeløst betagende." Han kyssede bedekransen og lagde hovedet på skrå. „Kan du huske det, Javid?"

„Ja, agha sahib," sagde den unge vagt. „Hvordan skulle jeg kunne glemme det?"

Jeg havde læst om massakren på hazaraerne i Mazar-i-Sharif i aviserne. Den havde fundet sted lige før talibanerne erobrede Mazar, en af de sidste byer der overgav sig. Jeg kan huske at

Soraya dødningebleg i ansigtet rakte mig avisen hen over morgenbordet.

„Fra dør til dør. Vi hvilede os kun for at spise og bede,“ sagde talib'en. Han sagde det henført, som en mand der fortalte om en helt fantastisk fest han havde været med til. „Vi lod de døde ligge ude på gaden, og hvis deres familier forsøgte at snige sig ud og trække dem ind i huset, skød vi også dem. Vi lod dem ligge ude på gaden i flere dage. Vi lod dem ligge til hundene. Hundeæde til hunde.“ Han klemte om sin cigaret. Gned sig med rystende fingre i øjnene. „Du kommer fra Amerika?“

„Ja.“

„Hvordan går det med den hore nu om dage?“

Jeg følte pludselig trang til at tisse. Jeg bad til at det ville gå over igen. „Jeg leder efter en dreng.“

„Gør alle ikke det?“ sagde han. Mændene med Kalashnikoverne lo. Deres tænder var grønplettede af *naswar*.

„Jeg har hørt at han er her, hos Dem,“ sagde jeg. „Hans navn er Sohrab.“

„Jeg vil gerne spørge dig om noget: Hvad laver du med den skøge? Hvorfor er du ikke her, sammen med dine muslimske brødre, og tjener dit land?“

„Jeg har været længe væk,“ var det eneste jeg kunne finde på at sige. Jeg følte mig meget varm i hovedet. Jeg pressede knæene sammen, forsøgte at holde mig.

Talib'en vendte sig mod de to mænd henne ved døren. „Er det et svar?“ spurgte han.

„Nej, agha sahib,“ svarede de i kor, smilende.

Han kiggede tilbage på mig. Trak på skuldrene. „Det var ikke et svar, sagde de.“ Han tog et sug af cigaretten. „Der er dem i min omgangskreds der mener at det at forlade ens *watan* når det mest har brug for en, er det samme som forræderi. Jeg kunne få dig arresteret for forræderi, tilmed få dig skudt. Gør det dig bange?“

„Jeg er her kun for at hente drengen."

„Gør det dig bange?"

„Ja."

„Det burde det også," sagde han. Han lænede sig tilbage i sofaen. Skoddede cigaretten.

Jeg tænkte på Soraya. Det gjorde mig lidt roligere. Jeg tænkte på hendes halvmåneformede modermærke, den elegante kurve på hendes hals, hendes strålende øjne. Jeg tænkte på vores bryllup, hvordan vi havde kigget på hinandens spejlbillede under det grønne slør, hvordan hun var blevet rød i kinderne da jeg hviskede at jeg elskede hende. Jeg kan huske at vi dansede til en gammel afghansk sang, rundt og rundt, alle kiggede på os og klappede, en udflydende verden af blomster, kjoler, smokinger og smilende ansigter.

Talib'en sagde et eller andet.

„Undskyld?"

„Jeg spurgte om du gerne ville se ham? Vil du gerne se min dreng?" Hans overlæbe krøllede sig sammen i den ene mundvig da han sagde de to sidste ord.

„Ja tak."

Vagten forlod værelset. Jeg hørte en knirkende dør gå op. Hørte vagten sige noget på pashto, med barsk stemme. Så skridt og klokkeringlen for hvert trin. Det mindede mig om abemanden som Hassan og jeg plejede at opsøge i Shar-e-Nau. Vi betalte ham en *rupia* for at aben skulle danse for os. Klokken omkring abens hals havde lavet den samme ringlelyd.

Så gik døren op, og vagten kom ind. Han bar en ghettoblaster på den ene skulder. Bag ham kom en dreng klædt i en løsthængende, safirblå *pirhan-tumban*.

Ligheden var overvældende. Forstyrrende. Rahim Khans foto kom ikke i nærheden af sandheden.

Drengen havde faderens runde måneansigt, den samme fremragende hage, de samme krøllede konkylieører, den samme spinkle kropsbygning. Det var min barndoms kinesiske dukkeansigt, det ansigt der på vinterdage havde kigget på mig over en håndfuld spillekort, ansigtet bag myggenettet når vi om sommeren sov oppe på taget på min fars sommerhus. Han var glatraget, hans øjne tegnet op med mascara, og hans kinder var unaturligt røde. Da han standsede midt i rummet, holdt klokkerne omkring hans ankler op med at ringe.

Hans blik faldt på mig. Blev der lidt. Så så han væk. Så ned på sine bare fødder.

En af vagterne trykkede på en knap, og pashtunsk musik fyldte værelset. Tabla, harmonika, hvinet fra en *dil-roba*. Jeg gættede på at musik ikke var syndig når blot den spillede for taliban-ører. De tre mænd begyndte at klappe i hænderne.

„*Wah wah! Mashallah*!" heppede de.

Sohrab løftede armene og drejede langsomt rundt. Han kom op på tå, snurrede yndefuldt rundt, gik ned i knæ, rettede sig op, snurrede rundt igen. Hans små hænder snoede sig ved håndleddene, fingrene knipsede, og hans hoved gik som et pendul fra side til side. Hans fødder dunkede i gulvet, klokkerne ringlede i perfekt harmoni med tabla-rytmen. Han havde øjnene lukket.

„*Mashallah*!" heppede de. „*Shahbas*!" Bravo! De to vagter piftede og lo. Den hvidklædte talib nikkede i takt med musikken; munden stod halvt åben i et sjofelt grin.

Sohrab dansede rundt i en cirkel, med lukkede øjne, dansede indtil musikken standsede. Klokkerne ringede en sidste gang da han stampede foden i gulvet til den sidste tone. Han stivnede midt i en drejning.

„*Bia, bia*, min dreng," sagde talib'en og kaldte Sohrab hen til sig. Sohrab gik derhen, med bøjet hoved, stillede sig mellem hans knæ. Talib'en slog armene om drengen. „Så talentfuld han er, ikke sandt, min hazaradreng!" sagde han. Hans hænder gled ned ad ryggen på drengen, så op og ind i hans armhu-

ler. En af vagterne stak en albue i siden på den anden og fnise-
de. Talib'en beordrede dem ud af værelset.

„Ja, agha sahib," sagde de og gik.

Talib'en snurrede drengen rundt så han stod med front mod
mig. Han lagde armene omkring drengens mave og hvilede
hagen på hans skulder. Sohrab så ned på sine fødder, men blev
ved med at sende mig skæve, generte blikke. Mandens hånd
gled op og ned ad drengens mave. Op og ned, langsomt, blidt.

„Jeg har for resten spekuleret på noget," sagde talib'en og
kiggede på mig hen over Sohrabs skulder. „Hvad blev der
egentlig af gamle Babalu?"

Spørgsmålet ramte mig som et kølleslag mellem øjnene. Jeg
kunne mærke farven vige fra mit ansigt. Jeg blev kold. Følel-
sesløs.

Han lo. „Hvad havde du regnet med? At du tog et falsk skæg
på, og jeg så ikke ville kunne genkende dig? Her er noget jeg vil
vædde på du aldrig har vidst om mig: Jeg glemmer aldrig et
ansigt. Aldrig." Han strøjfede Sohrabs øre med læberne uden at
tage øjnene fra mig. „Jeg har hørt at din far er død. Synd. Jeg
har altid ønsket at se hvor meget gehalt der i virkeligheden var
i ham. Nu ser det ud til at jeg må nøjes med hans svækling af en
søn." Og så tog han solbrillerne af og kiggede mig direkte ind
i øjnene. Jeg lagde mærke til at hans øjne var blodskudte.

Jeg forsøgte at trække vejret, men kunne ikke. Jeg forsøgte
at blinke, men kunne ikke. Øjeblikket føltes surreelt – nej, ikke
surreelt, absurd – det havde slået luften ud af mig, fået verden
til at gå i stå omkring mig. Mine kinder brændte. Hvad var det
man sagde om den falske mønt? Sådan var min fortid: Den
vendte altid tilbage. Hans navn steg op fra dybet, og jeg ønske-
de ikke at sige det højt, som om det at gøre det ville mane ham
frem. Men han var der allerede, lige foran mig, i sofaen mindre
end tre meter fra mig, efter alle de mange år. Navnet undslap
mine læber: „Assef."

„Amir jan."

„Hvad laver du her?" spurgte jeg, vel vidende hvor helt igennem tåbeligt mit spørgsmål lød, men ude af stand til at finde på andet at sige.

„Jeg?" Assef hævede et øjenbryn. „Jeg er i mit rette element. Spørgsmålet er hvad *du* laver her?"

„Det har jeg sagt," sagde jeg. Min stemme rystede. Jeg ville ønske den ikke gjorde det, ville ønske at kødet på min krop ikke skrumpede ind til ingenting.

„Drengen?"

„Ja."

„Hvorfor?"

„Jeg vil betale dig for ham," sagde jeg. „Jeg kan få pengene telegraferet hertil."

„Penge?" sagde Assef. Han fnisede. „Har du nogensinde hørt om Rockingham? Vestaustralien, et lille paradis på jorden. Du skulle se det, kilometerlange strande. Grønt vand, blå himmel. Mine forældre bor der, i en villa ud mod havet. Der er golfbane bag villaen og en lille sø. Far spiller golf hver dag; mor, hun foretrækker tennis – far siger at hun har en dræbende baghånd. De ejer en afghansk restaurant og to smykkeforretninger som begge går fantastisk godt." Han plukkede en drue. Stak den, kærligt, i munden på Sohrab. „Så hvis jeg manglede penge, ville jeg bede *dem* sende mig nogen." Han kyssede Sohrab på siden af halsen. Drengen krympede sig en smule og lukkede øjnene igen. „I øvrigt var det ikke penge der fik mig til at kæmpe mod *Shorawi*. Jeg sluttede mig heller ikke til talibanerne for pengenes skyld. Vil du gerne vide hvorfor jeg sluttede mig til dem?"

Mine læber var blevet tørre. Jeg fugtede dem og opdagede at også min tunge var tør.

„Er du tørstig?" spurgte Assef med et smørret grin.

„Nej."

„Jeg tror du er tørstig."

„Jeg har det udmærket," sagde jeg. Sandheden var at det pludselig føltes meget varmt i rummet – sveden sprang ud af mine porer, kildede mig på huden. Kunne det passe, det her? Sad jeg virkelig over for Assef?

„Som du vil," sagde han. „Nå, hvor kom jeg fra? Åh jo, hvorfor jeg sluttede mig til talibanerne. Måske husker du at jeg ikke var særlig religiøs i gamle dage. Men en dag fik jeg en åbenbaring. Jeg fik den i fængslet. Vil du gerne høre om den?"

Jeg svarede ikke.

„Udmærket. Så skal jeg fortælle dig det," sagde han. „Jeg sad i fængslet, i Poleh-Charkhi, lige efter at Babrak Karmal tog magten i 1980. Jeg endte i fængslet en aften da en flok *parchami*-soldater marcherede ind i vores hus og truede min far og mig til at følge med. De sjovere gav ingen grund, og de ville ikke besvare min mors spørgsmål. Ikke at det var noget mysterium; alle og enhver vidste at kommunisterne ikke havde nogen manerer. De kom fra fattige familier uden navn. De samme hunde som ikke var egnet til at slikke vores støvler tør *Shorawi* kom hertil, stak nu et geværløb i ryggen på mig, og med *parchami*-flaget på deres ærmer holdt de et lille foredrag om borgerskabets fald og opførte sig som om det var dem der havde klasse. Det skete overalt: De gennede de rige sammen, smed dem i fængsel, satte et eksempel til efterfølgelse for kammeraterne.

Nå, men vi sad i grupper på seks i de her småbitte celler der hver var på størrelse med et køleskab. Hver aften beordrede kommandanten, halvt hazara, halvt usbeker, et udyr der lugtede som et råddent æsel, en af fangerne ud af cellen, og så gennembankede han ham indtil sveden løb ham ned ad ansigtet. Bagefter tændte han en cigaret, knækkede fingre og gik sin vej. Næste aften kom han for at give en anden samme behandling. En aften pegede han på mig. Det kunne ikke være sket på et værre tidspunkt. Jeg havde tisset blod i tre dage. Nyresten. Og hvis du aldrig har haft nyresten, så tro mig når jeg siger at smerten er ufattelig. Min mor plejede at få nyresten, og jeg kan huske at hun hellere ville føde et barn end have nyresten. Men hvad kunne jeg gøre? De slæbte mig ud, og han begyndte at sparke mig. Han havde knæhøje støvler på med stålforstærket tå som han tog på hver aften før han begyndte på sin lille sparkeleg, og han brugte dem på mig. Jeg skreg og skreg, og han blev ved med at sparke, og pludselig ramte han min venstre nyre, og stenen passerede. Bare sådan! Åh, hvilken lettelse!" Assef lo. „Og jeg råbte: 'Allah-u-akbar', og han sparkede mig endnu hårdere, og jeg begyndte at le. Han blev rasende og slog og sparkede, og jo hårdere han slog og sparkede, jo højere lo jeg. De smed mig tilbage i cellen, og jeg grinede videre. Lo og lo fordi jeg pludselig vidste at det havde været en besked fra Gud: Han var på *min* side. Af en eller anden grund ønskede han at jeg skulle leve.

Jeg løb ind i kommandanten på slagmarken nogle år senere – pudsigt som Guds veje er uransagelige. Jeg fandt ham i en skyttegrav lige uden for Meymanah. Han var blevet ramt af en granatsplint i brystet og lå og forblødte. Han havde de samme støvler på. Jeg spurgte om han kunne huske mig. Han sagde nej. Jeg fortalte ham det samme som jeg lige har fortalt dig, at jeg aldrig glemmer et ansigt. Så skød jeg ham i nosserne. Mit liv har været en mission lige siden da."

„Hvad slags mission?" hørte jeg mig selv sige. „Stene ægteskabsbrydere? Voldtage børn? Piske kvinder fordi de går med høje hæle? Massakrere hazaraer? Alt sammen i islams navn?" Ordene strømmede uventet og pludseligt ud af mig, kom ud før jeg nåede at trække i nødbremsen. Jeg ville ønske jeg kunne tage dem tilbage. Sluge dem. Men de var ude nu. Jeg var gået over en grænse, og det lille håb jeg havde haft om at komme derfra i live, forsvandt med de ord.

Et overrasket udtryk passerede hen over Assefs ansigt, som et lyn, og forsvandt igen. „Jeg kan se at dagen trods alt kan gå hen og blive fornøjelig," sagde han og fnisede. „Men der er ting som forrædere som dig ikke forstår."

„Hvad for eksempel?"

Assefs øjenbryn trak sig sammen. „Som at være stolt af sit folk, sine traditioner, sit sprog. Afghanistan er som et smukt hus fyldt med skrald, og en eller anden er nødt til at bære skraldet ud."

„Var det hvad du gjorde i Mazar da du gik fra dør til dør? Bar skraldet ud?"

„Netop."

„De har en betegnelse for det i vesten," sagde jeg. „De kalder det etnisk udrensning."

„Gør de det?" Assef lyste op. „Etnisk udrensning. Det kan jeg godt lide. Lyden af det."

„Det eneste jeg beder om, er drengen."

„Etnisk udrensning," mumlede Assef og smagte på ordene.

„Jeg vil gerne have drengen," gentog jeg. Sohrabs øjne flakkede hen mod mig. Det var offerlammets øjne. Også mascaraen hørte med – jeg kunne huske hvordan mullahen i vores gård på *Eid-e-Qorban* tegnede fårets øjne op med mascara og gav det et stykke sukker før han skar halsen over på det. Jeg mente at kunne se det samme bønfaldende blik i Sohrabs øjne.

„Fortæl mig hvorfor," sagde Assef. Han nappede Sohrabs ene øreflip mellem tænderne. Slap igen. Sveden perlede ned i hans øjenbryn nu.

„Det er min egen sag."

„Hvad vil du med ham?" spurgte han. Så et skælmsk smil. „Er du til drenge?"

„Det er afskyeligt, det her!" sagde jeg.

„Hvor ved du det fra? Har du prøvet det?"

„Jeg vil tage ham med til et bedre sted."

„Fortæl mig hvorfor."

„Det er min egen sag," gentog jeg. Jeg vidste ikke hvad der gav mig mod til at svare så kort for hovedet, måske den kendsgerning at jeg alligevel skulle dø.

„Hvorfor mon?" sagde Assef. „Hvorfor kommer du hele den lange vej, Amir, for at hente en hazara? Hvad er dit ærinde? Hvad er dit *egentlige* ærinde?"

„Jeg har mine grunde," sagde jeg.

„Udmærket," snerrede Assef. Han skubbede Sohrab fra sig, lige op i bordet. Sohrabs hofte ramte bordet og væltede det så druerne faldt på gulvet. Han faldt, med forsiden nedad, så der kom mørke vindruepletter på hans blå skjorte. Bordbenene og ringen med messingkuglerne pegede nu op mod loftet.

„Så tag ham," sagde Assef. Jeg hjalp Sohrab på benene og børstede maste druer der sad fast som burrer, af hans bukseben.

„Så tag ham dog," sagde Assef og pegede på døren.

Jeg tog Sohrab i hånden. Det var en lille hånd. Huden var tør og ru. Hans fingre bevægede sig, flettede sig ind i mine. Jeg tænkte på billedet, på hvordan hans arm havde ligget omkring Hassans lår, hans hoved mod faderens hofte. De havde begge smilet. Klokkerne ringede da vi gik over gulvet.

Vi nåede så langt som til døren.

„Men selvfølgelig," sagde Assef bag os, „er han ikke gratis."

Jeg vendte mig om. „Hvor meget vil du have?"

„Du er nødt til at gøre dig fortjent til ham."

„Hvad mener du?"

„Du og jeg har et mellemværende," sagde Assef. „Du husker det nok, ikke sandt?"

Han behøvede ikke gøre sig bekymringer. Jeg vil aldrig glemme den dag Daoud Khan afsatte kongen. Hver gang jeg i mit voksne liv hørte Daoud Khan nævnt, så jeg for mig Hassan med slangebøssen rettet mod Assefs ansigt, hørte Hassan sige at de snart blev nødt til at kalde ham Assef Enøje i stedet for Assef *Goshhor*. Jeg kan huske hvor misundelig jeg havde været over Hassans mod. Assef havde trukket sig tilbage med løfte om at han nok skulle få ram på os begge to. Det løfte havde han holdt over for Hassan. Nu var det min tur.

„All right," sagde jeg, fordi jeg ikke vidste hvad jeg ellers skulle sige. Jeg havde ikke til hensigt at trygle om nåde; det ville blot have forsødet øjeblikket for ham.

Assef kaldte vagterne tilbage til rummet. „Hør nøje efter hvad jeg siger," sagde han til dem. „Om et øjeblik lukker jeg døren her. Så han og jeg kan få afgjort et gammelt mellemværende. Uanset hvad I hører, må I ikke komme ind! Er det forstået? I må ikke komme ind!"

Vagterne nikkede. Så fra Assef og hen på mig. „Ja, agha sahib."

„Når det er forbi, går en af os ud af dette rum i live," sagde Assef. „Hvis det er ham, har han gjort sig fortjent til friheden, og I skal lade ham gå, er det forstået?"

Den ældre vagt flyttede sig uroligt på benene. „Men agha sahib..."

„Hvis det er ham, skal I lade ham gå!" skreg Assef. De to mænd fór sammen, men nikkede igen. De vendte sig om for at gå. En af dem rakte ud efter Sohrab.

„Lad ham bare blive," sagde Assef. Han grinede. „Lad ham se hvad der sker. Lektioner er en god ting for drenge."

Vagterne gik. Assef lagde bedekransen fra sig. Rakte ned i lommen på sin sorte vest. Det han fiskede op, kom på ingen måde bag på mig: knojern af rustfrit stål med messingnitter.

Han har gel i håret og et Clark Gable-overskæg over de tykke læber. Gelen har gennemvædet den grønne kirurg-hætte, lavet en mørk plamage af form som Afrika. Det kan jeg huske om ham. Det og den gyldne Allah-kæde om hans mørke hals. Han kigger ned på mig nu, taler hurtigt på et sprog jeg ikke forstår, urdu, tror jeg. Mine øjne bliver ved med at glide ned til hans adamsæble som hopper op og ned, op og ned, og jeg vil gerne spørge ham om hvor gammel han er – han ser alt for ung ud, som en skuespiller i en udenlandsk sæbeopera – men det eneste jeg kan få ud, er et lavmælt: „Jeg tror han fik kam til sit hår. Jeg tror han fik kam til sit hår."

Jeg ved ikke om Assef fik kam til sit hår. Jeg ved ikke hvordan det skulle kunne have ladet sig gøre. Hvordan skulle det kunne det? Det var første gang jeg var indblandet i en slåskamp. Jeg havde aldrig så meget som langet ud efter en anden i hele mit liv.

Det jeg husker fra kampen med Assef, sker i forbløffende levende frekvenser: Jeg kan huske at Assef tændte for musikken før han tog knojernene på. Bedetæppet, det med det aflange, vævede Mekka, faldt på et tidspunkt ned fra væggen og landede på mit hoved; støvet fik mig til at nyse. Jeg kan huske at Assef tværede druer ud i mit ansigt, jeg kan huske spyttet der fik hans tænder til at skinne, og jeg kan huske de blodskudte øjne rulle i hovedet på ham. På et tidspunkt faldt hans turban af, så skulderlangt, lyst hår faldt frit.

Og afslutningen, selvfølgelig. Den ser jeg ganske tydeligt for mig. Det vil jeg altid gøre.

Her er hvad jeg især husker: Hans knojern der skyder lyn i eftermiddagslyset; hvor koldt de føles i begyndelsen når de rammer, og hvor hurtigt de bliver varme af mit blod. På et tidspunkt står jeg presset op ad en væg hvor der engang må have hængt et billede: Sømmet borer sig ind i min ryg. Sohrab skriger. Tabla, harmonika, en *dil-roba*. Jeg kastes op mod væggen. Knojernene knuser min kæbe. Mine egne tænder sidder fast i halsen på mig, jeg sluger dem, tænker på alle de timer jeg har brugt på at børste og rense med tandtråd. Kastes op mod væggen. Ligger på gulvet, blodet fra min overlæbe pletter det lysviolette tæppe, smerter jager igennem min mave, og jeg spekulerer på om jeg nogensinde vil kunne trække vejret igen. Lyden af mine ribben der knækker som de grene Hassan og jeg plejede at brække af for at dyste med sværd ligesom Sinbad i de gamle film. Sohrab skriger. Mit ansigt hamrer ind i tv-apparatets ene hjørne. Den knækkende lyd igen, denne gang lige over mit venstre øje. Musik. Sohrab skriger. Fingre flår mig i håret, trækker mit hoved tilbage, rustfrit stål skyder lyn. Her kommer de. Den knækkende lyd igen, denne gang min næse. Bider smerten i mig, bemærker at mine tænder ikke er på række som de var engang. Bliver sparket. Sohrab skriger.

Jeg ved ikke hvornår det var jeg begyndte at le, men det gjorde jeg. Det gjorde ondt at le, gjorde ondt i kæben, i ribbenene, i halsen. Men jeg lo og lo. Og jo mere jeg lo, jo hårdere sparkede han til, slog mig, kradsede mig.

„HVAD ER DET DER ER SÅ MORSOMT?" råbte Assef for hvert slag. Hans spyt landede i mit øje. Sohrab skreg.

„HVAD ER DET DER ER SÅ MORSOMT?" brølede Assef. Endnu et ribben brækkede, denne gang nede til venstre. Det der var så morsomt, var at jeg for første gang siden vinteren 1975 følte fred i mig selv. Jeg lo fordi jeg så at jeg et eller andet skjult sted i mit hoved havde set frem til dette. Jeg kan huske den dag jeg bombarderede Hassan med granatæbler og forsøgte at tirre ham. Han havde bare stået der, ikke gjort noget, mens den røde saft gennemvædede hans skjorte som var den blod. Og så havde han taget et granatæble og mast det mod sin pande. *Er De så tilfreds?* havde han hvæset. *Har De det bedre nu?* Jeg havde ikke været tilfreds, og jeg havde ikke haft det godt, overhovedet ikke. Men nu havde jeg det godt. Min krop var ødelagt – hvor slemt jeg var kommet til skade, fandt jeg først ud af senere – men jeg følte mig *helbredt.* Langt om længe *helbredt.* Jeg lo.

Og så afslutningen. Dette er hvad jeg tager med mig i graven:

Jeg lå på gulvet, leende, Assef sad overskrævs på mig, hans ansigt som en vanvittig maske indrammet af hårlokker der dinglede kun få tommer fra mit ansigt. Hans ene hånd var lukket om min hals. Den anden, den med knojernene, hævet over hans skulder. Han trak armen længere og længere tilbage, parat til et nyt slag.

Og så: „Bas." En spinkel stemme.

Vi så begge op.

„Ikke mere."

Jeg kan huske noget børnehjemmets direktør sagde da han lukkede op for Farid og mig. Hvad var det nu han hed? Zaman? Han har den altid på sig, havde han sagt. Han har den hængende i bukselinningen uanset hvor han er henne.

„Ikke mere."

To spor af mascara blandet med tårer snoede sig ned ad kinderne, indsmurt i rouge. Hans underlæbe skælvede. Snot silede ud af hans næse. „Bas," kvækkede han.

Hans hånd befandt sig over hans skulder hvor den holdt om slangebøssens katapult for enden af en elastik der var trukket hele vejen tilbage. Der lå noget i katapulten, noget skinnende og rundt. Jeg blinkede blodet ud af mine øjne og så at det var en af messingkuglerne fra bordbenene. Sohrab sigtede direkte mod Assefs ansigt med slangebøssen.

„Ikke mere, agha. Det er nok nu," sagde han med hæs og skælvende stemme. „Hold op med at slå ham."

Assefs mund bevægede sig uden at der kom en lyd ud. Han begyndte at sige noget, tav igen. „Hvad tror du du har gang i der?" spurgte han til sidst.

„Vær rar at standse nu," sagde Sohrab, og nye tårer steg op i de grønne øjne og fik mascaraen til at løbe.

„Læg den, hazara," snerrede Assef. „Læg den eller det jeg

har gjort mod ham, vil være som et blidt nap i øret i sammen-
ligning med hvad jeg vil gøre mod dig."

Tårerne begyndte at flyde. Sohrab rystede på hovedet. „Vær
nu rar, agha," sagde han. „Stop."

„Læg den."

„De må ikke slå ham mere."

„Læg den så!"

„Agha, vær rar ikke at…"

„LÆG DEN!"

„Bas."

„LÆG DEN!" Assef slap min hals. Kastede sig i retning af
Sohrab.

Der lød et tviiiet fra slangebøssen da Sohrab lod kuglen fare.
Og så begyndte Assef at skrige. Han lagde hånden over det
sted hvor hans venstre øje et øjeblik forinden havde befundet
sig. Blod sivede ud mellem hans fingre. Blod og noget andet,
noget hvidt og geléagtigt. Det kaldes glaslegeme, tænkte jeg
pludselig. Jeg har læst om det et eller andet sted. Glaslegeme.

Assef rullede rundt på tæppet. Rullede fra side til side, skreg,
stadig med hånden over den blodige øjenhule.

„Kom, vi går nu," sagde Sohrab. Han tog mig i hånden.
Hjalp mig op at stå. Hver eneste tomme af min gennembanke-
de krop skreg af smerte. Bag os skreg Assef videre.

„UD! FÅ DET UD!" skreg han.

Jeg åbnede forsigtigt døren. Vagterne spilede øjnene op da
de så mig, og jeg spekulerede på hvordan jeg så ud. Det gjorde
ondt i maven hver gang jeg trak vejret. En af vagterne sagde
noget på pashto, og de stormede forbi os, ind i rummet hvor
Assef stadig lå og skreg: „UD!"

„Bia," sagde Sohrab og trak mig i hånden. „Lad os gå."

Jeg tumlede hen ad gangen. Sohrab holdt mig i hånden. Jeg
kastede et sidste blik over skulderen. Vagterne krøb sammen
ved siden af Assef og gjorde et eller andet ved hans ansigt. Så

forstod jeg det: Messingkuglen sad stadig inde i den tomme øjenhule.

Hele verden bølgede op og ned, frem og tilbage da jeg humpede ned ad trappen, støttet til Sohrab. Assef blev ved med at skrige som et såret dyr. Vi nåede udenfor, ud i dagslyset, min arm lå om Sohrabs skulder, og jeg så Farid komme løbende hen imod os.

„Bismillah! Bismillah!" udbrød ham, og øjnene bulnede i hovedet på ham ved synet af mig. Han slyngede min arm om sin skulder og løftede mig. Bar mig hen til bilen, i løb. Jeg tror jeg skreg. Jeg så hans sandaler hamre mod jorden og klaske op imod hans beskidte, ru hæle. Det gjorde ondt at trække vejret. Så lå jeg og kiggede op i taget på Land Cruiseren, inde på bagsædet på den lysebrune og revnede polstring og lyttede til ding-ding-lyden der fortalte at en dør stod åben. Løbende skridt rundt om bilen. Farid og Sohrab udvekslede et par hurtige ord. Bilens dør smækkede i, og motoren startede med et brøl. Bilen sprang frem, og jeg mærkede en lille hånd mod min pande. Jeg hørte stemmer ude på gaden, nogen der råbte, og så træer suse forbi vinduet. Sohrab hulkede. Farid sagde igen og igen: „Bismillah! Bismillah!"

Det var cirka på det tidspunkt at jeg mistede bevidstheden.

TREOGTYVE

Ansigter kommer til syne i tågen, bliver hængende lidt, svinder bort igen. De kigger ned, stiller spørgsmål. De stiller alle sammen spørgsmål. Ved jeg hvem jeg er? Har jeg smerter? Jeg ved hvem jeg er, og det gør ondt alle vegne. Jeg vil gerne sige det til dem, men det gør også ondt at tale. Jeg ved det fordi jeg for nogen tid siden, måske et år, måske to, måske ti, forsøgte at tale med et barn med rouge på kinderne og sort farve om øjnene.

Barnet. Ja, jeg kan se ham nu. Vi er i en slags bil, barnet og mig, og jeg tror ikke det er Soraya der kører, for Soraya kører aldrig så hurtigt. Jeg vil gerne sige noget til barnet – det forekommer mig vigtigt at gøre det. Men jeg kan ikke huske hvad det er jeg gerne vil sige, eller hvorfor det måske er vigtigt. Måske vil jeg bare sige til ham at han skal holde op med at græde, at alt nok skal blive godt nu. Måske ikke. Af en eller anden grund jeg ikke kan komme i tanke om, vil jeg gerne takke barnet.

Ansigter. De har alle sammen grønne huer på. De dukker op og forsvinder igen. De taler hurtigt, bruger ord jeg ikke forstår. Jeg hører andre stemmer, andre lyde, bippelyde og alarmer. Og hele tiden nye ansigter der kigger ned. Jeg husker ingen af dem bortset fra manden med gel i håret og Clark Gable-overskægget, ham med Afrika på sin hue.

Mister Sæbeopera-stjerne. Den er morsom. Jeg vil gerne le nu. Men det gør ondt at le.

Det bliver mørkt omkring mig.

Hun siger at hendes navn er Aisha, 'ligesom profetens hustru'. Hendes grånende hår er delt på midten og samlet i en hestehale, hendes næse er piercet med en stik formet som solen. Hun har bifokale briller på som får hendes øjne til at stå på stilke. Også hun har grønt tøj på, og hendes hænder er bløde. Hun ser mit blik og smiler. Siger noget på engelsk. Et eller andet stikker i siden af brystet.

Det bliver mørkt omkring mig.

En mand står ved siden af min seng. Jeg kender ham. Han er mørk og slank, har et langt skæg. Han har hat på – hvad er det nu man kalder sådan en hat? *Pakol?* Den er sat lidt på skrå ligesom en berømt mand hvis navn jeg ikke lige kan komme på. Jeg kender denne mand. Han kørte mig et eller andet sted hen for nogle år siden. Jeg kender ham. Der er noget galt med min mund. Jeg hører en boblende lyd.

Det bliver mørkt omkring mig.

Der er ild i min højre arm. Kvinden med brillerne og den solformede næsestik bøjer sig over min arm og fæstner en gennemsigtig plasticslange til den. Hun siger det er 'kalium'. „Det svier som et bistik, ikke?" siger hun. Det gør det. Hvad var det nu hun hed? Noget med profeten. Også hende kendte jeg for nogle år siden. Hun plejede at have håret samlet i hestehale. Nu er det redt tilbage i en knude. Sådan var Sorayas frisure første gang vi talte sammen. Hvornår var det? I sidste uge?

Aisha! Ja.

Der er noget i vejen med min mund. Og den der tingest stikker i brystet.

Det bliver mørkt omkring mig.

Vi befinder os i Sulaiman-bjergene i Baluchistan, og baba brydes med den sorte bjørn. Det er baba fra min barndom, *Toophan agha*, billedet på pashtunsk magt og vælde, ikke den magre mand under tæppet, manden med de indsunkne kinder og dybtliggende øjne. De ruller hen over græsset, manden og bjørnen. Babas krøllede hår flyver i vinden. Bjørnen brøler, eller måske er det baba. Spyt og blod sprøjter; kløer og et sving med labben. De falder omkuld med et højt dunk, og baba sidder på bjørnens bryst med fingrene begravet i dens snude. Han ser op på mig, og jeg ser det nu. Han er mig. Jeg brydes med bjørnen.

Jeg vågner. Den magre, mørke mand står igen ved min seng. Hans navn er Farid, nu husker jeg det. Og med ham er barnet fra bilen. Drengens ansigt minder mig om lyden af ringlende klokker. Jeg er tørstig.

Det bliver mørkt omkring mig.

Det skiftes til at blive mørkt og lyst omkring mig.

Manden med Clark Gable-overskægget viste sig at være dr. Faruqi. Han var alligevel ikke en sæbeopera-stjerne, men en kæbekirurg selv om jeg ikke kunne holde op med at tænke på ham som en mand ved navn Armand i en eller anden lummer sæbeopera optaget på en tropisk ø.

Hvor er jeg? ville jeg gerne spørge om. Men min mund nægtede at gå op. Jeg rynkede brynene. Gryntede. Armand smilede; hans tænder var blændende hvide.

„Ikke endnu, Amir," sagde han, „men snart. Når ståltråden er taget ud." Han talte engelsk med kraftig, rullende urdu-accent.

Ståltråd?

Armand lagde armene over kors; hans underarme var behårede, og han havde en bred vielsesring på ringfingeren. „De spekulerer sikkert på hvor De er, og hvad der er sket. Det er fuldstændig normalt, postoperationstilstanden er altid præget af desorientering. Så jeg vil fortælle Dem det jeg ved."

Jeg ville gerne spørge ham om ståltråden. Postoperation? Hvor var Aisha? Jeg ville gerne se hende smile til mig, ønskede at hendes bløde hænder skulle holde om mine.

Armand rynkede panden og løftede det ene øjenbryn på en lidt selvhøjtidelig måde. „De befinder Dem på et hospital i Peshawar. De har været her i to dage. De bør vide at De har mange alvorlige kvæstelser, Amir. Jeg ville mene at De er heldig at være i live, min ven." Han førte sin pegefinger frem og tilbage som et pendul da han sagde det. „Deres milt er sprængt, men – og heldigvis for Dem – subkapsulært, altså forsinket, for De havde spor efter tidlig indre blødning i bug-hulen. Mine kirurgkolleger var nødt til at foretage en splenek-tomi. Var milten sprængt tidligere, ville De være forblødt."

Han klappede mig på armen, den med IV'en, og smilede. „De har også syv brækkede ribben. Et af dem forårsagede en pneumothorax."

Jeg rynkede brynene. Forsøgte at lukke munden op. Kom i tanke om ståltråden.

„Det betyder punkteret lunge," forklarede Armand. Han trak i en gennemsigtig plasticslange i min venstre side. Det udløste et smertefuldt stik i brystet. „Vi forseglede hullet med dette dræn." Jeg fulgte med blikket slangen der stak ud gennem bandager om mit bryst til en beholder der var halvt fyldt med glas med vand i. Det var der boblelyden kom fra.

„De har også diverse lacerationer. Det betyder flænger."

Jeg ville gerne fortælle ham at jeg godt vidste hvad ordet betød. Jeg var trods alt forfatter. Jeg skulle til at lukke munden op. Havde igen glemt alt om ståltråden.

„Den værste var på Deres overlæbe," sagde Armand. „Slaget skar læben op i to, lige præcis på midten. Men bare rolig, plastikfyrene syede den sammen, og de mener at resultatet vil være superbt selv om De får et ar. Det kan ikke undgås.

Der var også orbitalt brud i venstre side: Det er øjenhuleknoglen, og det måtte vi også tage os af. Ståltråden i Deres kæbe kommer ud om cirka seks uger," sagde Armand. „Indtil da kun flydende kost. De vil tabe Dem en del, og i nogen tid fremover kommer De til at tale ligesom Al Pacino i den første Godfather-film." Han lo. „Men De har en opgave at løse i dag. Ved De hvad det er?"

Jeg rystede på hovedet.

„Deres opgave i dag er at slippe en vind. Gør det, og vi kan begynde at give Dem væske. Ingen prut, ingen mad." Han lo igen.

Senere, efter at Aisha havde skiftet IV-tuben og hævet hovedgærdet da jeg bad om det, tænkte jeg over det der var sket mig. Sprængt milt. Tænder der var slået ud. Punkteret lunge. Brud på øjenhulen. Men mens jeg lå og så en due pikke til en brødkrumme ude på vinduesgesimsen, var der noget andet Armand/dr. Faruqi havde sagt, der hele tiden gav genlyd i mit hoved. *Slaget skar læben op i to*, havde han sagt, *lige præcis på midten*. Lige præcis på midten. Som et hareskår.

Farid og Sohrab kom på besøg den næste dag. „Ved du hvem vi er i dag? Husker du hvad der skete?" spurgte Farid, kun halvt i spøg. Jeg nikkede.

„*Al hamdullellah!*" sagde han med et strålende smil. „Ikke mere nonsens-snak."

„Mange tak, Farid," sagde jeg gennem mine sammensurrede kæber. Armand havde ret – jeg lød faktisk ligesom Al Pacino i *Godfather*. Og min tunge overraskede mig hver gang den søgte hen til et af de tomme steder hvor de tænder jeg havde slugt, engang havde befundet sig. „Jeg mener, tak. For alt."

Han slog ud med hånden, rødmede lidt. „*Bas*, det er ikke værd at tale om," sagde han. Jeg så på Sohrab. Han havde fået nyt tøj på, en lyseblåm *pirhum-tumbum* som var en umule for stor til ham, og en sort hovedkalot. Han så ned i gulvet og fingererede med IV-slangen der lå rullet sammen på sengen.

„Vi er ikke blevet ordentligt præsenteret," sagde jeg. Jeg rakte ham hånden. „Jeg er Amir."

Han så på min hånd, derefter op på mig. „Er De den Amir agha far har fortalt mig om?" spurgte han.

„Ja." Jeg tænkte på det Hassan havde skrevet i sit brev. *Jeg har fortalt Farzana jan og Sohrab meget om Dem, om at vi voksede op sammen og legede sammen og løb rundt i gaderne. De ler ad historierne om alle de gavtyvestreger De og jeg lavede!* „Også tak til dig, Sohrab jan," sagde jeg. „Du reddede mit liv."

Han svarede ikke. Jeg lod hånden falde da han ikke tog den. „Jeg kan godt lide dit nye tøj," mumlede jeg.

„Det er min søns," sagde Farid. „Han er vokset ud af det. Det passer ret godt til Sohrab, synes jeg." Sohrab kunne bo hos ham, sagde han, indtil vi fandt et sted til ham. „Vi har ikke ret megen plads, men hvad andet kan jeg gøre? Jeg kan ikke sende ham på gaden. I øvrigt er mine børn blevet glade for ham. *Ha*, Sohrab?" Men drengen blev ved med at se ned og dreje slangen mellem fingrene.

„Der er noget jeg gerne vil spørge om," sagde Farid lidt tøvende. „Hvad skete der i det hus? Hvad skete der mellem dig og den talib?"

„Lad mig nøjes med at sige at vi begge fik som vi havde fortjent," sagde jeg.

Farid nikkede og spurgte ikke om mere. Det faldt mig ind at vi i tidsrummet fra da vi kørte fra Peshawar til Afghanistan, og til nu på en eller anden måde var blevet venner. „Jeg har også noget at spørge dig om."

„Hvad?"

Jeg ønskede ikke at spørge. Jeg var bange for svaret. „Rahim Khan," sagde jeg.

„Han er væk."

Mit hjerte sprang et slag over. „Er han...?"

„Nej, bare... væk." Han rakte mig et stykke sammenfoldet papir og en lille nøgle. „Viceværten gav mig det her da jeg kom. Han sagde at Rahim Khan var rejst dagen efter os."

„Hvor tog han hen?"

Farid trak på skuldrene. „Det vidste viceværten ikke. Han sagde at Rahim Khan havde lagt det her brev og en nøgle til dig, og så var han rejst." Han kastede et blik på sit ur. „Jeg må videre. *Bia*, Sohrab."

„Kan han ikke blive her lidt længere?" spurgte jeg. „Kunne du samle ham op senere?" Jeg så på Sohrab. „Har du lyst til at blive her, sammen med mig, lidt endnu?"

Han trak på skuldrene og svarede ikke.

„Selvfølgelig," sagde Farid. „Jeg henter ham før aften-*namaz.*"

Der var tre andre patienter på min stue. To ældre mænd, en lå med benet i gips, den anden havde astma, og den tredje var en ung mand på femten-seksten år der var blevet opereret for blindtarmsbetændelse. Den gamle mand med gipsen stirrede på os uden at blinke. Øjnene gled uophørligt fra mig til hazara-drengen der sad på en stol, og tilbage igen. Familierne til mine medpatienter – gamle kvinder i spraglede *shalwar-kameez*'er, børn, mænd med hovedkalot – sjokkede støjende ind og ud af stuen. De havde masser af *pakora, naan, samosa* og *biryani* med til deres slægtninge. En gang imellem kom folk bare gående ind på stuen, som for eksempel den høje, skæggede mand som kom ind lige før Farid og Sohrab. Han havde et brunt tæppe om sig. Aisha spurgte ham om noget på urdu. Han ignorerede hende og lod blikket glide hen over stuen. Jeg syntes han så lidt længere på mig end nødvendigt. Da sygeplejersken igen sagde noget til ham, snurrede han rundt og gik.

„Hvordan går det?" spurgte jeg Sohrab. Han trak på skuldrene og kiggede ned på sine hænder.

„Er du sulten? Den dame dér gav mig en tallerken *biryani*, men jeg kan ikke spise den," sagde jeg. Jeg vidste ikke hvad ellers jeg skulle sige til ham. „Vil du have den?"

Han rystede på hovedet.

„Har du lyst til at snakke?"

Han rystede igen på hovedet.

Sådan sad vi så et stykke tid, uden at sige noget, mig stablet op i sengen med to puder i ryggen, Sohrab på en trebenet stol ved siden af sengen. På et tidspunkt faldt jeg i søvn, og da jeg vågnede, var dagslyset svindende, skyggerne blevet lange, og Sohrab sad stadig ved siden af sengen. Og så stadig ned på sine hænder.

Efter at Farid havde hentet Sohrab sent på eftermiddagen, åbnede jeg Rahim Khans brev. Jeg havde udsat det så længe som muligt. Der stod:

Amir jan.

Inshallah, jeg håber du er ved godt helbred når du modtager dette brev. Jeg beder til at jeg ikke har udsat dig for fare, og at Afghanistan ikke har været alt for uvenligt mod dig. Du har været i mine tanker siden den dag du tog af sted.

Du havde ret i at tro at jeg vidste det i alle de år. Det gjorde jeg. Hassan fortalte mig om det kort efter at det var sket. Det var forkert, det du gjorde, Amir jan, men glem ikke at du var et barn da det skete. En ængstelig, lille dreng. Du var for hård over for dig selv dengang, og du er det stadig – jeg så det i dine øjne i Peshawar. Men jeg håber at du vil lægge dig dette på sinde: En mand som ingen samvittighed har, og ingen godhed, lider ikke. Det er mit håb at dine lidelser vil være væk efter denne rejse til Afghanistan.

Amir jan, jeg skammer mig over alle de løgne vi fortalte dengang. Du var i din gode ret til at blive vred i Peshawar. Du havde ret til at vide besked. Ligesom Hassan. Jeg ved at det ikke undskylder noget, men det Kabul vi boede i dengang, var en mærkværdig verden, en hvor visse ting betød mere end sandheden.

Amir jan, jeg ved hvor streng din far var over for dig da du voksede op. Jeg så hvordan du led og længtes efter hans kærlighed, og jeg havde inderlig ondt af dig. Men din far var et splittet menneske, splittet i to dele, Amir jan; splittet mellem dig og Hassan. Han elskede jer begge to, men han kunne ikke elske Hassan som han gerne ville, helt åbent og som en far. Så han lod det gå ud over dig – Amir, den af samfundet accepterede ægte søn, den del der repræsenterede rigdomme han havde arvet, og de straffrie synders privilegier der fulgte med. Når han så på dig, så han sig selv. Og sin skyld. Du er stadig vred, og jeg er klar over at det er alt for tidligt at forlige dig med det, men måske vil du en dag kunne forstå at når din far var hård over for dig, var han hård over for sig selv. Din far var, ligesom du, et forpint menneske, Amir jan.

Jeg kan ikke beskrive dybden af min sorg da jeg hørte at han var gået bort. Jeg elskede ham fordi han var min ven, men også fordi han var et godt menneske, måske ligefrem et stort menneske. Og det er hvad jeg gerne vil have dig til at forstå: at det gode, det *rigtigt* gode, udsprang af din fars anger. En gang imellem tror jeg at alt det han gjorde: fordelte mad blandt de fattige på gaden, byggede børnehjemmet, gav penge til venner i nød, alt det var for at sone sin synd. Og det, tror jeg, er hvad udfrielse er, Amir jan: at det onde fører til det gode.

Jeg ved at Gud vil tilgive. Han vil tilgive din far, mig og også dig. Jeg håber at du kan gøre det samme. Tilgive din far hvis du kan. Tilgive mig hvis du vil. Men vigtigst af alt: tilgive dig selv.

Jeg har efterladt en sum penge, faktisk det meste af det jeg har tilbage. Jeg gætter på at der vil være udgifter når du kommer tilbage hertil, og pengene skulle gerne kunne dække dem. Der er en bank i Peshawar, Farid ved hvor den ligger. Pengene ligger i bankboks. Du har fået nøglen.

Hvad angår mig, så er det på tide at drage videre. Jeg har kun kort tid tilbage, og jeg vil gerne være alene i den tid. Vær sød ikke at lede efter mig. Det er min sidste bøn til dig.

Jeg overgiver dig i Guds hænder.

Din ven for evigt

Rahim

Jeg trak ærmet på hospitalsskjorten hen over mine øjne. Foldede papiret og lagde det ind under min madras.

Amir, den af samfundet accepterede ægte søn, den del der repræsenterede rigdomme som han havde arvet, og de straffrie synders privilegier der fulgte med. Måske var det grunden til at baba og jeg var kommet så meget bedre ud af det med hinanden i USA, tænkte jeg. Skrammelforretningen, det ufaglærte arbejde, vores usle lejlighed – den amerikanske udgave af en rønne; måske så baba i alt det en lille smule af Hassan når han kiggede på mig.

Din far var, ligesom du, et forpint menneske, havde Rahim Khan skrevet. Måske. Vi havde begge syndet og forrådt. Men baba havde fundet en måde at sone sin synd på. Hvad havde jeg gjort bortset fra at lade min skyldfølelse gå ud over de mennesker jeg havde forrådt, og bagefter gjort alt for at glemme det? Hvad havde jeg gjort bortset fra at ligge søvnløs om natten?

Hvad havde jeg gjort for at gøre uret god igen?

Da sygeplejersken – ikke Aisha, men en rødhåret kvinde hvis navn jeg ikke husker – kom gående ind med en sprøjte i hånden og spurgte mig om jeg ville have lidt morfin at sove på, sagde jeg ja.

De fjernede brystslangen først på formiddagen næste dag, og Armand gav personalet tilladelse til at servere æblejuice for mig. Jeg bad Aisha om at komme med et spejl da hun kom ind med juicen som hun satte på bordet ved siden af min seng. Hun skubbede brillerne op på hovedet da hun trak forhænget til side og lod morgensolens lys strømme ind. „Husk nu," sagde hun over skulderen, „at det vil se meget bedre ud om et par dage. Min svigersøn var indblandet i en knallertulykke sidste år. Hans kønne fjæs blev trukket hen over asfalten og lignende bagefter en aubergine. Nu ligner han sig selv igen – en rigtig Lollywood-filmstjerne."

På trods af hendes forsikringer var det som at få slået luften ud af lungerne at se sig i spejlet og se det som de påstod var mit ansigt. Det lignede noget som en eller anden havde stukket en pumpgun op under huden på og så trykket på aftrækkeren. Mine øjne var hævede og huden mørkviolet. Det værste var min mund, en grotesk klat, rød og blå, forslået og syet sammen. Jeg forsøgte mig med et smil, og smerterne jog igennem mine læber. Der ville gå lang tid før jeg forsøgte at gøre det igen. Jeg var også blevet syet hen over venstre kind, lige under hagen og på panden lige under hårgrænsen.

Den gamle mand med benet sagde noget på urdu. Jeg trak på skuldrene og rystede på hovedet. Han pegede på sit eget ansigt, klappede sig på kinden og grinede et bredt, tandløst grin. „Meget godt," sagde han på engelsk. „*Inshallah.*"

„Tak," hviskede jeg.

Farid og Sohrab kom netop som jeg lagde spejlet væk. Sohrab satte sig på sin stol ved siden af sengen og hvilede hagen på sengehesten.

„Jeg tror det vil være godt at få dig væk herfra hurtigst muligt," sagde Farid.

„Dr. Faruqi siger—"

„Jeg mener ikke hospitalet. Jeg mener Peshawar."

„Hvorfor?"

„Jeg tror ikke du er i sikkerhed her ret meget længere," sagde Farid. Han sænkede stemmen. „Talibanerne har venner her. Det varer ikke længe før de begynder at lede efter dig."

„Jeg tror måske de er begyndt," mumlede jeg og tænkte på den skæggede mand som var kommet ind på stuen og bare havde stået og kigget på mig.

Farid bøjede sig ind over sengen. „Jeg kører dig til Islamabad så snart du er i stand til at gå. Der er ikke ret meget mere sikkert der, der er ikke sikkert i Pakistan overhovedet, men det er bedre end her. I det mindste vil det kunne skaffe dig lidt tid."

„Farid jan, i så fald er det heller ikke sikkert for dig. Måske burde du ikke lade dig se sammen med mig. Du har din familie at tænke på."

Farid slog ud med hånden. „Mine drenge er små, men deres hoveder er godt skruet på. De ved hvordan de skal passe på deres mødre og søstre." Han smilede. „For resten sagde jeg jo ikke at jeg ville gøre det gratis."

„Det ville heller ikke komme på tale," sagde jeg. Jeg glemte at jeg ikke kunne smile, og forsøgte. En bloddråbe trillede ned ad min hage. „Må jeg bede dig om endnu en tjeneste?"

„For dig, tusinde gange og mere," sagde Farid.

Og så, lige pludselig, brast jeg i gråd. Jeg hikstede mundfulde af luft ned i lungerne, og tårerne strømmede ned ad mine kinder og fik det til at svie i de åbne sår på mine læber.

„Hvad er der i vejen?" spurgte Farid forskrækket.

Jeg begravede mit ansigt i den ene hånd og løftede den anden. Jeg var klar over at alle på stuen kiggede på mig. „Undskyld," sagde jeg. Sohrab kiggede på mig med dybe rynker i panden.

Da jeg igen kunne tale, fortalte jeg Farid hvad jeg ville have ham til at gøre. „Rahim Khan sagde at de boede i Peshawar."

„Måske skulle du skrive deres navne ned," sagde Farid og så vagtsomt på mig som om han spekulerede på hvad der næste gang ville få mig til at bryde sammen. Jeg skrev navnene ned på en papirserviet. 'John og Betty Caldwell'.

Farid stak det sammenfoldede stykke papir i lommen. „Jeg kontakter dem ved først givne lejlighed," sagde han. Han vendte sig om mod Sohrab. „Jeg kommer igen i aften og henter dig. Pas på du ikke trætter Amir jan for meget."

Men Sohrab var gået over til vinduet hvor fem-seks duer havde slået sig ned på vinduesgesimsen og sad og nikkede med hovederne mens de pikkede i træet og nogle tørre brødskiver.

Jeg havde fundet et gammelt nummer af *National Geographic*, en gennemtygget blyant og en kam med kun få tilbageværende tænder i skuffen på mit sengebord, og så det jeg nu med sveden strømmende ned over mit ansigt rakte ud efter: et spil kort. Jeg havde talt kortene tidligere og til min overraskelse konstateret at de alle var der. Jeg spurgte Sohrab om han havde lyst til at spille. Jeg regnede ikke med at han ville svare, og da slet ikke spille. Han havde været så godt som tavs siden vi flygtede ud af Kabul. Men han vendte sig om fra vinduet og sagde: „Det eneste spil jeg kender, er panjpar."

„I så fald har jeg allerede ondt af dig, for jeg er stormester i panjpar. Kendt i den vide verden."

Han satte sig på sin stol ved siden af mig. Jeg gav ham fem kort. „Da din far og jeg var på din alder, spillede vi ofte panjpar. Især om vinteren når det sneede, og vi ikke kunne komme uden for en dør. Vi plejede at spille indtil solen gik ned."

Han spillede et kort til mig og tog et op fra bunken. Jeg så stjålent på ham mens han studerede sin hånd. Han var sin far op ad dage på så mange måder: sådan som han bredte kortene ud i begge hænder, sådan som han kneb øjnene sammen mens han studerede dem, sådan som han sjældent så et andet menneske direkte i øjnene.

Vi spillede uden at tale sammen. Jeg vandt det første spil, lod ham vinde det næste og tabte det tredje uden snyd. „Du er lige så god som din far, måske bedre," sagde jeg efter det spil. „En gang imellem slog jeg ham, men jeg tror han måske lod mig vinde." Jeg tøvede lidt før jeg fortsatte: „Din far og jeg havde den samme amme."

„Det ved jeg."

„Hvad... hvad fortalte han dig ellers om os?"

„Han sagde at De var den bedste ven han nogensinde havde haft," sagde han.

Jeg vendte og drejede en ruder knægt i hånden, vendte

kortet op og vendte det ned igen. „Jeg var desværre ikke en særlig god ven," sagde jeg. „Men jeg vil gerne være din ven. Ville det være all right? Kunne du tænke dig det?" Jeg lagde hånden på hans arm, forsigtigt, men han krympede sig alligevel. Han smed sine kort og skubbede stolen tilbage. Han gik hen til vinduet igen. Solen var ved at gå ned over Peshawar, og himlen var malet i røde og violette striber. Nede fra gaden kunne vi høre hidsige bilhorn og et æsel der skrydede; lyden af en politifløjte. Sohrab stod i det røde lys med panden mod vinduesruden og næverne begravet i armhulerne.

Aisha fik en mandlig sygehjælper til at hjælpe mig med at gå de første skridt den aften. Jeg gik kun rundt på stuen med den ene hånd om stativet med IV-posen og den anden om hjælperens underarm. Det tog mig ti minutter at komme tilbage til sengen, og da dunkede det i arret på min mave, og jeg var gennemblødt af sved. Jeg lå i sengen, gispende, mit hjerte hamrede i mine ører, og jeg tænkte på hvor meget jeg savnede min kone.

Sohrab og jeg spillede panjpar det meste af næste dag; uden at tale sammen. Det samme dagen efter igen. Vi udvekslede så godt som ingen ord, spillede blot panjpar, mig i sengen, han på den trebenede stol, og rutinen blev kun brudt når jeg gik en tur rundt på stuen eller gik på wc ude på gangen. Den nat drømte jeg. Jeg drømte at Assef stod i døren ind til hospitalsstuen stadig med messingkuglen begravet i sit øje. „Vi er ens, du og jeg," sagde han. „I havde den samme amme, men du er *min* tvilling."

Næste dag sagde jeg til Armand at jeg ville udskrives.

„Det er for tidligt," protesterede han. Han var ikke i kirurgudstyret den dag, men i stedet for i en marineblå skjorte med button-down og gult slips. Gelen var tilbage i hans hår. „De får stadig antibiotika intravenøst, og—"

„Jeg er nødt til det," sagde jeg. „Jeg sætter pris på alt hvad I har gjort for mig, jer alle sammen. Men jeg er nødt til at komme videre."

„Hvor tager De hen?" spurgte Armand.

„Det vil jeg helst ikke komme ind på."

„De kan jo dårligt nok gå."

„Jeg kan gå ned til enden af gangen og tilbage igen," sagde jeg. „Jeg skal nok klare mig." Planen var denne: Komme ud af hospitalet. Hente pengene i bankboksen og betale hospitalsregningen. Køre til børnehjemmet og sætte Sohrab af hos John og Betty Caldwell. Derefter køre til Islamabad og arrangere min hjemrejse. Blive et par dage for at komme lidt mere til hægterne. Og så flyve hjem.

Sådan var planen i det mindste. Indtil Farid og Sohrab kom op ad formiddagen. „Dine venner, denne John og Betty Caldwell, de er ikke længere i Peshawar."

Det havde taget mig ti minutter bare at komme i *pirhan-tumban*'en. Det gjorde ondt i brystet – der hvor de havde stukket slangen ind – når jeg løftede armen, og det dunkede i min mave hver gang jeg bøjede mig frem. Jeg trak vejret i hivende, halvkvalte sug over besværet med at pakke mine få ejendele ned i en brun papirpose. Men det var lykkedes mig at blive klar, og jeg sad på sengekanten da Farid kom med sine nyheder. Sohrab satte sig på sengen ved siden af mig.

„Hvor er de taget hen?" spurgte jeg.

Farid rystede på hovedet. „Du forstår ikke—"

„For Rahim Khan sagde—"

„Jeg gik hen til det amerikanske konsulat," sagde Farid og tog min pose. „Der har aldrig været en John og Betty Caldwell i Peshawar. Ifølge konsulatet har de aldrig eksisteret. Ikke i Peshawar, ikke nogen steder."

Sohrab sad ved siden af mig og bladede i det gamle *National Geographic*.

Vi hentede pengene i banken. Direktøren, en mavesvær mand med svedskjolder under armene, smilede i et væk og bedyrede at ingen i banken havde rørt pengene. „Absolut ingen," sagde han alvorligt og førte sin pegefinger frem og tilbage foran næsen på mig ligesom Armand havde gjort.

At køre igennem Peshawar med så mange penge i en papirpose var en lidt skræmmende oplevelse. Plus at jeg havde det som om alle skæggede mænd der kiggede på mig, måtte være en talib-morder som Assef havde sendt efter mig. To kendsgerninger tjente til at øge min frygt: Der er mange skæggede mænd i Peshawar, og alle stirrer.

„Hvad stiller vi op med ham?" spurgte Farid da han langsomt hjalp mig fra hospitalet hen til bilen. Sohrab sad allerede på bagsædet i Land Cruiseren og så med hagen i hænderne ud på trafikken gennem nedrullede vinduer.

„Han kan ikke blive her i Peshawar," svarede jeg stønnende.

„Nej, Amir, det kan han ikke," nikkede Farid. Han havde læst spørgsmålet i mit blik. „Jeg er ked af det. Jeg ville ønske—"

„Det er all right, Farid," sagde jeg. Det lykkedes mig at smile. „Du har mange munde at mætte." En hund stod ved siden af bilen på bagbenene, med forpoterne mod bildøren og logrende hale. Sohrab klappede den på hovedet. „Jeg går ud fra at vi må videre til Islamabad nu," sagde jeg.

Jeg sov det meste af den fire timer lange tur til Islamabad. Jeg drømte, men jeg husker kun brudstykker af et kalejdoskop af billeder der fór igennem mit hoved som kort på en rolodex: Baba der marinerede lam til min trettenårsfødselsdag. Soraya og jeg der elskede for første gang, solen der stod op i øst, bryllupsmusikken der stadig gav genlyd i vores ører, hendes henna-farvede fingre der flettede sig ind i mine. Dengang baba havde taget Hassan og mig ud til jordbærmarken i Jalalabad

– ejeren havde sagt at vi måtte spise så meget vi orkede, når bare vi plukkede mindst fire kilo – og hvordan vi begge havde fået frygtelig ondt i maven. Hvor mørkt, næsten sort Hassans blod havde set ud i sneen da det dryppede fra hans buksebag. *Blod er en faktor man må regne med*, bachem. Khala Jamila der klappede Soraya på knæet og sagde: *Gud ved bedst. Måske var det ikke Hans plan med jer.* Oppe på taget af min fars hus når vi sov der. Baba der sagde at den eneste synd der betød noget, var tyveri. *Når du lyver, stjæler du en mands krav på sandheden.* Rahim Khans stemme i telefonen der sagde at det var muligt at gøre uret god igen. *Muligt at gøre uret god igen.*

FIREOGTYVE

Hvis Peshawar var den by der mindede mig om hvordan Kabul plejede at være, så var Islamabad den by som Kabul en dag kunne være blevet til. Gaderne var bredere end i Peshawar, renere og flankeret af hibiscus og flammetræer. Basarerne var mere velordnede og ikke nær så pakket med rickshawer og fodgængere. Også arkitekturen var mere elegant, mere moderne, og jeg så parker hvor roser og jasminbuske blomstrede i skyggen under træer.

Farid fandt et hotel i en sidegade ved foden af Margallabakkerne. Vi kom forbi den berømte Shah Faisal-moské, angiveligt den største moské i verden, med de gigantiske betonbjælker og himmelstræbende minareter. Sohrab lyste op ved synet af moskeen, lænede sig ud ad vinduet og kiggede tilbage på den indtil Farid drejede om et hjørne.

Hotelværelset var en stor forbedring i forhold til det i Kabul hvor Farid og jeg havde indlogeret os. Lagnerne var rene, tæppet støvsuget og badeværelset klinisk rent. Der var shampoo, sæbe, en gammeldags skraber, et badekar og håndklæder der duftede af citron. Og ingen blodpletter på væggene. Endnu en ting: et fjernsyn på toiletbordet i hjørnet over for de to senge.

„Se!" sagde jeg til Sohrab. Jeg tændte for det på apparatet – der var ingen fjernbetjening – og trykkede fremad på kanalvælgeren. Jeg fandt et børneprogram, et show med to krøllede lam der sang en sang på urdu. Sohrab satte sig på den ene af sengene og trak knæene op til brystet. Billeder fra tv'et reflekteredes i hans grønne øjne mens han med stenansigt sad og rokkede frem og tilbage. Jeg kom til at tænke på dengang jeg lovede Hassan at jeg ville købe et farve-tv til hans familie når vi begge var blevet voksne.

„Jeg kører nu, Amir," sagde Farid.

„Bliv og sov," sagde jeg. „Det er en lang tur. Vent med at køre til i morgen."

„*Tashakor*," sagde han, „men jeg vil helst køre nu. Jeg savner børnene." På vej ud stod han stille i døråbningen. „Farvel, Sohrab jan," sagde han. Han ventede på et svar, men Sohrab ignorerede ham. Rokkede bare frem og tilbage mens det sølvagtige skær fra tv-billederne flaksede hen over hans ansigt.

Jeg gav ham en kuvert da vi var kommet ud af værelset. Da han åbnede den, tabte han mælet.

„Jeg ved ikke hvordan jeg skal takke dig," sagde jeg. „Du har gjort så meget for mig."

„Hvor meget er der?" spurgte Farid fortumlet.

„Lidt over to tusind dollars."

„To tu—" begyndte han. Hans underlæbe begyndte at skælve. Senere, da han trak ud i trafikken, dyttede han to gange i hornet og vinkede. Jeg vinkede tilbage. Jeg så ham aldrig igen.

Jeg gik tilbage til hotelværelset og så at Sohrab havde lagt sig på sengen, rullet sammen i fosterstilling. Han havde lukket øjnene, men jeg kunne ikke se om han var faldet i søvn. Han havde slukket for tv'et. Jeg satte mig på min seng, tørrede koldsveden af panden og skar en grimasse af smerte. Jeg spekulerede på hvor lang tid der skulle gå før det ikke gjorde ondt at rejse sig, sætte sig ned, vende sig om på den anden side i sengen. Jeg spekulerede på om jeg nogensinde igen ville kunne spise fast føde. Jeg spekulerede på hvad jeg skulle stille op med den forpinte lille dreng der lå på sengen, selv om en del af mig allerede kendte svaret.

Der stod en karaffel vand på toiletbordet. Jeg skænkede et glas og tog to af Armands smertestillende piller. Vandet var lunkent og smagte ikke godt. Jeg trak gardinerne for, lempede mig ned i sengen og lagde mig. Jeg troede at min brystkasse var ved at briste i to dele. Da smerterne var begyndt at fortage sig en smule, og jeg igen kunne få vejret, trak jeg tæppet op og ventede på at Armands piller skulle virke.

Da jeg vågnede, var der mørkt i værelset. Den smule himmel der tittede ind gennem gardinerne, var purpurrød og ved at blive mørkeblå. Lagnerne var gennemblødte af sved, og det dunkede i mit hoved. Jeg havde drømt igen, men jeg kunne ikke huske hvad drømmen havde handlet om.

Mit hjerte hoppede i livet på mig da jeg så over på Sohrabs seng og opdagede at den var tom. Jeg råbte på ham. Lyden af min egen stemme forskrækkede mig selv. Det var sært, forvirrende, at sidde i et mørkt hotelværelse, helt værkbruden, og kalde på en dreng som jeg kun havde lært at kende for få dage siden. Jeg kaldte igen på ham og fik intet svar. Jeg kæmpede mig ud af sengen, så efter i badeværelset, kiggede ud i den smalle gang uden for værelset. Han var væk.

Jeg låste døren og humpede, støttende mig til trappegelænderet, ned til inspektørkontoret i receptionen. Der stod en støvet plasticpalme i hjørnet af rummet, og tapetet var en fotostat med lyserøde flamingoer på flugt hen over himlen. Hotelinspektøren sad og læste avis bag receptionsskranken, en tarvelig laminatbeklædt planke. Jeg beskrev Sohrab for ham og spurgte om han havde set ham. Han lagde avisen fra sig og tog sine briller af. Hans hår var fedtet, og overskægget, en lille firkantet sag, gråsprængt. Han duftede af en eller anden tropisk frugt som jeg ikke kendte.

„Drenge, de kan godt lide at komme omkring," sagde han og sukkede. „Jeg har selv tre drenge. Hele dagen er der gang i dem, og deres mor gør sig endeløse bekymringer." Han viftede sig med avisen med blikket stift rettet mod min kæbe.

„Jeg tror ikke han farter om på den måde," sagde jeg. „Og vi er ikke fra byen her. Jeg er bange for at han måske er faret vild."

Han rokkede med hovedet fra side til side. „I så fald skulle De have holdt bedre øje med ham."

„Ja, det er jeg klar over," svarede jeg, „men jeg faldt i søvn, og da jeg vågnede, var han væk."

„Man er nødt til at holde øje med dem, drengene, ikke sandt?"

„Ja," sagde jeg mens blodet begyndte at koge i mine årer. Hvordan kunne han være så ligeglad? Han flyttede avisen over i den anden hånd og fortsatte med at vifte sig. „Nu er det cykler de ønsker sig."

„Hvem?" spurgte jeg.

„Mine drenge," sagde han. „De siger: 'Far altså, hvis du køber en cykel til os, skal vi nok være søde.'" Han prustede af latter. „Cykler! Deres mor ville slå mig ihjel, det sværger jeg på."

Jeg så Sohrab for mig liggende i en grøft. Eller i en lastvogn, på ladet, bagbundet og med bind for øjnene. Jeg ville ikke have hans blod på mine hænder. Ikke også hans. „Mr.?" jeg kneb øjnene sammen og så på navneskiltet på hans kortærmede, blå bomuldsskjorte, „mr. Fayyaz, vær rar at fortælle mig om De har set ham."

„Drengen?"

Jeg beherskede mig. „Ja, drengen. Den dreng der kom sammen med mig. Har De set ham, eller har De ikke set ham?"

Avisen faldt til ro. Hans øjne blev små. „De skal ikke være fræk over for mig, min ven. Det er ikke mig der har mistet ham."

At det ikke kunne være mere sandt, forhindrede ikke blodet i at fare mig til hovedet. „Sandt nok, undskyld, sådan var det ikke ment. Men har De set ham?"

„Beklager," sagde han kort for hovedet. Han tog brillerne på igen. Foldede avisen ud med et smæld. „Jeg har ikke set en dreng som ham De har beskrevet."

Jeg blev stående foran skranken et helt minut mens jeg forsøgte at kvæle et skrig. Da jeg var på vej væk, spurgte han: „Har De nogen anelse om hvor han kan være gået hen?"

„Nej," svarede jeg. Jeg var træt. Træt og bange.

„Har han nogen interesser?" spurgte han. Jeg så at han havde foldet avisen sammen. „Nu mine drenge, ikke sandt, de er vilde med amerikanske action-film, især med ham Arnold Vatsenegger—"

„Moskeen!" udbrød jeg. „Den store moské." Jeg var kommet i tanke om moskeen som havde revet Sohrab ud af døsen da vi kørte forbi; han havde lænet sig ud ad vinduet for at kigge på den.

„Shah Faisal?"

„Ja. Kan De vise mig vej hen til den?"

„Ved De at det er verdens største moské?" spurgte han.

„Ja, men—"

„Den indre gård kan rumme fyrre tusind mennesker."

„Vil De køre mig derhen?"

„Der er kun en kilometer herfra," sagde han. Men han var allerede ved at komme på benene.

„Jeg skal nok betale for turen," sagde jeg.

Han sukkede og rystede på hovedet. „Vent her." Han forsvandt ind i baglokalet og kom tilbage med et nyt par briller på, et nøgleknippe dinglende i hånden og en lille, buttet kvinde i en orange sari efter sig. Hun satte sig på hans plads bag skranken. „Jeg vil køre Dem fordi jeg ligesom De er en far."

Jeg havde troet at vi ville køre rundt i byen indtil langt ud på aftenen. Jeg så for mig at jeg blev nødt til at tilkalde politiet, beskrive Sohrab for dem mens Fayyaz hele tiden så bebrejdende på mig. Jeg kunne høre politimandens trætte og uinteresserede stemme, høre mig selv svare på de sædvanlige spørgsmål. Og bag spørgsmålene det uofficielle: Hvem fanden bryder sig om endnu en død afghansk dreng?

Men vi fandt ham i nærheden af moskeen på den halvfyldte parkeringsplads hvor han havde fundet en lille græsklædt helle. Fayyaz kørte hen til hellen og rakte ud og åbnede døren. „Jeg må tilbage," sagde han.

„Ja, det forstår jeg. Vi går tilbage," sagde jeg. „Mange tak, mr. Fayyaz. Og det mener jeg."

Han lænede sig hen over passagersædet da jeg steg ud. „Der er noget jeg gerne vil sige. Er det okay?"

„Selvfølgelig."

I tusmørket kunne jeg kun se hans briller der reflekterede det svindende lys. „Det med jer afghanere... altså, I er faktisk en smule vanvittige."

Jeg var træt, og det gjorde ondt overalt. Det dunkede i min kæbe, og de forbandede sår på brystet og maven føltes som pigtråd under huden. Men jeg kunne alligevel ikke lade være med at le.

„Hvad... jeg mener, hvorfor...?" sagde Fayyaz, men på det

tidspunkt nærmest spruttede latteren ud gennem mine sammensurrede kæber.

„Fuldkommen gale," sagde han og kørte derfra med hvinende dæk. Det sidste jeg så, var de røde baglygter forsvinde i det vigende lys.

„Der gjorde du mig godt nok bange," sagde jeg. Jeg krympede mig af smerte da jeg satte mig ned ved siden af ham.

Han så op mod moskeen. Shah Faisal-moskeen var formet som et gigantisk telt. Biler ankom og kørte igen, fromme mennesker i hvidt defilerede ind og ud. Vi sad uden at sige noget, mig op ad et træ, Sohrab ved siden af mig med benene trukket op mod brystet. Vi hørte da der blev kaldt til bøn, så alle lysene i bygningen blive tændt da mørket var faldet på. Moskeen glitrede som en diamant i mørket. Den oplyste himlen, Sohrabs ansigt.

„Har De nogensinde været i Mazar-i-Sharif?" spurgte Sohrab med hagen hvilende mod knæene.

„Engang for længe siden. Der er ikke meget jeg husker fra dengang."

„Far tog mig med dertil da jeg var lille. Mor og Sasa var også med. Far købte en abe til mig i basaren. Ikke en rigtig abe, men sådan en man skal puste op. Den var brun og havde en butterfly på."

„Måske havde jeg sådan en da jeg var lille."

„Far tog mig med til Den Blå Moské," sagde Sohrab. „Jeg kan huske at der var mange duer uden for *masjid*'en, og de var ikke bange for mennesker. De kom helt hen til os. Sasa gav mig små *naan*-stykker, og jeg fodrede fuglene. Pludselig var der rigtig mange fugle rundt om mig. Det var sjovt."

„Du savner selvfølgelig dine forældre," sagde jeg. Jeg spekulerede på om han havde set talibanerne slæbe forældrene ud på gaden. Det havde han forhåbentlig ikke.

„Savner De Deres forældre?" spurgte han og så op på mig, men uden at løfte hagen fra knæene.

„Om jeg savner mine forældre? Tja, jeg har aldrig kendt min mor. Min far døde for en del år siden, og ja, jeg savner ham. En gang imellem savner jeg ham meget."

„Kan De huske hvordan han så ud?"

Jeg tænkte på babas kraftige hals, mørke øjne, det uregerlige, brune hår. At sidde på hans skød havde været som at sidde på to træstammer. „Ja, jeg kan godt huske hvordan han så ud," sagde jeg. „Også hvordan han duftede."

„Jeg er begyndt at glemme deres ansigter," sagde Sohrab. „Er det slemt?"

„Nej," sagde jeg. „Det er tiden der går." Jeg kom i tanke om noget. Jeg stak hånden i min frakkelomme. Fandt polaroidbilledet af Hassan og Sohrab. „Værsgo," sagde jeg.

Han tog billedet helt op til ansigtet og drejede det så lyset fra moskeen faldt på det. Han kiggede længe på det. Jeg troede at han måske ville begynde at græde, men det gjorde han ikke. Han holdt det blot i begge hænder og lod tommelfingeren glide hen over det. Jeg tænkte på noget jeg engang havde læst, eller måske havde jeg hørt nogen sige det: Der er masser af børn i Afghanistan, men meget lidt barndom. Han rakte det tilbage til mig.

„Behold det," sagde jeg. „Du må få det."

„Tak." Han kiggede igen på billedet og stak det så i skjortelommen. En hestevogn klaprede forbi parkeringspladsen. Små bjælder dinglede om hestens hals og ringede for hvert skridt.

„Jeg har tænkt meget på moskeer i den sidste tid," sagde Sohrab.

„Har du det? Hvorfor?"

Han trak på skuldrene. „Ikke for noget, jeg har bare tænkt på dem." Han løftede hovedet og så mig direkte ind i ansigtet. Nu græd han, stille, lydløst. „Må jeg spørge Dem om noget, Amir agha?"

„Selvfølgelig."

„Vil Gud…" begyndte han og hikstede. „Vil Gud putte mig i Helvede for det jeg gjorde mod manden?"

Jeg rakte ud efter ham, og han krympede sig. Jeg tog hånden til mig igen. „Nej. Selvfølgelig vil han ikke det," sagde jeg. Jeg ville gerne trække ham helt tæt ind til mig, holde om ham, sige til ham at verden havde været slem mod *ham*, ikke modsat.

Hans ansigt fortrak sig, og han kæmpede for at bevare roen. „Far plejede at sige at det var forkert at gøre noget ondt mod selv slemme mennesker. Fordi de ikke vidste bedre, og fordi slemme mennesker en gang imellem bliver gode."

„Ikke altid, Sohrab."

Han så spørgende på mig.

„Manden som var slem mod dig, ham kendte jeg for mange år siden," sagde jeg. „Det har du vel allerede gættet ud fra det vi snakkede om. Han… han forsøgte at gøre noget slemt mod mig da jeg var på din alder, men din far reddede mig. Din far var altid meget tapper, og han kom altid og reddede mig ud af problemer, forsvarede mig altid. Så en dag gjorde den slemme mand noget ondt mod din far i stedet for. Han gjorde noget meget, meget slemt, og jeg… jeg kunne ikke redde din far sådan som han havde reddet mig."

„Hvorfor ville folk gøre noget ondt mod min far?" spurgte Sohrab med en lille, pibende stemme. „Han var aldrig ond mod andre."

„Nej, du har ret. Din far var et godt menneske. Men det er det jeg forsøger at fortælle dig, Sohrab jan. Der er onde mennesker i denne verden, og en gang imellem bliver onde menneske ved med at være onde. En gang imellem er man nødt til at forsvare sig imod dem. Det du gjorde mod manden, var hvad jeg selv skulle have gjort for mange år siden. Han havde fortjent det du gjorde mod ham, faktisk havde han fortjent meget mere."

„Tror De at far er skuffet over mig?"

„Det ved jeg han ikke er," sagde jeg. „Du reddede mit liv i Kabul. Jeg ved at han er meget stolt af dig på grund af det."

Han tørrede sig i ansigtet med sit skjorteærme. Kom til at tvære en lille spytklat ud over munden. Han skjulte ansigtet i hænderne og græd længe før han igen sagde noget. „Jeg savner far og mor," kvækkede han. „Og jeg savner Sasa og Rahim Khan sahib. Men en gang imellem er jeg glad for at de ikke... at de ikke er her mere."

„Hvorfor?" Jeg lagde en hånd på hans arm. Han trak den til sig.

„Fordi..." sagde han og gispede og hikstede mellem hulk, „fordi jeg ikke vil have at de skal se mig... jeg er så snavset." Han sugede luften ind og pustede den ud igen i et langt, pibende hulk. „Jeg er så snavset og syndig."

„Du er ikke snavset, Sohrab," sagde jeg.

„De mænd—"

„Du er ikke den mindste smule snavset."

„—de gjorde ting... den onde mand og to andre... de gjorde ting... ting ved mig."

„Du er ikke snavset, og du er ikke syndig." Jeg rørte igen ved hans arm, og han trak den væk. Jeg rakte ud igen, blidt, og trak ham ind til mig. „Jeg vil ikke gøre noget ondt ved dig," hviskede jeg. „Det lover jeg." Han gjorde lidt modstand. Slappede en smule af. Han lod sig trække ind i min favn og hvilede kinden mod mit bryst. Hans lille krop fortrak sig i kramper i mine arme hver gang et hulk jog igennem ham.

Der er et slægtskab mellem mennesker der har diet ved det samme bryst. Nu, mens drengens smerte gennemblødte min skjorte, vidste jeg at det slægtskab også omfattede ham og mig. Det der var sket i værelset med Assef, havde uigenkaldeligt bundet os til hinanden.

Jeg havde ledt efter det rigtige øjeblik til at stille ham det spørgsmål der havde summet i mit hoved og holdt mig vågen om natten. Jeg besluttede at øjeblikket var rigtigt nu, lige her, lige nu, med det strålende lys fra Guds hus der skinnede på os.

„Kunne du tænke dig at komme til Amerika og bo hos mig og min kone?"

Han svarede ikke. Han græd ind mod min skjorte, og jeg lod ham gøre det.

I en hel uge var der ingen af os der kom ind på det jeg havde spurgt ham om; det var som om spørgsmålet slet ikke var blevet stillet. Så en dag kørte Sohrab og jeg med taxa til Daman-e-Koh-udsigtspunktet – også kaldt 'Bjergenes kjolesøm'. Stedet ligger halvvejs oppe ad Margalla-bjergene, og der er en fantastisk udsigt over Islamabad med rækkerne af rene, træbevoksede avenuer og hvide huse. Taxachaufføren fortalte os at man kunne se præsidentpaladset deroppefra. „Og hvis det har regnet, og luften er ren, kan man se helt til Rawalpindi," tilføjede han. Jeg så hans øjne i bakspejlet fare frem og tilbage mellem Sohrab og mig, frem og tilbage, frem og tilbage. Jeg kunne også se mit eget ansigt. Det var ikke så opsvulmet længere, men jeg var blevet temmelig gullig i hovedet i takt med at udvalget af blå mærker var ved at blegne.

Vi sad på en bænk i et af picnicområderne i skyggen under et gummitræ. Det var varmt, og solen hang højt på en topasblå himmel. På bænkene i nærheden sad folk og smånippede til *samosa*'er og *pakora*'er. Fra en radio i nærheden kunne vi høre en hindi-sang som jeg mente at kunne huske var fra en gammel film, måske *Pakeeza*. Jeg tænkte på børnehjemmet i Karteh-Seh, tænkte på rotten som var smuttet ind mellem mine ben på Zamans kontor. Mit hjerte knugede sig sammen af en uventet bølge af raseri over den måde mine landsmænd ødelagde deres eget land på.

„Hvad?" spurgte Sohrab. Jeg tvang et smil frem og sagde at

det ikke var vigtigt.

Vi lagde et af hotellets badehåndklæder ud på picnicbordet og spillede en omgang panjpar på det. Det føltes rart at være her, sammen med min halvbrors søn, kortspillet, solens varme der klappede mig på ryggen. Sangen sluttede, og en ny begyndte som jeg ikke kendte.

„Se," sagde Sohrab. Han pegede op mod himlen med sine kort. Jeg kiggede op og så en høg kredse oppe på den stærkt blå himmel. „Jeg var ikke klar over at der var høge i Islamabad," sagde jeg.

„Heller ikke mig," sagde han mens han med øjnene fulgte fuglens cirklende flugt. „Er der høge der hvor De bor?"

„I San Francisco? Det er der vel. Ikke at jeg har set særlig mange."

„Åh," sagde han. Jeg havde håbet at han ville udspørge mig lidt mere, men han gav nye kort og spurgte om vi skulle spise lidt. Jeg åbnede papirposen og gav ham en sandwich. Min frokost bestod af endnu en kop blendet banan og appelsin – jeg havde lejet mrs. Fayyaz' blender for en uge. Jeg sugede mosen op gennem et sugerør, og min mund fyldtes med den søde frugt. Noget af det sivede ud af mundvigene. Sohrab rakte mig en serviet og så på mig mens jeg tørrede mig om munden. Jeg smilede, og han gengældte smilet.

„Din far og jeg var brødre," sagde jeg. Ordene kom bare sådan busende ud af munden på mig. Jeg ville have fortalt ham det den aften hvor vi sad foran moskeen, men havde ikke gjort det. Han havde imidlertid et krav på at vide det; jeg ønskede ikke at skjule noget for ham længere. „Faktisk kun halvbrødre. Vi havde den samme far."

Sohrab holdt op med at tygge. Lagde sandwichen fra sig. „Far har aldrig nævnt at han havde en bror."

„Det er fordi han ikke vidste det."

„Hvorfor vidste han det ikke?"

„Ingen fortalte ham om det," sagde jeg. „Der var heller ingen der fortalte mig det. Det er først for nylig jeg fandt ud af det."

Sohrab blinkede. Som om han så mig, så mig *rigtigt* for første gang. „Hvorfor holdt folk det hemmeligt for far og Dem?"

„Det samme spurgte jeg mig selv om forleden dag. Og der *er* et svar selv om det ikke er et særlig godt svar. Lad os bare sige at de ikke fortalte os det fordi din far og jeg... det var ikke tanken at vi skulle være brødre."

„Fordi han var en hazara?"

Jeg tvang mig til at se ham i øjnene. „Ja."

„Deres far," begyndte han og kiggede ned på sin mad, „Deres far, elskede han Dem og min far lige højt?"

Jeg tænkte tilbage på en dag for længe siden, ved Gharghasøen, da baba havde klappet Hassan på ryggen efter at Hassans sten havde slået flere smut end min. Jeg så for mig babas storsmilende ansigt på hospitalet den dag de tog forbindingen af Hassans læbe. „Jeg tror han elskede os lige højt, men på forskellig måde."

„Skammede han sig over min far?"

„Nej," sagde jeg. „Jeg tror han skammede sig over sig selv."

Han tog sin sandwich og spiste resten uden at sige noget.

Vi kørte tilbage sent om eftermiddagen, trætte af varmen, men trætte på en rar måde. Jeg følte Sohrabs blik på mig under hele turen. Jeg bad chaufføren holde ind foran en kiosk der solgte telefonkort, og gav ham penge og lidt ekstra for at løbe ind og købe et til mig.

Den aften lå vi på sengene og så et talk-show i fjernsynet. To præster med gråsprængt skæg og hvide turbaner tog imod opkald fra troende over hele verden. En ringede fra Finland, en mand ved navn Ayub, og spurgte om hans teenagesøn ville komme i Helvede for at have sine posebukser hængende så langt nede at man kunne se hans undertøj.

„Jeg så engang et billede fra San Francisco," sagde Sohrab.

„Gjorde du det?"

„Der var en rød bro og en bygning med spids top."

„Du skulle se gaderne," sagde jeg.

„Hvad med dem?" Han kiggede på mig nu. På tv-skærmen rådførte de to mullaher sig med hinanden.

„De er så stejle at når man kører op, kan man kun se forenden af bilen og himlen," sagde jeg.

„Er man så ikke bange?" spurgte han. Han rullede om på siden, med front mod mig og ryggen mod tv'et.

„De første par gange," sagde jeg. „Men man vænner sig til det."

„Sner det i San Francisco?"

„Nej, men der er ofte tåge. Den røde bro du så, ikke?"

„Ja?"

„En gang imellem er tågen så tæt om morgenen at man kun kan se det øverste af de to tårne stikke op."

Hans smil var forundret. „Åh."

„Sohrab?"

„Ja."

„Har du tænkt over det jeg spurgte dig om forleden?"

Hans smil forsvandt. Han rullede om på ryggen igen. Lagde hænderne bag hovedet. Mullaherne nåede frem til at Ayubs søn ville komme i Helvede for at gå sådan med sine bukser. De påstod at det stod i *Haddith*. „Jeg har tænkt over det," sagde Sohrab.

„Og?"

„Jeg er en smule bange."

„Jeg ved godt det kan være skræmmende," sagde jeg og klyngede mig til et lille spinkelt håb. „Men du vil hurtigt lære engelsk, og du vil hurtigt vænne dig til—"

„Det er ikke det jeg mener. Det gør mig også bange, men…"

„Men hvad?"

Han rullede om på siden igen. Trak knæene op. „Hvad hvis De bliver træt af mig? Hvad hvis Deres kone ikke kan lide mig?"

Jeg kæmpede mig op af sengen og gik over til hans. Jeg satte mig ved siden af ham. „Jeg vil aldrig blive træt af dig, Sohrab," sagde jeg. „Aldrig. Det lover jeg dig. Du er min nevø, husker du nok. Og Soraya jan, hun er et meget sødt menneske. Tro mig, hun vil elske dig. Også det er et løfte." Jeg tog en chance. Rakte ned og tog ham i hånden. Han blev en smule stiv i kroppen, men lod mig holde den.

„Jeg vil ikke så gerne på et nyt børnehjem," sagde han.

„Det kommer du heller ikke, aldrig nogensinde. Det lover jeg dig." Jeg lukkede begge mine hænder om hans. „Tag med mig hjem."

Hans tårer gennemvædede puden. I meget lang tid sagde han ingenting. Så mærkede jeg hans hånd give min et klem. Og han nikkede. Han nikkede.

Jeg fik forbindelse i fjerde forsøg. Telefonen ringede tre gange før hun tog den. „Hallo?" Klokken var halv otte om aftenen i Islamabad, omtrent samme tid om morgenen i Californien. Det betød at Soraya havde været oppe en times tid.

„Det er mig," sagde jeg. Jeg sad på min seng og så på Sohrab der sov.

„Amir!" næsten skreg hun. „Er du okay? Hvor er du?"

„Jeg er i Pakistan."

„Hvorfor har du ikke ringet før? Jeg har været syg af *tashweesh*! Min mor har bedt og gjort *nazr* hver eneste dag."

„Jeg er ked af at jeg ikke har ringet før. Jeg har det godt igen." Jeg havde sagt at jeg ville være væk en uge, højst to. Jeg havde været væk i næsten en måned. „Og sig til khala Jamila at hun skal holde op med at slå får ihjel."

„Hvad mener du med 'godt igen'. Og hvad er der i vejen med din stemme?"

„Det skal du ikke spekulere på nu. Jeg har det fint, helt ærligt. Soraya, jeg har noget at fortælle dig, noget jeg skulle have fortalt dig for længe siden, men først er der noget du skal vide."

„Hvad?" sagde hun, mere lavmælt, mere på vagt.

„Jeg kommer ikke hjem alene. Jeg har en lille dreng med." Jeg tøvede. „Jeg vil gerne have at vi adopterer ham."

„*Hvad*?"

Jeg kiggede på mit ur. „Jeg har syvoghalvtreds minutter tilbage på det her dumme telefonkort, og jeg har så meget at fortælle dig. Sæt dig ned." Jeg hørte en stol blive slæbt hen over gulvet.

„Jeg er klar," sagde hun.

Så gjorde jeg det jeg ikke havde gjort i løbet af femten års ægteskab: Jeg fortalte min kone alt. Alt! Jeg havde forestillet mig dette øjeblik så mange gange, frygtet det, men mens jeg talte, mærkede jeg en byrde blive løftet af mine skuldre. Jeg forestillede mig at Soraya måtte have haft det på samme måde den aften hun fortalte mig om sin fortid, den aften min far havde gået *khastegari*.

Da jeg havde fortalt hende det hele, græd hun.

„Hvad siger du til det?" spurgte jeg.

„Jeg ved ikke hvad jeg skal mene, Amir. Der er så meget at tænke på."

„Det er jeg klar over."

Jeg hørte hende pudse næse. „Men så meget ved jeg: Du er nødt til at tage ham med hjem. Hører du!"

„Er du sikker?" spurgte jeg med lukkede øjne – og smilede.

„Om jeg er sikker?" sagde hun. „Amir, han er din *qaom*. Og det gør ham også til *min* familie. Selvfølgelig er jeg sikker. Du kan ikke sende ham på gaden." Der opstod en kort pause.

„Hvordan er han?"

Jeg så over på Sohrab der lå og sov på sengen. „Han er sød på en lidt alvorlig måde."

„Det kan man ikke bebrejde ham," sagde hun. „Jeg vil gerne møde ham, Amir. Jeg mener det virkelig."

„Soraya?"

„Ja?"

„*Dostet darum.*"

„Jeg elsker også dig," sagde hun. Jeg kunne høre smilet i hendes stemme. „Vær forsigtig."

„Det skal jeg nok. Lige en ting til. Du må ikke fortælle dine forældre hvem han er. Hvis de skal vide det, er det mig de skal høre det fra."

„Okay."

Jeg sagde farvel og lagde røret på.

Plænen uden for den amerikanske ambassade i Islamabad var velholdt med runde blomsterbede kantet med hække der så ud som om de var blevet klippet med en neglesaks. Selve ambassadebygningen lignede de fleste andre huse i Islamabad: flad og hvid. Vi skulle igennem adskillige kontrolposter for at komme derhen, og tre forskellige sikkerhedsvagter kropsvisiterede mig efter at ståltråden i min mund havde udløst alarmen. Da vi langt om længe kom indenfor, slog den kølige luft fra airconditionanlægget mig i ansigtet som en iskold spand vand efter varmen udenfor. Sekretæren i receptionen, en cirka halvtredsårig lyshåret kvinde med et smalt ansigt, smilede da jeg sagde mit navn. Hun havde en beige bluse og sorte bukser på – den første kvinde jeg havde set i mange uger der var klædt i andet end burqa eller en *shalwar-kameez*. Hun slog mig op på besøgslisten mens hun trommede i bordet med viskelæderenden på blyanten. Hun fandt mit navn og bad mig om at tage plads.

„Kunne De tænke Dem et glas lemonade?"

„Ikke til mig, tak," sagde jeg.

„Hvad med Deres søn?"

„Undskyld?"

„Den nydelige unge mand," sagde hun og smilede til Sohrab.

„Åh. Ja tak, det ville være dejligt."

Sohrab og jeg satte os på en sort lædersofa over for receptionsskranken ved siden af en flagstang og et stort amerikansk flag. Sohrab tog et blad fra glasbordet. Han bladede det igennem uden rigtigt at se på billederne.

„Hvad?" sagde han.

„Hvad mener du?"

„De smilede."

„Jeg tænkte på dig," sagde jeg.

Han sendte mig et nervøst smil. Tog et nyt blad og bladede det igennem på under et halvt minut.

„Du skal ikke være bange," sagde jeg og rørte ham på armen. „De her mennesker er venlige. Slap af." Jeg kunne have gjort brug af mit eget råd. Jeg blev ved med at skifte stilling i sofaen, bandt mine snørebånd op og bandt dem igen. Sekretæren satte et stort glas lemonade med isterninger på bordet. „Værsgo."

Sohrab smilede genert. „Thank you very much," sagde han på engelsk. Det lød som 'Tank you wery match'. Det var det eneste engelske han kunne, det og så 'Have a nice day'.

Hun lo. „Det var så lidt." De høje hæle klikkede da hun gik tilbage til sit skrivebord.

„Have a nice day," sagde Sohrab.

Raymond Andrews var en lavstammet mand med små hænder, pæne negle og vielsesring på ringfingeren. Han trykkede mig kort i hånden; det føltes som at klemme om en spurv. *I de hænder ligger vores skæbne*, tænkte jeg da Sohrab og jeg havde sat os over for hans skrivebord. En *Les Misérable*-plakat var sømmet til væggen bag Andrews ved siden af et topografisk kort over USA. En tomatplante baskede sig i solen henne på vindueskarmen.

„En cigaret?" spurgte han med en dyb barytonstemme der ikke passede til hans spinkle statur.

„Nej tak," sagde jeg. Jeg brød mig slet ikke om den måde Andrews knap nok havde ofret Sohrab et blik på, eller om den måde han ikke kiggede på mig på når han talte. Han trak en skrivebordsskuffe ud og tændte sig en cigaret fra en halvtom pakke. Han tog også en flaske lotion op af skuffen. Han så på sin tomatplante mens han gned lotion i hænderne. Cigaretten hang og dinglede i den ene mundvig. Så lukkede han skuffen, placerede albuerne på bordet og pustede ud. „Nå," sagde han og kneb øjnene sammen for ikke at få røg i dem, „fortæl mig så Deres historie."

Jeg følte mig som Jean Valjean over for Javert. Jeg mindede mig selv om at jeg befandt mig på amerikansk territorium nu, at denne mand var på min side, at han fik løn for at hjælpe folk som mig. „Jeg vil gerne adoptere denne dreng og tage ham med mig hjem til Staterne," sagde jeg.

„Fortæl mig Deres historie," gentog han og samlede lidt aske op fra bordet med en fugtig finger og lod den falde ned i askebægeret.

Jeg gav ham den version jeg havde strikket sammen i mit hoved efter at have talt med Soraya. Jeg var taget til Afghanistan for at hente min halvbrors søn. Jeg havde fundet drengen i ynkelige omstændigheder på et usselt børnehjem. Jeg havde betalt børnehjemsdirektøren en sum penge og havde taget drengen med mig. Så havde jeg taget ham med til Pakistan.

„De er drengens halvonkel?"

„Ja."

Han kiggede på armbåndsuret. Bøjede sig frem og drejede tomatplanten en halv omgang på vindueskarmen. „Kan det bekræftes af nogen De kender?"

„Ja, men jeg ved ikke hvor han befinder sig i øjeblikket."

Han vendte sig om mod mig og nikkede. Jeg forsøgte at tolke hans ansigtsudtryk, men kunne ikke. Jeg spekulerede på om han nogensinde havde spillet poker med de små hænder.

„Jeg går ikke ud fra at al den ståltråd i Deres mund er et nyt modepåhit?" Vi havde problemer, Sohrab og jeg, og jeg så det straks. Jeg fortalte ham at jeg var blevet overfaldet i Peshawar.

„Naturligvis," sagde han. Og rømmede sig. „Er De muslim?"

„Ja."

„Praktiserende?"

„Ja." Når sandheden skulle frem, kunne jeg ikke huske den sidste gang jeg i bøn havde lagt panden mod jorden. Men så kom jeg i tanke om det: Det var den dag dr. Amani havde givet baba hans prognose. Jeg havde knælet ned på bedetæppet, men havde kun kunnet huske brudstykker af de vers jeg havde lært i skolen.

„Det kan hjælpe Dem i Deres sag, men ikke meget," sagde han og kradsede sig på issen under det velklippede, sandfarvede hår.

„Hvad mener De?" spurgte jeg. Jeg rakte ud efter Sohrabs hånd og flettede mine fingre ind i hans. Sohrab så usikkert fra mig til Andrews.

„Der er en lang forklaring, og jeg er overbevist om at det ender med at jeg må fortælle Dem den. Vil De høre den korte version?"

„Det vil jeg vel," sagde jeg.

Andrews skoddede sin cigaret og spidsede munden. „Drop det."

„Hvabehar?"

„Deres ønske om at adoptere denne unge mand. Drop det. Det er mit råd til Dem."

„Det er noteret," sagde jeg. „Og nu vil De måske være venlig at fortælle mig hvorfor?"

„Det betyder at De vil høre den lange forklaring," sagde han tonløst og uden at reagere på mit studse tonefald. Han foldede hænderne som om han skulle til at bede en bøn til Jomfru Maria. „Lad os gå ud fra at den historie De fortalte, er sand, selv om jeg vil sætte min pension på højkant på at den enten er strikket sammen til lejligheden, eller i det mindste ikke er fuldstændig. Ikke at det betyder noget for mig. De er her, han er her, det er det eneste der betyder noget. Men Deres anmodning står over for betydelige forhindringer, ikke mindst spørgsmålet om hvorvidt han overhovedet er forældreløs."

„Selvfølgelig er han det."

„Ikke i lovens forstand."

„Hans forældre blev henrettet på åben gade. Naboerne så det," sagde jeg, glad for at vi talte engelsk.

„Er De i besiddelse af dødsattester?"

„Dødsattester? Det er Afghanistan vi taler om. De fleste mennesker der har ikke engang fødsels-attester."

Han ikke så meget som blinkede med de udtryksløse øjne. „Det er ikke mig der vedtager lovene, sir. Uagtet Deres vrede er De stadig nødt til at bevise at hans forældre er døde. Denne dreng skal erklæres forældreløs i lovens øjne."

„Men—"

„De ønskede at høre den lange forklaring, og jeg er ved at give Dem den. Deres næste problem er at De skal bruge oprindelseslandets tilladelse for at kunne adoptere ham. Se, det er i bedste fald vanskeligt, og for at citere Dem: Det er Afghanistan vi taler om. Der er ingen amerikansk ambassade i Kabul. Det gør sagen uhyre kompliceret. Noget nær umulig."

„De siger altså at jeg skal sende ham på gaden igen?"

„Det siger jeg overhovedet ikke."

„Han er blevet seksuelt misbrugt," sagde jeg og tænkte tilbage på klokkerne om Sohrabs ankler og mascaraen omkring hans øjne.

„Det gør mig ondt at høre," sagde Andrews' mund. Men sådan som han kiggede på mig, kunne vi lige så godt have siddet og snakket om vejret. „Men det vil ikke kunne skaffe den unge mand et visum til Staterne."

„Hvad er det så De siger?"

„Jeg siger at hvis De ønsker at hjælpe, så send penge til en troværdig hjælpeorganisation. Meld Dem som frivillig til en flygtningelejr. Men på nuværende tidspunkt fraråder vi på det indstændigste amerikanske par at forsøge at adoptere afghanske børn."

Jeg rejste mig. „Kom, Sohrab," sagde jeg på farsi. Sohrab kom op at stå og hvilede hovedet mod mit lår. Jeg kom til at tænke på billedet af ham og Hassan hvor de havde stået på samme måde. „Må jeg spørge Dem om noget, mr. Andrews?"

„Ja."

„Har De børn?"

Det var første gang jeg så ham blinke.

„Har De? Det er ikke et svært spørgsmål."

Han tav.

„Det tænkte jeg nok," sagde jeg og tog Sohrab i hånden. „Man burde sætte en person i Deres stol der ved hvordan det er at ønske sig børn." Jeg vendte mig om for at gå, med Sohrab efter mig.

„Må jeg spørge Dem om noget?" råbte Andrews efter mig.

„Ja."

„Har De lovet dette barn at han må komme med Dem hjem?"

„Hvad hvis jeg har?"

Han rystede på hovedet. „Det er en farlig sag at love børn noget." Han sukkede og trak skrivebordsskuffen ud igen. „De agter at gå videre med sagen?" spurgte han mens han rodede rundt mellem nogle papirer.

„Det kan De roligt regne med."

Han rakte mig et visitkort. „I så fald vil jeg råde Dem til at skaffe Dem en god immigrationssagfører. Omar Faisal har kontor her i Islamabad. De kan sige til ham at det er mig der har sendt Dem."

Jeg tog imod kortet. „Tak," mumlede jeg.

„Held og lykke," sagde han. Da vi gik, så jeg mig tilbage over skulderen. Andrews stod henne ved vinduet, i solen, og kiggede fraværende ud mens han drejede tomatplanten mod solen og kærligt klappede den.

„Hav det godt," sagde sekretæren da vi gik forbi hendes skrivebord.

„Deres chef burde lære sig bedre manerer," sagde jeg. Jeg havde regnet med at hun ville himle med øjnene og måske også nikke på en 'ja, sådan siger alle'-måde. I stedet for sænkede hun stemmen. „Stakkels Ray. Han har ikke været sig selv siden hans datter døde."

Jeg hævede et øjenbryn.

„Selvmord," hviskede hun.

På turen tilbage til hotellet sad Sohrab med ansigtet mod bilruden og kiggede ud på de huse og gummitræer vi kørte forbi. Hans ånde fik ruden til at dugge, blive klar, dugge igen. Jeg ventede på at han skulle spørge om hvordan mødet var gået, men det gjorde han ikke.

Vandet løb på den anden side af den lukkede badeværelsesdør. Lige siden vi var tjekket ind på hotellet, havde Sohrab taget et langt bad hver eneste aften før vi gik i seng. I Kabul havde varmt rindende vand været ligesom fædre: en sjælden vare. Nu tog Sohrab hver aften et bad på mindst en time, i karret, hvor han skrubbede sig. Jeg satte mig på sengekanten og ringede til Soraya. Jeg skævede hen på den tynde lysstribe under badeværelsesdøren. *Føler du dig renere nu, Sohrab?*

Jeg fortalte Soraya hvad Raymond Andrews havde sagt. „Hvad gør vi nu?" spurgte jeg.

„Vi er nødt til at tro på at han tager fejl." Hun fortalte mig at hun havde ringet til et par adoptionsbureauer der arrangerede internationale adoptioner. Hun havde stadig ikke fundet et der tog sig af afghanske adoptioner, men havde ikke opgivet endnu.

„Hvordan tog dine forældre det da de hørte nyheden?"

„Madar er glad på vores vegne. Du ved hvordan hun har det med dig, Amir, du kan ikke gøre noget forkert i hendes øjne. Padar... tja, han er som altid lidt sværere at blive klog på. Han siger ikke så meget."

„Og du? Er du glad?"

Jeg kunne høre at hun flyttede røret over i den anden hånd. „Jeg tror det bliver godt for din nevø, men måske vil den lille dreng også gøre os godt."

„Det samme tror jeg."

„Jeg ved det lyder tosset, men jeg går og spekulerer på hvad hans yndlings-*qurma* mon er, eller hans yndlingsfag i skolen. Jeg går og fantaserer om at hjælpe ham med lektierne og..." Hun lo. Vandet var holdt op med at løbe ude i badeværelset. Jeg kunne høre Sohrab flytte sig i karret så vandet plaskede ud over kanten.

„Du bliver en storartet mor," sagde jeg.

„Åh, det havde jeg nær glemt. Jeg ringede til kaka Sharif."

Jeg tænkte på dengang han havde reciteret et digt ved vores *nika* som han havde kradset ned på et ark hotelbrevpapir.

Hans søn havde holdt Koranen over vores hoveder da vi gik op mod forhøjningen, smilende ind i alle de blitzende kameraer. „Hvad sagde han?"

„Han vil røre i gryden for os. Ringe til en af sine venner i Immigrationsdirektoratet," sagde hun.

„Det lyder godt," sagde jeg. „Jeg kan næsten ikke vente med at kunne præsentere Sohrab for dig."

„Jeg kan næsten ikke vente på at se dig igen," sagde hun.

Sohrab kom ud af badeværelset nogle minutter efter. Han havde knap nok sagt ti ord siden mødet med Raymond Andrews, og mine forsøg på at få ham til at snakke, endte resultatløs med et nik eller enstavelsesord. Han klatrede op i sengen og trak tæppet helt op til hagen. I løbet af få minutter var han faldet i søvn.

Jeg tørrede det tilduggede spejl og barberede mig med hotellets gammeldags skraber. Derefter gik også jeg i bad og lå i karret indtil det dampende varme vand var blevet koldt og min hud helt svampet at se på. Jeg lå der og tænkte, grublede, fantaserede...

Omar Faisal var en temmelig svær, mørklødet mand med smilehuller, små, sorte øjne og et belevent smil med gittergebis. Håret var tyndt og gråt og samlet i en hestehale. Han havde et brunt fløjlsjakkesæt på med læderlapper på albuerne og medbragte en slidt, propfyldt attachemappe. Håndtaget manglede, så han bar den i favnen. Han var typen der indledte en masse sætninger med en latter og en overflødig undskyldning, såsom *Undskyld, jeg kommer klokken fem*. Latter. Da jeg ringede, insisterede han på at komme til os. „Undskyld, taxachaufførerne i denne by er de rene forbrydere," havde han sagt på formfuldendt engelsk uden den mindste accent. „De lugter en udlænding og tredobler med det samme regningen."

Han kantede sig igennem døren, lutter smil og undskyldninger, en smule forpustet og stærkt svedende. Han tørrede panden med et lommetørklæde og åbnede mappen, rodede rundt i den efter en notesblok og undskyldte for de papirer der landede på sengen. Sohrab sad i skrædderstilling på sengen med et øje mod tv'et hvor lyden var skruet helt ned, og det andet på den bekymrede sagfører. Jeg havde fortalt ham om morgenen at Faisal kom, og han havde nikket, næsten åbnet munden for at spørge om noget, men var så blot fortsat med at se et show med talende dyr.

„Her er den," sagde Faisal og åbnede en gul konceptblok. „Jeg håber mine børn slægter deres mor på hvad angår orden. Undskyld, det er formentlig ikke lige det De ønsker at høre fra Deres eventuelle sagfører, hvad?" Han lo.

„Raymond Andrews har en høj mening om Dem."

„Mr. Andrews. Ja, ja. Et retskaffent menneske. Faktisk ringede han og fortalte mig om Dem."

„Gjorde han det?"

„Åh ja."

„Så kender De min situation?"

Faisal duppede sveden af overlæben. „Jeg kender den version af Deres situation som De gav mr. Andrews," sagde han. Smilehullerne kom frem da han smilede skælmsk. Han vendte sig om mod Sohrab. „Dette må være den unge mand der giver så mange problemer," sagde han på farsi.

„Det er Sohrab," sagde jeg. „Sohrab, sig goddag til mr. Faisal, den sagfører jeg fortalte dig om."

Sohrab gled ned fra sengen og rakte Omar Faisal hånden. „*Salaam alaykum*," sagde han lavmælt.

„*Alaykum salaam*, Sohrab," sagde Faisal. „Ved du at du er navngivet efter en tapper kriger?"

Sohrab nikkede og klatrede op i sengen igen og lagde sig på siden for at se fjernsyn.

„Jeg var ikke klar over at De talte så godt farsi," sagde jeg på engelsk. „Er De vokset op i Kabul."

„Nej, jeg er født i Karachi. Men jeg boede en del år i Kabul. Shar-e-Nau, i nærheden af Haji Yaghoub-moskeen," svarede Faisal. „Faktisk er jeg vokset op i Berkeley. Min far åbnede en pladeforretning der sidst i tresserne. Fri kærlighed, pandebånd, batikskjorter og alt det der." Han bøjede sig frem. „Jeg var i Woodstock."

„Fedt," sagde jeg, og Faisal lo så voldsomt at sveden igen begyndte at tapløbe. „Nå, til sagen," fortsatte jeg. „Det jeg fortalte mr. Andrews, var kernen i historien. Der manglede et par detaljer. Eller tre. Vil De høre den uforkortede version?"

Han fugtede en finger, slog op på en tom side og skruede hætten af sin fyldepen. „Det ville jeg sætte pris på, Amir. Må jeg sige Amir? Tak. Og hvad med at vi holder os til engelsk fra nu af?"

„Fint nok."

Jeg fortalte ham alt hvad der var hændt. Fortalte ham om min samtale med Rahim Khan, turen til Kabul, børnehjemmet, steningen på Ghazi Stadion.

„Gode gud," hviskede han. „Undskyld, men jeg har så gode minder fra Kabul. Det er svært at fatte at det er det samme sted du taler om."

„Har du været der for nylig?"

„Nej, bevar mig vel."

„Det er ikke Berkeley, det kan jeg godt fortælle dig."

Jeg fortalte ham resten, om Assef, kampen, Sohrab og hans slangebøsse, vores flugt tilbage til Pakistan. Da jeg langt om længe tav, kradsede han et par notater ned, tog en dyb indånding og så højtideligt på mig. „Der forestår et voldsomt slagsmål, Amir."

„Et jeg kan vinde?"

Han skruede hætten på sin pen. „Med risiko for at lyde ligesom Raymond Andrews: Nej, formentlig ikke. Det er ikke umuligt, men det bliver mere end svært." Væk var det elskværdige smil, det spøgende udtryk i hans øjne.

„Men det er jo børn som Sohrab der især har brug for et hjem," sagde jeg. „De her regler og bestemmelser giver ingen mening."

„Du prædiker for præsten, Amir," sagde han. „Faktum er at med de nuværende immigrationslove, adoptionspolitikken og den politiske situation i Afghanistan står du med meget dårlige kort på hånden."

„Jeg fatter det ikke," sagde jeg. Jeg følte trang til at slå på et eller andet. „Jeg mener, jeg forstår hvad du siger, men jeg fatter det ikke."

Omar nikkede og fik rynker i panden. „Forstår du, problemet er jo at efter en katastrofe – om det er en naturkatastrofe eller menneskeskabt – og talibanerne er en katastrofe, Amir, tro mig – så er det altid vanskeligt at skaffe vished for hvorvidt et barn er forældreløst eller ej. Børn bliver sendt til flygtningelejre ved en fejl, eller forældre forlader dem fordi de ikke kan skaffe mad til dem. Det sker hele tiden. Så INS udsteder ikke visum før det er et hundrede procent sikkert at barnet opfylder lovens krav om at være forældreløst. Undskyld, jeg ved det lyder som det glade vanvid, men du er nødt til at fremskaffe dødsattester."

„Du har været i Afghanistan," sagde jeg. „Du ved hvor umuligt det er."

„Ja," sagde han. „Men lad os nu et øjeblik gå ud fra at barnet helt klart ingen forældre har. Selv i det tilfælde mener INS at den bedste adoptionspraksis vil være at placere barnet i dets eget land så det kan bevare sin kulturelle baggrund."

„Hvilken kulturel baggrund?" sagde jeg. „Talibanerne har ødelagt den kulturarv afghanerne måtte have. Du så hvad de gjorde med gigant-Buddhaerne i Bamiyan."

„Undskyld, jeg fortæller dig bare hvordan immigrationsmyndighederne tænker, Amir," sagde Omar med en hånd på min arm. Han skævede hen på Sohrab og smilede. Så så han tilbage på mig. „Hør nu, et barn skal nødvendigvis adopteres efter de love og forordninger der er gældende i dets eget land. Men i et land som er i kaos, som for eksempel Afghanistan, vil regeringskontorerne have travlt med presserende sager, og adoptionssager vil ikke have topprioritet."

Jeg sukkede og gned mig i øjnene. Jeg var ved at udvikle en dundrende hovedpine.

„Men lad os forestille os at Afghanistan får styr på sagerne," sagde Omar og foldede hænderne hen over sin omfangsrige vom. „Det vil måske stadig ikke give tilladelse til denne adoption. Faktisk står selv de mere moderate islamiske lande tøvende over for adoptioner, fordi islamisk lov, sharia, i mange af de lande slet ikke anerkender adoption."

„Det du siger, er altså at jeg skal droppe det?" spurgte jeg og pressede hænderne mod mine tindinger.

„Amir, jeg voksede op i Staterne. Hvis Amerika overhovedet har lært mig noget, så er det at det at give op rangerer på højde med at pisse i pigespejdernes lemonade. Men som din sagfører er jeg nødt til at sætte dig ind i kendsgerningerne," sagde han. „En sidste ting er at adoptionsbureauerne rutinemæssigt sender en ansat af sted for at bedømme barnets baggrund, og intet bureau ved sine fulde fem kunne drømme om at sende folk til Afghanistan."

Jeg kiggede hen på Sohrab der så tv, så på os. Han sad på sengen ligesom hans far plejede at gøre, med hagen mod det ene knæ.

„Jeg er hans halvonkel, tæller det slet ikke?"

„Det gør det hvis du kan bevise det. Undskyld, men har du papirer eller andet der kan understøtte din påstand?"

„Ingen papirer," sagde jeg træt. „Ingen vidste noget om det. Sohrab vidste det ikke før jeg fortalte ham det, og selv fandt jeg kun ud af det for nylig. Det eneste andet menneske som kender til det, er forsvundet, måske er han død."

„Hmm."

„Hvad har jeg af muligheder, Omar?"

„Helt ærligt: Meget få."

„Åh gud, hvad gør jeg så?"

Omar trak vejret dybt ind, bankede sig på hagen med pennen og slap langsomt luften ud igen. „Du kan udfylde adoptionspapirerne og håbe på det bedste. Du kan forsøge en så-kaldt familieadoption. Det vil være ensbetydende med at bo to år sammen med Sohrab her i Pakistan og i de år ikke sætte foden på amerikansk jord. Eller du kan søge asyl på hans vegne. Det er en længerevarende proces, og du skal kunne bevise at han er politisk forfulgt. Du kunne også ansøge om opholdstilladelse i Staterne af humanitære grunde. En sådan gives af justitsministeren personligt, og den får man ikke sådan uden videre." Han tav et øjeblik. „Men der er en anden mulighed, og det er måske din bedste chance."

„Hvad?" sagde jeg og bøjede mig frem.

„Du kan overgive ham til et børnehjem her og derefter søge om adoptionstilladelse. Udfylde de relevante blanketter og få overstået samrådsbehandlingen mens han befinder sig et trygt sted."

„Hvilke relevante blanketter?"

„Undskyld, I-600 hedder den. Samrådsbehandlingen foretages af det adoptionsbureau som du måtte vælge, og går ud på at konstatere at du og din kone ikke er ravende sindssyge," sagde Omar.

„Den fremgangsmåde er jeg ikke meget for," sagde jeg med et blik på Sohrab. „Jeg lovede ham at jeg ikke ville sende ham på børnehjem igen."

„Det er, som sagt, din bedste chance."

Vi snakkede lidt frem og tilbage. Så fulgte jeg ham ned til

hans bil, en gammel folkevognsboble. Solen var på det tidspunkt på vej ned over Islamabad, en flammerød kugle mod vest. Jeg så bilen synke sammen under Omars vægt da det på en eller anden måde lykkedes ham at få bugseret sig ind bag rattet. Han rullede vinduet ned. „Amir?"

„Ja?"

„Det jeg ville have sagt... om det du forsøger at gøre, ikke sandt? Jeg synes det er ret flot."

Han vinkede da han drejede ud på vejen. Og mens jeg vinkede tilbage, stod jeg og længtes forfærdeligt efter Soraya.

Sohrab havde slukket for fjernsynet da jeg kom op på værelset igen. Jeg satte mig på min egen seng og bad ham komme over til mig. „Mr. Faisal tror der er en mulighed for at jeg kan få dig med hjem til Amerika," sagde jeg.

„Gør han?" sagde Sohrab og smilede for første gang i flere dage selv om det kun var et lille smil. „Hvornår kan vi tage af sted?"

„Se, det er lige det. Det kan godt komme til at tage lidt tid. Men han sagde at det nok skal lykkes, og han vil hjælpe os." Jeg lagde hånden om hans nakke. Udenfor blev der kaldt til aftenbøn så det gav genlyd i gaderne.

„Hvor lang tid?" spurgte Sohrab.

„Det ved jeg ikke. Nogen tid."

Sohrab trak på skuldrene og smilede lidt bredere denne gang. „Jeg er ligeglad. Jeg har ikke noget imod at vente. Det er ligesom de sure æbler."

„Sure æbler?"

„Engang da jeg var lille, klatrede jeg op i et træ og spiste et par grønne, sure æbler. Min mave svulmede op og blev hård som en tromme, og det gjorde rigtig ondt. Mor sagde at hvis jeg havde ventet indtil æblerne var modne, ville jeg ikke være blevet syg. Så nu, når jeg virkelig ønsker mig noget, forsøger jeg at huske det hun sagde om æblerne."

„Sure æbler," sagde jeg. „*Mashallah*, du er simpelthen den klogeste lille fyr jeg nogensinde har kendt, Sohrab jan." Han blev rød helt ud i ørerne.

„Vil De tage mig med ud til den røde bro? Den med tågen?" spurgte han.

„Helt bestemt," sagde jeg. „Helt bestemt."

„Og vi vil køre op ad de gader, dem hvor man kun kan se forenden af bilen og så himlen?"

„Hver eneste en," sagde jeg. Tårerne sved i mine øjne, og jeg forsøgte at blinke dem væk.

„Er det svært at lære engelsk?"

„Jeg gætter på at du vil kunne tale engelsk lige så godt som farsi inden der er gået et år."

„Et år?"

„Ja." Jeg lagde en finger under hans hage og drejede hans ansigt op mod mit. „Der er et *lille* problem, Sohrab."

„Hvad?"

„Jo altså, mr. Faisal mente at det ville hjælpe hvis vi kunne... hvis du kunne bo på et hjem for børn et lille stykke tid."

„Et hjem for børn," sagde han, og smilet forsvandt. „Et børnehjem, mener De?"

„Det ville kun være i meget kort tid."

„Nej," sagde han. „Nej, ikke et børnehjem."

„Sohrab, jeg lover dig at det kun vil være i meget kort tid."

„De lovede at De aldrig ville sende mig på børnehjem, Amir agha," sagde han med brudt stemme og tårer der truede med at flyde over i hans øjne. Jeg følte mig som et gennemført røvhul.

„Det her vil være helt anderledes. Det ville være her i Islamabad, ikke i Kabul. Og jeg ville komme og besøge dig hele tiden indtil jeg kan få dig ud igen og tage dig med til

Amerika."

„Ikke et børnehjem!" kvækkede han. „Jeg er så bange for det sted. De er onde der. Jeg vil ikke på børnehjem."

„Der er ingen der vil være onde imod dig. Aldrig nogensinde mere."

„Jo, de vil! De siger at de vil være gode, men de lyver. De lyver! Amir agha, jeg beder Dem, ikke et børnehjem!"

En tåre trillede ned ad hans kind, og jeg tørrede den væk med min tommelfinger. „Sure æbler, husker du. Det vil være ligesom med de sure æbler," sagde jeg blidt.

„Nej, det vil ej. Ikke et børnehjem. Åh gud, nej, ikke det!" Han rystede over hele kroppen, og snot og tårer løb sammen på kinderne.

„*Shhh*." Jeg trak ham ind i min favn, slog armene om hans lille, skælvende krop. „*Shhh*. Du må ikke være bange. Vi rejser hjem sammen. Tro mig, det skal nok gå i orden alt sammen."

Hans stemme var dæmpet mod mit bryst, men jeg kunne godt høre panikken i den. „Lov mig at De ikke gør det! Amir agha, vær sød ikke at gøre det. Lov mig at jeg ikke skal på børnehjem!"

Hvordan kunne jeg love ham det? Jeg holdt ham ind til mig, tæt ind til mig, og rokkede frem og tilbage. Han græd ind mod mit bryst indtil der ikke var flere tårer tilbage, indtil han var holdt op med at ryste og hans fortvivlede bøn var blevet til en uforståelig mumlen. Jeg ventede, vuggede ham i min favn, indtil hans vejrtrækning blev langsom og kroppen slap. Jeg kom i tanke om noget jeg havde læst for mange år siden: *Det er sådan børn takler angst. De falder i søvn.*

Jeg bar ham hen til sengen og puttede ham. Så lagde jeg mig på min egen seng og kiggede ud ad vinduet på Islamabads purpurrøde himmel.

Himlen var begsort da jeg brat blev vækket af telefonen. Jeg gned mig i øjnene og tændte for sengelampen. Klokken var lidt over halv elleve. Jeg havde sovet i næsten tre timer. Jeg tog røret. „Hallo?"

„En samtale fra Amerika," lød mr. Fayyaz' uinteresserede stemme.

„Tak," sagde jeg. Lyset var tændt ude i badeværelset, så Sohrab måtte være ved at tage sit sædvanlige aftenbad. Der lød et par klikkelyde og så Sorayas stemme: „*Salaam*!" Hun lød ophidset.

„Hej."

„Hvordan gik mødet med sagføreren?"

Jeg fortalte hende hvad Omar Faisal havde sagt. „Nå, men det kan du godt glemme," sagde hun. „Det er helt unødvendigt."

Jeg satte mig op i sengen. „*Rawsti*? Jamen, hvad så?"

„Kaka Sharif har ringet. Han siger at det altafgørende er at få Sohrab ind i landet. Når først han er her, er der flere måder at beholde ham her på. Han ringede i aftes efter at have talt med sine venner i INS. Han er så godt som sikker på at han kan skaffe Sohrab opholdstilladelse af humanitære årsager."

„Er det sandt, er det virkelig sandt?" udbrød jeg. „Åh, gud være lovet! Gode gamle Sharif jan."

„Ja, ikke sandt? Nå, vi vil skulle kautionere for hans ophold. Det hele vil kunne gå ret hurtigt. Han sagde at visummet vil være gældende for et år, og det er rigeligt til at få adoptionssagen kørt igennem."

„Så det kommer til at gå i orden, Soraya jan, ikke?"

„Det ser sådan ud," sagde hun. Hun lød lykkelig. Jeg sagde til hende at jeg elskede hende, og hun sagde at hun også elskede mig, og så lagde jeg på.

„Sohrab!" råbte jeg og sprang ud af sengen. „Jeg har godt nyt!" Jeg bankede på badeværelsesdøren. „Sohrab! Soraya jan har lige ringet fra Californien. Det er slet ikke nødvendigt at sende dig på børnehjem, Sohrab. Vi rejser til Amerika, du og jeg. Hører du. Vi rejser til Amerika!"

Jeg skubbede døren op. Trådte ud på badeværelset.

Og pludselig lå jeg på knæ og skreg. Skreg gennem sammenbidte tænder. Skreg indtil jeg troede at mit stemmebånd ville blive revet over og mit bryst eksplodere.

Senere fortalte de mig at jeg stadig skreg da ambulancen kom.

FEMOGTYVE

De vil ikke lade mig komme med ind.

Jeg ser dem køre ham gennem et par dobbeltdøre, og jeg følger efter. Jeg braser gennem dørene, lugten af jod og peroxyd slår imod mig, men det eneste jeg når at opfatte, er to mænd i operationstøj og en kvinde i grønt der bøjer sig over båren. Et hvidt lagen hænger ned fra båren og slæber hen over snavsede fliser. Et par små, blodige fødder stikker ud under lagnet, og jeg ser at neglen på storetåen på den venstre fod er flækket. Så presser en høj, kraftig mand i blåt tøj en hånd mod mit bryst, og han skubber mig tilbage, ud gennem dørene igen. Hans vielsesring er kold mod min hud. Jeg skubber igen og bander stygt, men han siger at jeg ikke må være der, han siger det på engelsk, tonefaldet er høfligt, men bestemt. „De skal vente her," siger han og fører mig hen til en bænk, og nu lukker dobbeltdørene sig bag ham med et suk, og det eneste jeg kan se, er toppen af mændenes operationshuer gennem en lille, firkantet rude i en af dørene.

Han efterlader mig i en bred, vinduesløs gang fyldt med mennesker der sidder på aluminiumsklapstole langs væggene, andre på luvslidte tæpper på gulvet. Jeg føler trang til at skrige igen, og jeg husker sidste gang jeg havde det på samme måde, dengang baba og jeg sad i beholderen på en tankbil, på flugt, begravet sammen med de andre flygtninge. Jeg er desperat efter at komme væk fra dette sted, væk fra denne virkelighed, suse op som en sky og svæve væk, smelte sammen med denne fugtige sommeraften og gå i opløsning et sted langt herfra, oppe i bjergene. Men jeg er her, mine ben er blytunge, mine lunger uden luft, min hals et flammende bål. Jeg kan ikke svæve væk. Der vil ikke være nogen anden virkelighed denne aften. Jeg lukker øjnene, og lugtene i gangen fylder mine næsebor, sved og ammoniak, hospitalssprit og karry. Oppe under loftet banker natsværmere mod de grå, svagtlysende lysstofrør der går i hele gangens længde, og jeg kan høre deres vinger blafre. Jeg kan høre snak, dæmpet gråd, snøften, en eller anden der stønner, en anden der sukker, elevatordøre der går op med et *bing*, elevatorføreren der på urdu tilkalder en eller anden i sin personsøger.

Jeg åbner øjnene igen, og jeg ved hvad jeg skal gøre. Jeg ser mig omkring, mit hjerte hamrer som et trykluftbor i brystet på mig, blodet dunker i mine ører. Jeg lokaliserer et lille, mørkt linnedrum til venstre for mig. Jeg finder det jeg leder efter. Jeg snupper et hvidt lagen fra stakken af rent linned og tager det med mig ud på gangen. Jeg ser en sygeplejerske tale med en politimand i hvilerummet. Jeg tager hende om albuen og trækker til, jeg vil vide i hvilken retning vest er. Hun forstår mig ikke, og furerne i hendes ansigt bliver dybe da hun rynker panden. Det gør ondt i min hals, og sveden svier mig i øjnene, hvert åndedræt er som at suge ild ned i lungerne, og jeg tror nok at jeg græder. Jeg spørger igen. Jeg trygler om et svar. Det er politimanden der peger.

Jeg kaster mit improviserede *jai-namaz*, mit bedetæppe, på gulvet, og jeg falder på knæ, sænker panden ned mod gulvet, og mine tårer gennemvæder lagnet. Jeg bøjer mig mod vest. Så kommer jeg i tanke om at jeg ikke har bedt en bøn i over femten år. Jeg har for længst glemt ordene. Men det betyder ikke noget, jeg mumler de ord jeg stadig kan huske: *La illaha il Allah, Muhammad u rasul ullah.* Der er ingen anden gud end Allah, og Muhammad er hans profet. Jeg indser nu at baba tog fejl, der er en gud, der har altid været en gud. Jeg ser Ham her, i øjnene på folk i denne desperationens korridor. Dette er Guds rigtige hus, det er her de mennesker der har mistet Gud, vil genfinde Ham, ikke i de hvide *masjid*'er med deres strålende diamantlys og himmelstræbende minareter. Her, på dette sted, er Gud, anderledes kan det ikke være, og nu vil jeg bede til Ham, bede om tilgivelse for at have negligeret Ham i så mange år, bede om tilgivelse for at have forrådt, løjet og straffrit syndet kun for nu i nødens stund at vende mig mod Ham og bede Ham være nøjagtig så barmhjertig, fuld af nåde og tilgivelse som der står i Hans bog at Han er. Jeg bøjer mig mod vest og kysser gulvet og lover at jeg vil give *zakat*, at jeg vil huske *namaz*, at jeg vil faste i ramadanen, og når ramadanen er forbi, vil jeg faste videre, jeg vil terpe hvert eneste ord i Hans bog indtil jeg kan den udenad, og jeg vil rejse på pilgrimsrejse til den varme by ude i ørkenen, og jeg vil også bøje mig for Kabaen. Alt dette vil jeg gøre, og jeg vil tænke på Ham fra nu og til min dødsdag hvis blot Han vil opfylde dette mit eneste ønske: Mine hænder er besudlet med Hassans blod; jeg beder til Gud om at ikke også sønnens blod skal besudle mine hænder.

Jeg hører en klynkende lyd og ved at det er mig der klynker, mine læber er salte med de tårer der uophørligt triller ned over mine kinder. Jeg mærker alles øjne på mig, og igen og igen bøjer jeg mig mod vest, liggende på knæ i gangen. Jeg beder. Jeg beder til at mine synder ikke har indhentet mig på en måde som jeg altid har frygtet at de ville.

En stjerneløs, mørk aften i Islamabad. Der er gået et par timer, og jeg sidder nu på gulvet i et lille venteværelse ved siden af den gang der fører til skadestuen. Foran mig står et gråligbrunt bord fyldt med aviser og gennembladede tidsskrifter – *Time* fra april 1996, en pakistansk avis hvor jeg på forsiden kan læse om en dreng der blev kørt over af et tog ugen før, et 'Denne uge i Islamabad' med smilende Lollywood-skuespillere på den glittede forside. Over for mig sidder en gammel kone i en jadegrøn *shalwar-kameez* og med et hæklet sjal om skuldrene og nikker i en kørestol. Indimellem vågner hun op og mumler en bøn på arabisk. Jeg spekulerer træt på hvis bønner vil blive hørt i nat, hendes eller mine? Jeg ser Sohrabs ansigt for mig, den lidt fremragende hage, de små konkylieører, hans skæve, bambussmalle øjne som er så lig hans fars. En sorg så sort som natten udenfor jager op igennem mig, og min hals snører sig sammen.

Jeg må have luft!

Jeg rejser mig og åbner et vindue. Luften som kommer ind gennem myggenettet, er muggen og hed – den lugter overmodent og rådden. Jeg tvinger mig til at trække den ned i lungerne i store sug, men den er ingen hjælp mod den kvælende fornemmelse i mit bryst. Jeg tager *Time* og bladrer det igennem. Men jeg kan ikke læse, kan ikke fokusere. Så jeg smider det tilbage på bordet og genoptager min stirren på sprækkernes siksak-mønster på betongulvet, edderkoppespindene på loftet i hjørnerne, de døde fluer der ligger overalt i vindueskarmen. Men mest af alt stirrer jeg på uret. Klokken er fire om natten, og jeg har været lukket ude af rummet med dobbeltdørene i over fem timer nu. Jeg har stadig intet hørt.

Gulvet under mig begynder at blive som en del af min krop, og min vejrtrækning bliver langsommere, tungere. Jeg vil så gerne sove og lukker øjnene og lægger hovedet ned mod det kolde, støvede gulv. Måske vil jeg, når jeg vågner, opdage at alt det jeg så i hotelbadeværelset, var et brudstykke af en drøm: vandet der dryppede fra hanen og med et *pling* landede i det blodige vand; den venstre arm der hang ud over badekarret, det blodindsmurte barberblad på toiletsædet – det samme barberblad jeg havde benyttet da jeg barberede mig for få dage siden – og hans øjne, stadig halvt åbne, men uden liv. Det mere end noget andet. Jeg ønsker at glemme de øjne.

Lidt efter overmander søvnen mig, og jeg lader den gøre det. Jeg drømmer, men kan bagefter ikke huske hvad jeg drømte.

En eller anden klapper mig på skulderen. Jeg åbner øjnene. Der ligger en mand på knæ ved siden af mig. Han har en hat på som mændene bag dobbeltdørene og en kirurgmaske af papir for munden – hjertet synker i livet på mig da jeg opdager en bloddråbe på masken. Han har klistret et billede af en lille dådyrøjet pige på sin personsøger. Han tager masken af, og jeg er glad over ikke længere at skulle se på Sohrabs blod. Hans hud er mørk ligesom den importerede schweizerchokolade som Hassan og jeg plejede at købe i basaren i Shar-e-Nau, hans hår er tyndt, og de mørkebrune øjne omgivet af buede vipper. Med britisk accent fortæller han mig at hans navn er dr. Nawaz, og pludselig ønsker jeg mig langt væk fra denne mand, for jeg tvivler på jeg vil kunne klare at høre det han er kommet for at fortælle mig. Han siger at drengen skar dybt og havde mistet en masse blod, og min mund begynder igen at mumle bønnen.

La illaha il Allah, Muhammad u rasul ullah.

De måtte give adskillige blodtransfusioner—

Hvad siger jeg til Soraya?

De var nødt til at genoplive ham to gange—

Jeg vil huske namaz, jeg vil give zakat.

De ville have mistet ham hvis ikke han havde været ung og stærk—

Jeg vil faste.

Han lever.

Dr. Nawaz smiler. Det tager mig et øjeblik at registrere hvad han netop har sagt. Så siger han noget mere, men det hører jeg ikke. For jeg har taget hans hænder, og jeg har ført dem op mod mit ansigt. Jeg græder min lettelse ned i denne fremmede mands små, buttede hænder, og nu siger han ikke længere noget. Han venter.

Intensiv Afdeling er L-formet og dæmpet oplyst, fyldt med et virvar af bippende skærme og summende maskiner. Dr. Nawaz går foran mellem to rækker senge med hvide forhæng omkring. Sohrabs seng er den sidste rundt om hjørnet, den nærmest sygeplejerskekontoret hvor to sygeplejersker i grøn operationsdragt sidder og skriver notater på clipboards mens de lavmælt sludrer sammen. Da dr. Nawaz og jeg uden at tale sammen kørte op i elevatoren, havde jeg tænkt at jeg formentlig ville begynde at græde igen når jeg så Sohrab. Men da jeg sætter mig på stolen ved fodenden af hans seng og kigger på det hvide ansigt gennem et virvar af skinnende plasticslanger og IV-tuber, er mine øjne tørre. Mens jeg sidder og ser hans brystkasse stige og falde i takt med en hvæsende respirator, skyller en underlig følelsesløshed ind over mig, den samme følelsesløshed som en mand kan opleve sekunder efter at han har foretaget en undvigemanøvre og derved lige akkurat undgået et frontalt bilsammenstød.

Jeg døser hen, og da jeg vågner igen, ser jeg gennem vinduet ved siden af sygeplejerskekontoret solen stige op mod en smørgul himmel. Lyset falder skævt ind på stuen og får min skygge til at falde over mod Sohrab. Han har ikke rørt sig.

„De vil have godt af lidt søvn," siger en sygeplejerske til mig. Jeg har ikke set hende før – der må have været vagtskifte mens jeg sov. Hun viser mig hen til et andet rum, uden for Intensiv Afdeling. Det er tomt. Hun rækker mig en pude og et hospitalstæppe. Jeg takker hende og lægger mig på vinylsofaen i et hjørne af rummet. Jeg falder i søvn næsten med det samme.

Jeg drømmer at jeg er tilbage i lokalet nedenunder. Dr. Nawaz kommer ind, og jeg rejser mig for at hilse på ham. Han tager sin papirmaske af, hans hænder er pludselig meget hvidere end jeg husker, hans negle velplejede, håret er velfriseret, og jeg ser at han slet ikke er dr. Nawaz, men Raymond Andrews, den lille ambassademand med tomatplanten i en potte. Andrews lægger hovedet på skrå. Kniber øjnene sammen.

Om dagen var hospitalet som en travl bikube, en labyrint af krydsende gange med blændende lysstofrør i loftet. Jeg lærte at finde vej, lærte at knappen til fjerde sal i elevatoren i østfløjen ikke lyste, at døren til herretoilettet på samme etage bandt, og at man skulle lægge skulderen til for at få den op. Jeg lærte at livet på et hospital har en rytme: hektisk aktivitet lige før vagtskiftet om morgenen, frokosttravlhed, stilhed og ro i de sene nattetimer, indimellem afbrudt af læger og sygeplejersker der forsøgte at genoplive en eller anden. Jeg vågede ved Sohrabs seng i dagtimerne og vandrede med hæle der klikkede højt mod fliserne, rundt i hospitalets labyrintiske gange om aftenen mens jeg spekulerede på hvad jeg skulle sige til Sohrab når han engang vågnede. Og når jeg igen uvægerligt endte på Intensiv Afdeling ved siden af hans seng med den hvæsende respirator, var jeg stadig ikke kommet et svar nærmere.

Efter tre dage på afdelingen fjernede de respiratoren og overførte ham til en afdeling nede på stueetagen. Jeg var der ikke da de flyttede ham. Jeg var gået tilbage til hotellet for at få en smule søvn og var endt med at ligge og kaste mig hvileløst rundt hele natten. Om morgenen forsøgte jeg at undgå at se på badekarret. Det var rent nu, en eller anden havde vasket blodet af, lagt nye måtter på gulvet og skrubbet væggene rene. Men jeg kunne ikke lade være med at sætte mig på karrets kølige porcelænskant. Jeg så Sohrab for mig da han fyldte det med vand. Så ham tage tøjet af. Så ham dreje på skaftet på skraberen og åbne de to sikkerhedsklapper, løfte barberbladet ud og holde det mellem tommel- og pegefinger. Jeg så ham for mig da han sænkede sig ned i vandet og lå lidt med lukkede øjne. Jeg spekulerede på hvad han sidste tanke havde været før han placerede bladet og begyndte at skære.

Jeg var på vej ud af foyeren da hoteldirektøren, mr. Fayyez, indhentede mig. „Det gør mig meget ondt," sagde han, „men jeg er nødt til at bede Dem om at tjekke ud. Det her er ikke godt for min forretning, slet ikke godt."

Jeg sagde at jeg forstod ham, og tjekkede ud. De tre nætter jeg havde tilbragt på hospitalet, stod ikke på regningen. Mens jeg ventede på en taxa uden for hotellet, tænkte jeg på hvad mr. Fayyaz havde sagt til mig den aften vi tog ud for at lede efter Sohrab. *Det med jer afghanere... altså, I er faktisk en smule vanvittige.* Jeg havde leet ad ham, men nu var jeg ikke så sikker. Havde jeg rent faktisk lagt mig til at sove efter at have givet Sohrab de nyheder han frygtede mest?

Da jeg satte mig ind i taxaen, spurgte jeg chaufføren om han vidste hvor der lå en persisk boghandel. Han sagde at der lå en et par kilometer mod syd. Vi standsede der på vej til hospitalet.

Sohrabs nye stue havde cremefarvede vægge, mørkegrå profiler og glaserede fliser som måske engang havde været hvide. Han delte stue med en teenagedreng fra Punjab som, fik jeg senere at vide af en af sygeplejerskerne, havde brækket benet da han faldt ned fra taget på en kørende bus. Benet var i gips og holdt oppe i et stativ hvorfra der hang adskillige lodder.

Sohrabs seng stod ved siden af vinduet, og den sene formiddagssol skinnede ind gennem de firkantede ruder og ned på den nederste halvdel af sengen. Der stod en uniformeret vagt henne ved vinduet og gumlede på kogte vandmelonkerner –

Sohrab var under fireogtyve timers selvmordsopsyn. Hospitalsregel, havde dr. Nawaz fortalt mig. Vagten lettede på hatten da han så mig, og forlod stuen.

Sohrab var blevet puttet i en kortærmet hospitalspyjamas og lå på ryggen med tæppet trukket op over brystet og ansigtet vendt mod vinduet. Jeg troede han sov, men da jeg trak en stol hen til sengen, dirrede hans øjenlåg og gled op. Han så på mig; og så så væk igen. Han var frygtelig bleg, selv med alt det blod de havde givet ham, og der var et kæmpe blåt mærke i højre arms albueled.

„Hvordan har du det?" spurgte jeg.

Han svarede ikke. Han så ud gennem vinduet på en indhegnet legeplads med sandkasse og gynger ude i hospitalets have. Der stod et lille lysthus i nærheden af legepladsen, i skyggen under en række hibiscustræer, med et par grønne vinranker der snoede sig ind og ud i tremmeværket. En flok børn sad med spande og skovle og legede i sandkassen. Himlen var skyfri den dag, og jeg så et lille jetfly med to hvide striber i sit kølvand. Jeg vendte mig igen om mod Sohrab. „Jeg har lige talt med dr. Nawaz, og han mener at du vil blive udskrevet om et par dage. Det er da gode nyheder, synes du ikke?"

Igen blev jeg mødt med tavshed. Punjabi-drengen i den anden ende af stuen rørte på sig i søvne og stønnede. „Jeg kan godt lide denne stue," sagde jeg og forsøgte ikke at se på Sohrabs forbundne håndled. „Her er dejlig lyst, og du har en fin udsigt." Stilhed. Der gik yderligere et par kejtede minutter, og en let sved piblede frem på min pande og overlæbe. Jeg pegede på den urørte skål med grønærte-*aush* på sengebordet og den ubrugte plasticske. „Du skulle prøve at spise lidt. Genvinde dine kræfter. Vil du gerne have at jeg hjælper dig?"

Han fastholdt mit blik, så så væk igen uden at en muskel havde fortrukket sig i hans ansigt. Der var stadig ikke liv i hans øjne, så jeg, blikket var tomt, ligesom det havde været da jeg trak ham op af badekarret. Jeg stak hånden ned i papirposen mellem mine fødder og tog en brugt udgave af *Shahnameh* op som jeg havde købt i den persiske boghandel. Jeg drejede bogen så forsiden vendte mod Sohrab. „Jeg plejede at læse højt for din far dengang vi var børn. Vi gik op på bakken ved vores hus og satte os under granatæbletræet…" Min stemme døde hen. Sohrab kiggede igen ud gennem vinduet. Jeg tvang mig til at smile. „Din fars yndlingshistorie var den om Rostam og Sohrab, og det er derfor du hedder som du gør, det ved jeg at du ved." Jeg tav et øjeblik og følte mig som en komplet idiot. „Nå, men han nævnte i sit brev at det også var din yndlingshistorie, så jeg tænkte at jeg ville læse lidt for dig. Kunne du tænke dig det?"

Sohrab lukkede øjnene. Dækkede dem med sin arm, den med det blå mærke.

Jeg slog op på den side hvor jeg havde lavet et æseløre i taxaen. „Så går vi i gang," sagde jeg og spekulerede for første gang på hvilke tanker der var fløjet gennem Hassans hoved da han endelig selv kunne læse *Shahnameh* og fandt ud af at jeg havde narret ham så mange gange. Jeg rømmede mig og begyndte at læse. „'Lyt nu til historien om Sohrabs kamp mod Rostam omendskønt det er en historie mættet med tårer,'" begyndte jeg. „'Det kom sig således at Rostam på en vis dag rejste sig fra sit leje, og fyldt med bange anelser var han. Han tænkte sig…'" Jeg læste det meste af kapitel et, helt frem til det sted hvor den unge kriger, Sohrab, opsøger sin mor, Tahmineh, prinsesse af Samengan, og forlanger at få at vide hvem hans far er. Jeg lukkede bogen. „Vil du gerne have at jeg læser videre? Der venter mange slag, husker du nok. Sohrab der fører sin hær til Det Hvide Slot i Iran. Skal jeg læse videre?"

Han rystede langsomt på hovedet. Jeg lagde bogen ned i papirposen igen. „Så siger vi det," sagde jeg, opmuntret over at han i det hele taget havde reageret. „Måske kan vi læse videre i morgen. Hvordan har du det nu?"

Sohrabs mund gik op, og han udstødte en hæs lyd. Dr. Nawaz havde advaret mig om at det ville være sådan, det skyldtes iltslangen som havde irriteret hans stemmebånd. Han fugtede læberne og prøvede igen: „Træt."

„Det forstår jeg. Dr. Nawaz sagde at man måtte regne med—"

Han rystede på hovedet.

„Hvad så, Sohrab?"

Han skar en grimasse da han med sin hæse, næppe hørlige stemme uddybede: „Træt af det hele."

Jeg sukkede og faldt sammen i min stol. Der lå en solstribe på sengen mellem os, og et kort øjeblik lignede det askegrå ansigt der så hen på mig fra den anden side af striben, på en prik Hassans, ikke den Hassan jeg havde leget med marmorkugler med indtil mullaherne brølede deres aften-*azan* ud over byen, og Ali kaldte os hjem, ikke den Hassan jeg havde jagtet ned ad vores bakke når solen gik ned bag husstagene mod vest, men den Hassan jeg sidste gang så i live da han slæbte sine ejendele efter Ali i en varm sommerregn og lagde dem ned i bagagerummet på babas bil mens jeg så til gennem det regnvåde vindue i mit værelse.

Han rystede langsomt på hovedet. „Træt af det hele," gentog han.

„Hvad kan jeg gøre, Sohrab? Vær sød at fortælle mig det."

„Jeg vil have..." begyndte han. Han krympede sig igen og lagde hånden op mod struben som for at skubbe det til side der blokerede for hans stemme. Mit blik blev igen draget mod hans håndled der var stramt omviklet med hvid gaze. „Jeg vil have mit gamle liv tilbage," hviskede han så.

„Åh, Sohrab."

„Jeg vil have min far og mor tilbage. Jeg vil have Sasa tilbage. Jeg ønsker at lege med Rahim Khan sahib i haven. Jeg vil gerne bo i vores hus igen." Han lagde underarmen over sine øjne. „Jeg vil have mit gamle liv tilbage."

Jeg vidste ikke hvad jeg skulle sige, hvor jeg skulle se hen, så jeg kiggede ned på mine hænder. *Dit gamle liv*, tænkte jeg. *Også mit gamle liv. Jeg legede i den samme have, Sohrab. Jeg boede i det samme hus. Men græsset er vissent nu, og en fremmed mands jeep holder i indkørslen til vores hus og lækker olie ned på asfalten. Vores gamle liv er borte, Sohrab, og alle fra dengang er enten døde eller ved at dø. Der er kun dig og mig nu. Kun dig og mig.*

„Det kan jeg ikke give dig," sagde jeg.

„Jeg ville ønske De ikke havde—"

„Vær sød ikke at sige det."

„—ønske at De ikke havde... jeg ville ønske at De havde ladet mig ligge i badekarret."

„Sådan må du ikke sige, Sohrab," sagde jeg og bøjede mig frem. „Jeg kan ikke holde ud at høre dig sige sådan." Jeg lagde en hånd på hans skulder, og han krympede sig. Trak sig væk. Jeg lod hånden falde mens jeg trist tænkte tilbage på dagene lige før jeg havde brudt mit løfte til ham, hvor han langt om længe var blevet tryg ved mine berøringer. „Sohrab, jeg kan ikke give dig dit gamle liv tilbage, jeg ville ved gud ønske at jeg kunne. Men jeg kan tage dig med mig hjem. Det var det jeg kom ud i badeværelset for at fortælle dig. Du har fået et visum så du kan rejse til Amerika og bo hos mig og min kone. Det er sandt, det lover jeg."

Han sukkede ud gennem næsen og lukkede øjnene. Jeg ville ønske jeg ikke havde sagt de sidste tre ord. „Jeg har gjort mange ting i mit liv som jeg virkelig angrer," sagde jeg, „og måske især det at jeg brød mit løfte til dig. Men det kommer aldrig til at ske igen, og jeg er forfærdelig ked af det. Jeg beder dig om din *bakhshesh*. Kan du gøre det? Kan du tilgive mig? Tør du nogensinde tro på mig igen?" Jeg sænkede stemmen.

„Vil du rejse med mig hjem?"

Mens jeg ventede på hans svar, fløj mine tanker tilbage til en vinterdag for længe siden hvor Hassan og jeg sad i sneen under et bladløst kirsebærtræ. Jeg havde behandlet Hassan skidt den dag, drillet ham, spurgt ham om han ville spise jord for at bevise sin trofasthed mod mig. Nu var det mig der var under luppen, den som skulle bevise sit værd. Jeg havde fortjent det.

Sohrab rullede om på siden, med ryggen til mig. I lang tid sagde han ingenting. Og så, netop som jeg troede at han måske var faldet i søvn, sagde han med et kvæk: „Jeg er så *khasta*." Så forfærdelig træt.

Jeg sad ved hans seng indtil han faldt i søvn. Noget var forsvundet mellem Sohrab og mig. Indtil mit møde med sagføreren Omar Faisal var et lille håb, som en sky gæst, begyndt at lyse op i Sohrabs øjne. Nu var det lys forsvundet, gæsten var flygtet, og jeg spekulerede på om han nogensinde ville turde komme igen. Jeg spekulerede også på hvor lang tid der ville gå før Sohrab omiløde igen. Hvor lang tid før han igen turde stole på mig. Om det overhovedet ville ske.

Så forlod jeg hospitalet og gik ud for at finde et nyt hotel, uvidende om at der skulle gå næsten et år før jeg hørte Sohrab sige noget igen.

Da det kom til stykket, tog Sohrab aldrig imod mit tilbud. Ej heller afviste han det. Men han vidste at når forbindingerne var taget af, og hospitalstøjet leveret tilbage, så var han bare endnu en hjemløs hazaradreng uden forældre. Han havde ikke noget valg. Hvor kunne han gå hen? Så det jeg regnede for et ja, var faktisk ikke andet end stum overgivelse, ikke så meget accept som viljeløst at lade sig føre af sted hos en som var for træt til at tage beslutninger, og alt, alt for træt til at tro på noget mere. Det han længtes efter, var sit gamle liv. Det han fik var mig og Amerika. Ikke at det var en grum skæbne, alt taget i betragtning, men det kunne jeg ikke sige til ham. Perspektiv var en luksus når en sværm af dæmoner konstant summede rundt i ens hoved.

Og derfor var det at vi omkring en uge senere gik hen over en stribe varm, sort asfalt, og jeg bragte Hassans søn fra Afghanistan til Amerika, løftede ham op fra visheden om kaos og satte ham ned i en kaotisk uvished.

En dag, måske i 1983 eller 1984, stod jeg i en videobutik i Fremont, i afdelingen med vestlige film, da en fyr ved siden af mig der stod og nippede til en cola fra et 7-eleven-bæger, pegede på *Syv Mænd sejrer* og spurgte om jeg havde set den. „Ja, tretten gange," sagde jeg. „Charles Bronson dør i filmen, det samme gør James Coburn og Robert Vaughn." Han sendte mig et virkelig gnavent blik, som om jeg lige havde tisset i hans sodavand. „Tusind tak, kammerat," sagde han og gik hovedrystende sin vej mens han mumlede et eller andet. Det var på den måde jeg lærte at man i Amerika ikke må fortælle hvordan en film ender, og hvis man gør det, bliver man hånet og afkrævet en undskyldning for at have begået den synd At Ødelægge En Film.

I Afghanistan var slutningen det eneste der betød noget. Når Hassan og jeg kom hjem efter at have været i biografen og set en hindi-film, var Ali, Rahim Khan, baba eller en myriade af babas venner – fætre i mange led myldrede ind og ud af huset – kun interesseret i at høre dette: Fandt Pigen i filmen til sidst lykken? Var *bacheh film*, Fyren i filmen, blevet *kamyab* og kunne realisere sine drømme, eller var han *nah-kam*, dømt til at gå fra fiasko til fiasko?

Var det en lykkelig slutning? ville de vide.

Hvis nogen i dag spurgte mig om Hassans, Sohrabs og min historie ender lykkeligt, ville jeg ikke vide hvad jeg skulle svare.

Ender noget menneskes historie lykkeligt?

Livet er trods alt ikke en hindi-film. *Zendagi migzara*, ynder afghanere at sige: Livet går videre, uanset begyndelse, ende, *kamyab, nah-kam,* krise eller katarsis, videre som en langsom, støvet *kochi*-karavane.

Jeg ville ikke vide hvad jeg skulle svare. Heller ikke selv om jeg tog sidste søndags lille mirakel med i betragtning.

Vi kom hjem for omkring syv måneder siden på en varm augustdag i 2001. Soraya hentede os i lufthavnen. Jeg havde aldrig før været væk fra Soraya i så lang tid ad gangen, og da hun slog armene om mig, og jeg indsnusede duften af æbler i hendes år, forstod jeg hvor meget jeg havde savnet hende. „Du er stadig morgensolen i min *yelda*," hviskede jeg.

„Hvad?"

„Ikke noget." Jeg kyssede hende på øret.

Derpå knælede hun ned så hun var på øjenhøjde med Sohrab. Hun tog ham i hånden og smilede til ham. „*Salaam,* Sohrab jan, jeg er din khala Soraya. Vi har alle glædet os til at se dig."

Synet af hendes smil til Sohrab og de lidt blanke øjne gav mig et indblik i den mor hun kunne have været, var hendes skød ikke faldet hende i ryggen.

Sohrab flyttede uroligt på fødderne og så væk.

Soraya havde lavet kontoret ovenpå om til et værelse til Sohrab. Hun viste ham vej derop, og han satte sig på sengekanten. Sengetøjet var med farvestrålende drager der fløj højt på en blå himmel. Hun havde tegnet centimeterstreger på væggen henne ved siden af skabet: en målestok til at måle et barns højde med. For enden af sengen så jeg en vidjekurv fyldt med bøger, et lokomotiv, en farvelade.

Sohrab havde en almindelig hvid T-shirt på og nye cowboybukser som jeg havde købt til ham i Islamabad lige før vi tog af sted – T-shirten hang løst om hans magre, hængende skuldre. Farven var endnu ikke krøbet tilbage i hans ansigt bortset fra de mørke rande under hans øjne. Han så på os nu på den udtryksløse måde hvorpå han havde betragtet tallerkenerne med kogte ris som sygehjælpere havde sat foran ham på hospitalet.

Soraya spurgte om han kunne lide sit værelse, og jeg lagde mærke til at hun forsøgte at undgå at kigge på hans håndled, og at hendes blik alligevel hele tiden søgte ned mod de takkede, lyserøde linjer. Sohrab så ned. Stak hænderne ind under sine lår og svarede ikke. Så lagde han simpelthen hovedet på puden. Mindre end fem minutter efter var han faldet i søvn mens Soraya og jeg stod i døren og så på ham.

Vi gik i seng, og Soraya faldt i søvn med hovedet mod mit bryst. Jeg lå vågen i mørket i vores værelse, endnu en gang søvnløs. Vågen. Og alene med mine dæmoner.

På et tidspunkt midt på natten stod jeg op og gik ind til Sohrab på hans værelse. Jeg stod bøjet over ham, kiggede ned, og så noget stikke frem under puden. Jeg tog det. Så at det var Rahim Khans foto, det jeg havde givet Sohrab den aften hvor vi sad uden for Shah Faisal-moskeen. Det hvor Hassan og Sohrab stod ved siden af hinanden, med sammenknebne øjne mod lyset og smilede som om verden var et godt og retfærdigt sted. Jeg spekulerede på hvor længe Sohrab havde ligget i sengen og stirret på billedet, vendt og drejet det i sine hænder.

Jeg så på billedet. *Din far var et splittet menneske, splittet i to dele*, havde Rahim Khan skrevet i sit brev. Jeg havde været den retmæssige del, den af samfundet accepterede, legitime del, den uvidende legemliggørelse af babas skyldfølelse. Jeg så på Hassan der i smilet afslørede to manglende fortænder, solen der faldt skævt ind over hans ansigt. Babas anden del. Den uretmæssige, uprivilegerede del. Den del der havde arvet det der havde været rent og ædelt i baba. Måske den del som baba i det mest hemmelige kammer i sit hjerte havde tænkt på som sin rigtige søn.

Jeg lagde billedet tilbage hvor jeg havde fundet det. Så gik noget op for mig: Den sidste tanke havde ikke gjort ondt. Jeg lukkede døren til Sohrabs værelse og spekulerede på om det var sådan tilgivelse voksede frem, ikke med en fanfare i en åbenbaring, men ved at fortrydelse møjsommeligt samlede sine ting sammen, pakkede og lydløst smuttede væk midt om natten.

Generalen og khala Jamila kom til middag næste dag. Khala Jamila som havde fået klippet sit hår kort og farvet det en anelse mere rødt end sædvanligt, rakte Soraya den skål med mandeldrysset *maghout* som hun havde lavet til dessert. Hun fik øje på Sohrab og smilede strålende. *„Mashallah!* Soraya jan fortalte os hvor *khoshteep* du var, men du er meget kønnere end hun sagde, Sohrab jan." Hun rakte ham en blå sweater med rullekrave. „Den har jeg strikket til dig," sagde hun. „Til næste vinter. *Inshallah*, til den tid vil den passe dig."

Sohrab tog imod sweateren.

„Goddag, unge mand," var alt hvad generalen sagde mens han med begge hænder knugede om sin stok og studerede Sohrab på en måde som man måske ville studere en bizar nipsgenstand i en eller andens hjem.

Jeg besvarede, og besvarede igen, alle khala Jamilas spørgsmål vedrørende mine kvæstelser – jeg havde bedt Soraya sige til dem at jeg var blevet overfaldet på gaden – og forsikrede hende om at jeg ikke ville få mén, at ståltråden ville blive taget ud om få uger så jeg igen kunne spise hendes mad, og at, ja, jeg skulle nok gnide rabarbersaft og sukker på mine ar så de hurtigere blegnede.

Generalen og jeg sad i stuen og nippede til et glas vin mens

Soraya og hendes mor dækkede bord. Jeg fortalte ham om Kabul og talibanerne. Han lyttede og nikkede, med stokken hen over skødet, og slog klik med tungen da jeg fortalte om den mand jeg havde set forsøge at sælge sit kunstige ben. Jeg fortalte ham ikke om henrettelserne på Ghazi Stadion og Assef. Han spurgte til Rahim Khan som han sagde han havde mødt et par gange i Kabul, og rystede højtideligt på hovedet da jeg fortalte ham om Rahim Khans sygdom. Men mens vi talte, så jeg hans blik fra tid til anden søge hen på Sohrab der lå og sov på sofaen. Som om vi listede på kattepoter rundt om det emne han i virkeligheden gerne ville vide noget om.

Kløerne kom frem da måltidet var ved at være forbi, og generalen lagde sin gaffel fra sig og sagde: „Og nu, Amir jan, vil du måske fortælle os hvorfor du har bragt denne dreng med hjem?"

„Iqbal jan! Hvad er det for noget at spørge om?" udbrød khala Jamila.

„Min kære, mens du har travlt med at strikke, er det op til mig at tage vare på samfundets opfattelse af vores familie. Folk vil spørge. De vil ønske at vide hvorfor der bor en hazaradreng hos vores datter. Hvad skal jeg sige til dem?"

Soraya tabte sin ske. Vendte sig mod sin far. „De kan sige til dem—"

„Rolig, Soraya," sagde jeg og tog hendes hånd. „General sahib har ret. Folk *vil* undre sig."

„Amir—" begyndte hun.

„Det er all right." Jeg så på generalen. „Sagen er, general sahib, at min far gik i seng med sin tjeners kone. Hun fødte ham en søn ved navn Hassan. Hassan er død nu. Drengen der ligger der og sover på sofaen, er Hassans søn. Han er min nevø. Det er hvad De skal sige til folk når de spørger."

De stirrede alle på mig.

„Og lige en ting til, general sahib," sagde jeg. „De vil aldrig igen i mit nærvær omtale ham som en 'hazaradreng'. Han har et navn, og det er Sohrab."

Der var ingen der sagde noget under resten af måltidet.

Det ville være forkert at sige at Sohrab var stille. Stille har noget med fred at gøre. Ro. Stille er at have drejet livets volumenknap ned.

Stilhed er at have trykket på off-knappen. Have lukket sig inde. Have lukket alting ude.

Sohrabs stilhed var ikke en selvpålagt stilhed som hos dem der har en overbevisning, dem der forsøger at tale deres sag ved overhovedet ikke at tale. Det var en stilhed som hos en der havde søgt ly et mørkt sted og rullet sig sammen til en lille sammenknyttet bold.

Han ikke så meget boede sammen med os, som han tog plads op i vores hjem. Meget lidt plads. En gang imellem på markedet eller i parken lagde jeg mærke til hvordan andre mennesker så godt som slet ikke så ham, som om han slet ikke var til stede. Jeg kunne se op fra en bog og opdage at Sohrab var kommet ind og havde sat sig over for mig, og jeg havde slet ikke hørt det. Han gik som om han var bange for at efterlade sig spor. Han bevægede sig som om han var bange for at sætte luften i bevægelse. Det meste af tiden sov han.

Sohrabs stilhed gik også Soraya på nerverne. Hun havde, når vi talte sammen i telefonen mens jeg ventede på at kunne komme hjem, fortalt om alle de ting hun havde planer om at gøre sammen med Sohrab. Svømning. Fodbold. Bowling. Nu kunne hun gå forbi Sohrabs værelse og få et glimt af bøgerne som stadig lå ulæste i kurven, målestregerne uden kryds ved, puslespillet usamlet, hver eneste genstand en mindelse om et liv som kunne have været. Mindelser om en drøm som visnede netop som den skulle til at blomstre. Men også jeg havde haft forventninger til Sohrab. Hun havde ikke været den eneste.

Mens Sohrab var stille, var verden det ikke. En tirsdag morgen i september måned sidste år brasede de to tårne sammen, og verden forandrede sig i løbet af en enkelt nat. Pludselig dukkede det amerikanske flag op alle vegne, på antennen på de gule taxaer der snoede sig rundt i trafikken, på folks overtøj når de som en rivende flod bevægede sig hen ad fortovet, selv på tiggeres nussede kasketter hvor de sad i døråbningen til smarte kunstgallerier og foran butikker. En dag passerede jeg Edith, den hjemløse kvinde som hver dag står og spiller harmonika på hjørnet af Sutter og Stockton, og fik et glimt af en mærkat med et amerikansk flag der var klistret på harmonikakassen ved hendes fødder.

Kort efter angrebene bombede Amerika Afghanistan, Nordalliancen rykkede ind, og talibanerne flygtede som rotter ind i hulesystemerne. Pludselig stod folk i kø i supermarkederne og talte om min barndoms byer, Kandahar, Herat, Mazar-i-Sharif. Engang da jeg var meget lille, tog baba Hassan og mig med til Kunduz. Jeg husker ikke meget fra turen, men jeg husker at jeg sad i skyggen under et akacietræ sammen med baba og Hassan, og at vi skiftedes til at nippe til en lerkrukke med friskpresset vandmelonsaft og konkurrere om hvem der kunne spytte kernerne længst væk. Nu sad Dan Rather, Tom Brokaw og folk på Starbucks og nippede til café latte mens de talte om slaget om Kunduz, talibanernes sidste højborg i nord. I december måned samledes pashtuner, tadsjiker, usbekere og hazaraer under FN's vagtsomme øjne i Bonn og indledte den proces som måske en dag ville afslutte tyve års rædsler i deres *watan*. Hamid Karzais persianerhue og grønne *chapan* blev verdensberømte.

Sohrab gik som en søvngænger igennem det hele.

Soraya og jeg blev involveret i afghanske projekter, lige så meget fordi vi regnede det for en borgerpligt, som for at overdøve stilheden ovenpå, en stilhed som sugede alting til sig; som var den et sort hul. Jeg havde ikke før været den aktive type, men da en mand ved navn Kabir, en tidligere afghansk ambassadør i Sofia, ringede og spurgte om jeg ville være med i et hospitalsprojekt, sagde jeg ja. Det lille hospital havde ligget i Pakistan tæt på den afghanske grænse og havde haft et kirurgisk afsnit der behandlede afghanske flygtninge der var blevet kvæstet i landmineeksplosioner. Nu var det lukket på grund af manglende midler. Jeg blev projektleder, Soraya min medhjælper. Jeg tilbragte de fleste af mine dage i mit arbejdsværelse hvor jeg emailede rundt til folk i hele verden, søgte om fondsmidler og organiserede velgørenhedsfester for at rejse penge. Og fortalte mig selv at det havde været rigtigt af mig at tage Sohrab med hjem.

Året sluttede med at Soraya og jeg sad på sofaen med et tæppe over benene og så Dick Clark på tv. Folk hujede og kyssede hinanden da sølvkuglen faldt, og konfetti gjorde skærmen hvid. I vores hjem begyndte det nye år stort set på samme måde som det gamle endte. Med stilhed.

Så, for fire dage siden, på en kold og våd dag i marts måned 2002 skete der en lille, forunderlig ting.

Jeg tog Soraya, khala Jamila og Sohrab med til et afghanertræf i Lake Elizabeth Park i Fremont. Generalen var måneden forinden langt om længe blevet kaldt til Afghanistan til en ministerpost og var fløjet dertil for to uger siden – han havde ladet sit grå sæt tøj og lommeur blive tilbage i Amerika. Planen var at khala Jamila skulle slutte sig til ham i løbet af få måneder når han var kommet på plads. Hun savnede ham forfærdeligt – og var bekymret for hans helbred – og vi havde insisteret på at hun boede hos os i nogle uger.

Torsdagen før, den første forårsdag, havde vi fejret det afghanske nytår – *Sawl-e-Nau* – og afghanerne i Bay Area havde planlagt fester i hele East Bay og på resten af halvøen.

Kabir, Soraya og jeg havde endnu en grund til at feste: Vores lille hospital i Rawalpindi var genåbnet ugen før, ikke det kirurgiske afsnit, kun det pædiatriske, men det var en god begyndelse, var vi enige om.

Solen havde skinnet i flere dage, men da jeg søndag morgen svingede benene ud af sengen, hørte jeg regndråber slå mod ruden. *Typisk afghansk held*, tænkte jeg med et snøft. Jeg bad morgen-*namaz* mens Soraya sov videre – jeg behøvede ikke længere at læse op fra den bønnepamflet jeg havde skaffet fra moskeen, versene kom naturligt nu, ubesværet.

Vi ankom ved middagstid og mødtes med en håndfuld mennesker der havde søgt ly under en stor, firkantet plastic-presenning holdt oppe af seks pæle der var hamret ned i jorden. En eller anden var allerede i gang med at stege *bolani*'er; damp steg op fra tekrus og en gryde med blomkåls-*aush*. En skrattende gammel Ahmad Zahir-sang brølede fra en kassette-båndoptager. Jeg kom til at smile da vi fire stormede hen over den gennemvåde græsplæne, Soraya og jeg forrest, khala Jamila i midten og Sohrab bag os med hætten på sin gule regnjakke daskende ned ad ryggen.

„Hvad griner du ad?" spurgte Soraya med en sammenfoldet avis over sit hoved.

„Du kan jage en afghaner ud af Paghman, men du kan ikke jage Paghman ud af afghanere," sagde jeg.

Vi stod og krøb sammen under det interimistiske telt. Soraya og khala Jamila drev over i retning af en overvægtig kvinde der stod og stegte spinat-*bolani*. Sohrab blev stående under presenningen et øjeblik, men trådte så ud i regnen igen med hænderne begravet i regnjakken og håret – der nu var brunt og glat ligesom Hassans – klistret til hovedet. Han stod stille i nærheden af en kaffefarvet vandpyt og stirrede ned på den. Ingen så ud til at bemærke ham. Ingen kaldte ham tilbage. Hen ad vejen var de nysgerrige spørgsmål vedrørende vores

adoptivsøn – og helt afgjort excentriske adoptivsøn – gudske-
lov forstummet, og taget i betragtning hvor taktløse afghanere
kan være, var det en betydelig lettelse. Folk var holdt op med
at spørge om hvorfor han aldrig sagde noget. Hvorfor han
ikke legede med de andre børn. Og bedst af alt: De var holdt
op med at kvæle os med deres overdrevne empati, deres lang-
somme rysten på hovedet, deres medfølende klik med tungen,
deres 'Oh gung bichara'. Åh, den stakkels lille stumme dreng.
Nyhedens interesse var væk. Som et kedeligt tapet gik Sohrab
i ét med omgivelserne.

Jeg hilste på Kabir, en lille gråhåret mand. Han præsentere-
de mig for en række mænd, en af dem en pensioneret lærer, en
anden ingeniør, en tidligere arkitekt og til sidst en kirurg der
nu passede en hotdog-bod i Hayward. De sagde alle at de
havde kendt baba i Kabul, og de talte om ham med stor re-
spekt i stemmen. På den ene eller anden måde havde han
berørt deres alle sammens liv. Mændene sagde at jeg var heldig
at have haft så prægtigt et menneske som far.

Vi sludrede om den svære og utaknemmelige opgave Karzai
stod overfor, om den kommende Loya jirga, og om kongens
snarligt forestående tilbagekomst til sit fædreland efter otteog-
tyve år i eksil. Jeg kan huske den aften i 1973 da Zahir Shahs
fætter afsatte ham; jeg kan huske skudsalverne og himlen der
blev oplyst som sølv – Ali havde taget mig og Hassan i sin favn
og sagt til os at vi ikke skulle være bange; at de blot var på
andejagt.

Så fortalte en eller anden en mullah Nasruddin-vittighed, og
vi lo alle. „Din far var en morsom mand, vidste du det?" sagde
Kabir.

„Ja, det husker jeg godt," sagde jeg og smilede ved tanken
om hvordan baba kort efter vores ankomst til USA havde
brokket sig over amerikanske fluer. Han havde siddet ved
køkkenbordet med sin fluesmækker og set på fluerne der fløj

fra væg til væg, summende her, summende der, forpinte og jagede. „I det her land har selv fluer travlt," havde han stønnet. Åh, hvor havde jeg leet højt. Nu smilede jeg ved tanken om det.

Klokken tre var det holdt op med at regne, og himlen var som en stivnet grå masse med tunge skyer indimellem. En kold brise susede gennem parken. Flere familier stødte til. Afghanere hilste på hinanden, omfavnede, kyssede hinanden, byttede mad. En eller anden tændte op i en grill, og snart fyldte duften af hvidløg og *morgh*-kabob min næse. Der var musik, en eller anden ny sanger jeg ikke kendte, og grinende børn. Jeg kiggede hen på Sohrab der, stadig i sin gule regnjakke, stod og lænede sig op ad en skraldespand og stirrede hen over græsset mod et tomt boldnet.

Lidt senere, mens jeg stod og talte med den tidligere kirurg som fortalte mig at han og baba havde gået i ottende klasse sammen, trak Soraya mig i ærmet. „Amir, se!"

Hun pegede op mod himlen hvor en fem-seks drager svævede rundt højt oppe som lysende gule, røde og grønne prikker mod en grå baggrund.

„Gå hen og køb en," sagde Soraya, og denne gang pegede hun på en mand der stod i nærheden og solgte drager.

„Hold det," sagde jeg. Jeg rakte Soraya mit tekrus, undskyldte mig over for kirurgen og gik hen til drageboden. Mine sko svuppede i det våde græs. Jeg pegede på en gul *seh-parcha*. „*Sawl-e-nau mubabrak*," sagde dragesælgeren, tog imod tyvedollarsedlen og rakte mig en drage og en træspole med glas-*tar*. Jeg takkede og ønskede også ham et godt nytår. Jeg testede linen sådan som Hassan og jeg plejede at gøre, ved at holde den mellem tommel- og pegefinger og trække i den. Den blev rød af blod, og dragesælgeren smilede. Jeg gengældte smilet.

Jeg bar dragen over til det sted hvor Sohrab med armene over kors stod og lænede sig op ad en skraldespand. Han stod og kiggede op mod himlen.

„Har du lyst til at sætte denne *seh-parcha* op?" spurgte jeg og holdt dragen frem med begge hænder om tværpinden. Hans blik flyttede sig fra himlen over på mig, på dragen og så tilbage igen. Regndråber trillede i små floder ned fra hans hår, ned ad ansigtet.

„Jeg læste engang at man i Malaysia bruger drager til at fange fisk med," sagde jeg. „Det vidste du ikke, vil jeg vædde på. De binder en fiskesnøre på den og sætter den op over lavvandede områder så højt at den ikke kaster skygge og skræmmer fiskene væk. Og i det gamle Kina satte generalerne drager op over kamppladsen for at sende beskeder til deres soldater. Det er sandt. Jeg binder dig ikke noget på ærmet." Jeg viste ham min blodige tommelfinger. „Der er heller ikke noget i vejen med *tar*'en."

Ud af øjenkrogen kunne jeg se Soraya holde øje med os henne fra teltet. Hun havde stukket hænderne dybt ind i armhulerne. I modsætning til mig var hun gradvist holdt op med at forsøge at lokke ham ud af hans skal. De ubesvarede henvendelser, det tomme blik, stilheden, det var alt sammen for pinefuldt. Hun var gået over i 'vent-og-se-position', ventede på grønt lys fra Sohrab. Ventede.

Jeg fugtede min pegefinger og holdt den op. „Jeg kan huske at den måde din far tjekkede vindretningen på, var ved at sparke støv op med sandalen, se hvilken vej den blæste. Han kendte mange af den slags små fif," sagde jeg og tog fingeren ned igen. „Vest, tror jeg."

Sohrab tørrede en regndråbe fra øreflippen og flyttede vægten over på det andet ben. Sagde ikke noget. Jeg tænkte på Soraya der for et par måneder siden havde spurgt mig hvordan hans stemme lød. Jeg havde svaret at jeg ikke længere kunne huske det.

„Har jeg nogensinde fortalt dig at din far var den bedste

drageløber i Wazir Akbar Khan? Måske i hele Kabul?" sagde jeg og bandt den løse ende af linen fast i løkken i krydset mellem pindene. „Alle børnene i kvarteret var meget misundelige. Han kunne løbe drager op uden så meget som at se op mod himlen, og folk plejede at sige at han jagtede dragernes skygge. Men de kendte ham ikke sådan som jeg gjorde. Din far jagtede ikke skygger. Han... vidste det bare."

Der var kommet yderligere en fem-seks drager til oppe på himlen. Folk var begyndt at samles i grupper, med tekrus i hænderne og øjnene klistret til himlen.

„Har du lyst til at hjælpe mig med at sætte den op?" spurgte jeg.

Sohrabs blik flakkede fra dragen over på mig. Op mod himlen igen.

„Okay." Jeg trak på skuldrene. „Så må jeg vel sætte den op *tanhaii.*" Solo.

Jeg holdt spolen i venstre hånd og gav omkring en meter *tar*. Den gule drage dinglede for enden af den lige over det våde græs. „Sidste chance," sagde jeg. Men Sohrab stod og kiggede op på et par drager der havde filtret sig sammen højt over træerne.

„All right. Så er det nu." Jeg satte i løb, plaskende gennem vandpytter med dragen højt løftet over mit hoved. Det var mange år siden jeg sidst havde gjort dette, og jeg spekulerede på om jeg var ved at gøre mig til grin. Jeg gav line fra spolen i venstre hånd og mærkede den skære ind i højre hånd mens den løb igennem. Nu var dragen på vej op bag min ryg, højere, drejende, og jeg satte farten op. Spolen drejede hurtigere og hurtigere rundt i min hånd, og glaslinen lavede endnu en flænge i min højre håndflade. Jeg standsede og vendte mig om. Så op. Smilede. Højt oppe svingede min drage fra side til side som et pendul og lavede den gamle papir-fugl-baske-med-vingerne-lyd som jeg altid vil associere med vinterdage i Kabul. Jeg havde ikke sat en drage op i et kvart århundrede, men pludselig var jeg tolv år igen, og alle de gamle færdigheder kom farende tilbage.

Jeg mærkede nogen ved siden af mig og kiggede ned. Det var Sohrab. Med hænderne dybt begravet i regnjakkelommerne. Han var løbet efter mig.

„Har du lyst til at prøve?" spurgte jeg. Han svarede ikke. Men da jeg holdt linen hen mod ham, kom den ene hånd op af lommen. Tøvende. Tog fat om linen. Mit hjerte begyndte at slå hurtigt mens jeg spolede løs line op igen. Vi stod uden at sige noget ved siden af hinanden. Med hovedet bøjet bagover.

Rundt om os legede børn tagfat i det smattede græs. En eller anden bag os havde sat soundtracket fra en gammel hindi-film i kassetteafspilleren. En flok ældre mænd på række bad eftermiddags-*namaz* på et stykke plastic bredt ud på jorden. Der duftede af vådt græs, røg og grillet kød. Jeg ønskede at tiden skulle stå stille.

Så opdagede jeg at vi havde fået selskab. En grøn drage var ved at rykke ind på os. Jeg sporede linen til et barn der stod omkring tredive meter fra os. Han var karseklippet og iført en T-shirt med påskriften THE ROCK RULES med kraftige, sorte bogstaver. Han så at jeg havde opdaget ham, og smilede. Vinkede. Jeg vinkede tilbage.

Sohrab rakte linen tilbage til mig.

„Er du sikker?" spurgte jeg og tog den.

Han tog spolen fra mig.

„Okay," sagde jeg. „Skal vi give ham en *sabagh*, en rigtig lærestreg, hvad?" Jeg kiggede ned på ham. Det glasagtige, tomme i hans øjne var væk. Hans blik gled frem og tilbage mellem vores drage og den grønne. Han havde fået farve i kinderne, udtrykket i hans øjne var vagtsomt. Årvågent. Levende. Jeg spekulerede på hvornår det var jeg havde glemt at han kun var et barn på trods af alt det der var overgået ham.

Den grønne drage gik til angreb. „Vent," sagde jeg. „Lad ham komme lidt nærmere." Den dykkede to gange og krøb nærmere. „Kom så, kom bare an," sagde jeg.

Den grønne drage krøb nærmere endnu, hævede sig lidt over os, uvidende om den fælde jeg var ved at lokke den i. „Se nu, Sohrab. Nu skal jeg vise dig et af din fars yndlingstricks, det gode, gamle løft-og-dyk."

Ved siden af mig trak Sohrab vejret hurtigt gennem næsen. Spolen snurrede i hans hænder, senerne på hans arrede hånd-led stod ud som *rubab*-strenge. Så blinkede jeg, og et kort øjeblik var de hænder der holdt spolen, de slidte hænder på en dreng med hareskår. Jeg hørte en krage skræppe op i nærheden og så op. Parken glitrede med en sne så nyfalden, så blæn-dende hvid at det gjorde ondt i mine øjne. Sneen dryssede lydløst ned fra grenene på hvidklædte træer. Nu kunne jeg lugte kål-*qurma*. Tørrede morbær. Sure appelsiner. Savsmuld og valnødder. Den dæmpede stilhed, snestilheden, var øredø-vende. Så langt væk, hen over stilheden, kaldte en stemme os hjem, en stemme der tilhørte en mand der slæbte på det ene ben.

Den grønne drage svævede lige over os nu. „Han angriber nu, om et lillebitte øjeblik," sagde jeg og så hurtigt ned på Sohrab.

Den grønne drage tøvede. Blev hvor den var. Og så skød den nedad. „Der har vi ham jo!" jublede jeg.

Jeg gjorde det perfekt. Efter alle de mange år. Den gamle løft-og-dyk-fælde. Jeg slækkede og strammede, dykkede og undveg. En række hurtige sideværts ryk, og vores drage susede op i en halvcirkel mod uret. Pludselig var jeg øverst. Den grønne drage fór lynhurtigt opad, i vild panik. Men det var for sent. Jeg havde allerede spillet ham Hassans puds. Jeg trak hårdt til, og vores drage jog nedad. Jeg kunne næsten høre vores line skære hans over. Næsten høre smældet.

Så, lige med ét, snurrede den grønne drage rundt, ude af kontrol, og faldt.

Bag os jublede tilskuerne. Piften og klapsalver brød løs. Jeg hev efter vejret. Sidste gang jeg havde følt et sådant brus i årerne, var den dag i vinteren 1975, lige efter at jeg havde fældet den sidste drage, og jeg havde set baba stå på taget og klappe og smile stort.

Jeg så ned på Sohrab. Den ene mundvig havde løftet sig en lille smule.

Et smil.

Skævt.

Knap nok et smil.

Men alligevel et smil.

Bag os spredtes børnene og en flok hvinende drageløbere kastede sig ud i jagten på den løbske drage der drev af sted højt over træerne. Jeg blinkede, og smilet var forsvundet. Men det havde været der! Jeg havde set det!

„Skal jeg løbe den drage op for dig?"

Hans adamsæble steg og faldt da han sank. Vinden purrede op i hans hår. Jeg bildte mig ind at jeg så ham nikke.

„For dig, tusinde gange og mere," hørte jeg mig selv sige.

Så snurrede jeg omkring og stak i løb.

Det var kun et smil, ikke andet. Det gjorde ikke alting rigtigt. Det gjorde *ingenting* rigtigt. Kun et smil. En meget lille ting. Et enkelt blad i skoven der skælvede i kølvandet på en forskrækket fugl der tog flugten.

Men jeg vil tage imod det. Med åbne arme. For når det bliver forår, smelter sneen ét fnug ad gangen, og måske havde jeg lige set det første fnug smelte.

Jeg løb. En voksen mand der løb sammen med en flok skrigende unger. Men jeg var ligeglad. Jeg løb med vinden mod mit ansigt og et smil så bredt som Panjsher-dalen på mine læber.

Jeg løb.

På de følgende sider kan du læse de første kapitler
af Khaled Hosseinis nye roman:

Under en strålende Sol

1

Mariam var fem år gammel første gang hun hørte ordet
harami.

Det skete på en torsdag. Det må have været en tors-
dag, for Mariam kunne huske at hun var rastløs og
distræt den dag, sådan som hun altid var det om torsda-
gen, den dag Jalil besøgte hende i *kolba*'en. For at få
tiden til at gå til det øjeblik han vinkende og kæmpende
sig gennem det knæhøje græs kom til syne i lysningen,
var Mariam begyndt at lege med sin mors kinesiske
testel. Stellet var det eneste Mariams mor, Nana, havde
tilbage efter sin egen mor som døde da Nana var to år
gammel. Nana elskede hver eneste del af det blå og
hvide stel, tekandens elegant buede tud, de håndmalede
finker og krysantemummer og dragen på sukkerskålen

som skulle beskytte mod det onde.

Det var sukkerskålen der gled ud af Mariams hænder, faldt ned på kolbaens plankegulv og gik i stykker.

Da Nana så skålen, blev hun rød i hovedet, overlæben bævede, og hendes øjne, både det dovne og det gode, faldt til ro på Mariam på en død, ublinkende måde. Nana så så vred ud at Mariam var bange for at *jinn*'en ville trænge ind i hendes mors krop igen. Men jinnen kom ikke, ikke denne gang. I stedet for tog Nana Mariam om håndleddene, trak hende hen til sig og sagde med sammenbidte tænder: „Du er en klodset, lille harami. Det er min belønning for alt hvad jeg har måttet udholde. En klodset, lille harami der ødelægger mine arvestykker."

Dengang forstod Mariam det ikke. Hun vidste ikke hvad en 'harami' var, og hun var heller ikke gammel nok til at se uretfærdigheden i beskyldningen, til at forstå at de skyldige var dem der havde fundet på ordet 'harami', og ikke de uægte børn hvis eneste synd det var at være blevet født. Men Mariam forstod jo godt – ud fra måden Nana sagde det på – at det var en hæslig, afskyelig ting at være en harami, som et insekt, som de kakerlakker der pilede rundt, og som Nana altid bandede over og fejede ud af kolbaen.

Det var først senere, da Mariam var blevet ældre, at hun forstod det. Det var måden Nana havde sagt det på – nej, ikke sagt, *spyttet* det efter hende – der fik Mariam til at mærke brodden i det. Hun forstod da hvad Nana havde ment: at en harami var noget uønsket, at hun, Mariam, var et uægte barn der aldrig ville have et berettiget krav på de ting som andre mennesker havde, ting som kærlighed, en familie, et hjem, anerkendelse.

Jalil kaldte aldrig Mariam for en harami. Jalil sagde at hun var hans lille blomst. Han kunne lide at tage hende op på skødet og fortælle hende historier, som dengang han fortalte hende at Herat, byen hvor Mariam blev født i 1959, engang havde været vugge for persisk kultur, det sted hvor forfattere, malere og sufier havde slået sig ned.

„Man kunne ikke strække benet uden at ramme en digter i bagdelen," lo han.

Jalil fortalte hende historien om dronning Gawhar Shad der tilbage i det femtende århundrede havde bygget de berømte minareter som en ode til hendes elskede Herat. Han beskrev Herats grønne hvedemarker, frugtlundene, vinstokkene med de svulmende drueklaser, byens myldrende, overdækkede basarer.

„Der står et pistacietræ der," fortalte Jalil hende en dag, „og under det, Mariam, ligger ingen anden end den store digter Jami begravet." Han bøjede sig frem og hviskede: „Jami levede for over fem hundrede år siden. Det er sandt. Jeg har engang vist dig træet. Du var lille dengang og kan ikke huske det."

Det var sandt. Mariam kunne ikke huske det. Og selv om hun i de første femten år af sit liv boede inden for gåafstand af Herat, ville hun aldrig få det sagnomspundne træ at se. Hun ville aldrig se de berømte minareter på nært hold, og hun ville aldrig plukke frugt i Herats frugtlunde eller gå en tur i hvedemarkerne omkring byen. Men når Jalil talte med Mariam på denne måde, lyttede hun henført. Hun beundrede Jalil for hans store indsigt i verden. Hun skælvede af fryd over at have en far der vidste den slags ting.

„Sikke latterlige løgne," sagde Nana efter at Jalil var gået. „En latterlig mand der fortæller latterlige løgne. Han har aldrig taget dig med og vist dig et træ. Lad dig ikke forblænde. Han forrådte os, din elskede far. Han smed os ud. Han smed os ud af sit store fine hus som om vi intet betød for ham. Han gjorde det med et smil."

Mariam lyttede pligtskyldigt til dette. Hun vovede aldrig at sige til Nana hvor lidt hun kunne lide at høre hende tale sådan om Jalil. Sandheden var at når Mariam var sammen med Jalil, følte hun sig ikke som en harami. En time eller to hver torsdag, når Jalil kom for at besøge hende og overøste hende med smil, gaver og kærtegn, følte Mariam at hun havde fortjent al den skønhed og overflod som livet kunne byde hende. Og af den grund elskede Mariam Jalil.

※ ※ ※

Også selv om hun var nødt til at dele ham med andre.

Jalil havde tre koner og ni børn – ni ægte børn – som Mariam aldrig havde mødt. Han var en af Herats rigeste mænd. Han ejede en biograf som Mariam aldrig havde set, men da hun insisterede, fortalte Jalil hende om den, og hun vidste derfor at facaden var beklædt med blå og brune terracottafliser, at der var loger på balkonen, og at der var tremmeværk i loftet. Fløjdøre førte ud til en flisebelagt lobby hvor der hang plakater fra hindifilm i glasmontrer. Om tirsdagen fik børnene gratis is henne ved udskænkningsskranken, fortalte Jalil hende.

Nana smilede alvorligt når han fortalte dem om det.

Hun ventede indtil han var gået, før hun fik luft og sagde: „Fremmede børn får is. Hvad får du, Mariam? Historier om is."

Ud over biografen ejede Jalil jord i Karokh og Farah, tre tæppeforretninger, en tøjbutik og en sort Buick Roadmaster model 1956. Han havde de allerbedste forbindelser i Herat og var venner med både borgmesteren og provinsguvernøren. Han havde en kok, en chauffør og tre husbestyrerinder.

Nana havde været en af husbestyrerinderne. Indtil hendes mave begyndte at svulme.

Da det skete, sugede Jalil-familiens fælles gisp luften ud af Herat, fortalte Nana. Hans svigerfamilier svor på at blod ville komme til at flyde. Hustruerne forlangte at han satte hende på porten. Nanas egen far, en fattig stenhugger i den nærliggende landsby Gul Daman, slog hånden af hende. Fuld af skam pakkede han sine ejendele og tog en bus til Iran. Ingen havde siden hverken set eller hørt fra ham.

„En gang imellem ville jeg ønske at min far havde været mand nok til at hvæsse en af sine knive og gøre det ærefulde," sagde Nana en tidlig morgen mens hun fodrede hønsene uden for kolbaen. „Det havde været bedre for mig." Hun smed endnu en håndfuld kerner ind i hønsegården, tav et øjeblik og så så hen på Mariam. „Måske også bedre for dig. Det ville have sparet dig for den sorg det er at vide hvad du er. Men han var en kujon, min far. Han havde ikke *dil* til at gøre det."

Heller ikke Jalil havde mod til at gøre det ærefulde, sagde Nana, at trodse sin familie, sine hustruer og svigerfamilier og påtage sig ansvaret for det han havde gjort. I stedet var man bag lukkede døre blevet enige om en ansigtsreddende aftale, og næste dag fik han hende til at pakke sine få ejendele i tjenerfløjen hvor hun boede, og satte hende på porten.

„Ved du forresten hvad han forsvarede sig med over for sine koner? At jeg bød mig til. At det var min fejl. *Didi?* Sådan er det at være kvinde i vores verden."

Nana satte skålen med hønsefoder fra sig. Hun løftede Mariams hage med en finger.

„Se på mig, Mariam."

Mariam adlød modvilligt.

„Hør efter hvad jeg siger, datter, og læg dig det på sinde," sagde Nana. „Som en kompasnål der peger mod nord, vil en mands anklagende finger altid finde en kvinde. Altid. Læg dig det på sinde, Mariam."

2

„I Jalil og hans koners øjne var jeg farlig. Som kermes-
bær. Også dig. Og du var ikke engang født endnu."

„Hvad er kermesbær?"

„En giftig plante." sagde Nana. „Ukrudt som du river
op og smider væk."

Mariam fik indvendige rynker i panden. Jalil behand-
lede hende ikke som ukrudt. Det havde han aldrig gjort.
Men Mariam mente det var klogest ikke at protestere.

„I modsætning til ukrudt skulle jeg plantes om, for-
står du, have mad og vand. På grund af dig. Det var den
handel Jalil slog af med sin familie."

Nana sagde at hun havde nægtet at bo i Herat.

„Hvorfor skulle jeg det? For at se ham køre sine *kin-
chini*-koner rundt i byen hele dagen?"

Hun nægtede også at flytte ind i faderens nu tomme
hus i Gul Daman som lå på en stejl bakke to kilometer
nord for Herat. Hun sagde at hun ville bo et fjernt sted,
isoleret, et sted hvor naboerne ikke ville stirre på hendes
mave, pege på hende, fnise ondskabsfuldt eller, værre:
falde over hende med hyklerisk venlighed.

„Og tro mig," sagde Nana, „det var en lettelse for din far ikke at have mig i nærheden. Det passede ham helt fint."

Det var Muhsin, Jalils ældste søn med hans første kone Khadija, som pegede på lysningen i udkanten af Gul Daman. For at komme dertil skulle man ud ad hovedvejen mellem Herat og Gul Daman og videre op ad et stejlt hjulspor. På begge sider af hjulsporet voksede der knæhøjt græs og strålende hvide og gule blomster. Sporet snoede sig op ad bakke og førte til en flad mark med høje popler og balsamtræer og masser af vilde buske. Deroppefra kunne man til venstre lige ane toppen af de rustne vinger på Gul Damans vindmølle, og til højre bredte Herat sig ud langt nede. Sporet endte foran en å der var fyldt med ørreder, og som kom brusende ned fra Safid-koh-bjergene omkring Gul Daman. To hundrede meter op langs åen, i retning af bjergene, lå en lille lund med grædepile. Midt i lunden var der en lysning.

Jalil tog af sted for at besigtige lysningen. Da han kom tilbage, lød han som en fængselsdirektør der pralede af de hvide vægge og skinnende rene gulve i sit fængsel, fortalte Nana.

„Og så byggede din far denne rotterede til os."

* * *

Nana havde været tæt på at blive gift engang. Som femtenårig. Bejleren var en mand fra Shin Dand, en ung papegøjesælger. Det var Nana selv der fortalte Mariam om det, og selv om Nana affærdigede hele episoden, kunne Mariam se på hendes længselsfulde blik at hun havde været lykkelig. Måske havde Nana den ene gang i sit liv, i dagene før sit bryllup, været fuldstændig lykkelig.

Da Nana fortalte historien, sad Mariam på hendes skød og så for sig billedet af sin mor der blev klædt i bryllupstøj. Hun så hende på hesteryg, genert smilende bag et grønt slør, med hænder der var røde af henna, hår der var blevet børstet med sølvfarve, og fletninger der blev holdt sammen ved hjælp af plantesaft. Hun så musikere spille på *shahnai*-fløjte og slå på *dohol*-trommer, børn i gaden der hujende løb efter optoget.

Men så en uge før brylluppet var en jinn trængt ind i Nanas krop. Mariam behøvede ingen nærmere beskrivelse af hvad der var sket. Hun havde ofte nok set det med egne øjne: Nana faldt om på gulvet, hendes krop spændtes i en bue, blev stiv, øjnene rullede tilbage i hovedet, hendes arme og ben spjættede som om et eller andet indvendigt var ved at kvæle hende, og det skummede om hendes mundvige, hvidt, en gang imellem lyserødt af blod. Så sløvheden, den skræmmende desorientering, den usammenhængende mumlen.

Da nyheden nåede frem til Shin Dand, aflyste papegøjesælgerens familie brylluppet.

„De blev bange," sagde Nana.

Den fine brudekjole blev gemt af vejen, og derefter meldte der sig ikke flere bejlere.

* * *

Jalil og to af hans sønner, Farhad og Muhsin, byggede

den lille kolba i lysningen hvor Mariam skulle bo de første femten år af sit liv. De byggede den af soltørrede lersten og tætnede med mudder og strå. Der var to sovepladser, et træbord, to stole, et vindue og hylder på væggene hvor Nana havde lergryder og sit elskede kinesiske testel stående. Jalil kom med en ny smedejernsovn til når det blev vinter, og stablede brændestykker bag kolbaen. Han stillede en *tandoor* op udenfor som man kunne bage brød i, og byggede en hønsegård med et gærde omkring. Han købte et par får og lavede et trug. Han fik Farhad og Muhsin til at grave et dybt hul hundrede meter fra de omgivende grædepile og byggede et udhus over hullet.

Jalil kunne have ansat arbejdere til at bygge kolbaen, sagde Nana, men gjorde det ikke.

„Det var vel hans måde at gøre bod på."

* * *

Ifølge Nana var der ingen hjælp at hente den dag hun fødte Mariam. Det skete på en fugtig, overskyet dag i foråret 1959, sagde hun, det seksogtyvende år i kong Zahir Shahs temmelig begivenhedsløse regeringstid. Hun sagde at Jalil ikke havde ulejliget sig med at tilkalde en læge, ikke engang en jordemoder, selv om han vidste at jinnen kunne trænge ind i hendes krop og udløse et anfald mens hun var ved at føde. Hun lå alene på kolbaens gulv, gennemblødt af sved og med en kniv ved siden af sig.

„Da smerterne blev for slemme, bed jeg i en pude og skreg ind i den indtil jeg var helt hæs. Men der kom stadig ikke nogen og tørrede mig i ansigtet eller gav mig lidt vand at drikke. Og du, Mariam *jo*, havde ikke travlt. Næsten to dage fik du mig til at ligge på det kolde, hårde gulv. Jeg hverken spiste eller sov, det eneste jeg gjorde, var at presse og bede til at du ville komme ud."

„Undskyld, Nana."

„Jeg skar selv navlestrengen over. Det var det jeg skulle bruge kniven til."

„Undskyld."

På dette tidspunkt i fortællingen plejede Nana at smile et langsomt, træt smil, måske anklagende, måske modvilligt tilgivende, Mariam kunne ikke afgøre om det var det ene eller det andet. Det faldt ikke barnet ind at overveje det uretfærdige i at skulle undskylde for måden hun var kommet til verden på.

Og da det *faldt* hende ind, omkring hendes tiårs fødselsdag, var hun holdt op med at tro på historien om sin fødsel. Hun troede på Jalils version hvor han – selv om han havde været bortrejst – havde sørget for at Nana kom på hospitalet i Herat hvor en læge havde taget sig af hende. Hun havde ligget i en ren seng – en rigtig seng! – i et lyst værelse. Jalil rystede bedrøvet på hovedet da Mariam fortalte ham om kniven.

Mariam begyndte også at tvivle på at hun havde ladet sin mor lide i hele to dage.

„De fortalte mig at det var overstået i løbet af en time," sagde Jalil. „Du var en god datter, Mariam jo. Selv mens du var ved at blive født, var du en god datter."

„Han var slet ikke til stede!" hvæsede Nana. „Han

var ude at ride med sine fine venner i Takht-e-Safar."

Da de fortalte Jalil at han havde fået en ny datter, havde han ifølge Nana trukket på skuldrene og fortsat med at strigle sin hest. Han var blevet i Takht-e-Safar i yderligere to uger.

„Sandheden er at han først holdt dig i sine arme da du var en måned gammel. Og så kun for at kaste et enkelt blik på dig, kommentere dit lange ansigt og derefter række dig tilbage til mig."

Også denne historie var Mariam endt med at tvivle på. Ja, indrømmede Jalil, han havde været ude at ride i Takht-e-Safar, men da de kom og gav ham nyheden, havde han ikke trukket på skuldrene. Han var sprunget i sadlen igen og var redet tilbage til Herat. Han havde vugget hende i sine arme, ladet tommelfingeren glide hen over hendes lige øjenbryn og nynnet en sang for hende. Mariam kunne ikke forestille sig at Jalil havde sagt noget om at hendes ansigt var langt – selv om det var sandt nok: Det var ret langt.

Nana sagde at det var hende der valgte navnet Mariam fordi det var hendes mors navn. Jalil sagde at han valgte det fordi det var navnet på en meget smuk blomst, en tuberose.

„Din yndlingsblomst?" spurgte Mariam.

„Ja, en af dem," svarede han og smilede.

3

Et af Mariams tidligste minder var lyden af en trillebør der med skrigende jernhjul bumpede hen over stenene. Trillebøren kom en gang om måneden, fyldt med ris, mel, te, sukker, madolie, sæbe og tandpasta. Det var to af Mariams halvbrødre, oftest Muhsin og Ramin, en gang imellem Ramin og Farhad, der kom med den. Op ad hjulsporet, hen over sten og grus, rundt om huller og buske. Drengene skiftedes til at skubbe indtil de nåede frem til åen hvor trillebøren skulle tømmes, og tingene bæres over vandet. Derefter blev børen båret over på den anden bred og fyldt med ting igen. Endnu et par hundrede meter fulgte, denne gang gennem højt græs og rundt om tæt buskads. Frøer sprang i sikkerhed. Brødrene viftede sværme af myg væk fra deres svedige ansigter.

„Han har tjenere," sagde Mariam. „Han kunne sende en tjener."

„Det er hans måde at gøre bod på," svarede Nana.

Lyden af trillebøren lokkede Mariam og Nana udenfor. Mariam ville aldrig glemme hvordan Nana så ud på

Rationsdagen: en høj, mager, barfodet kvinde der stod i døråbningen med det dovne øje knebet sammen og armene lagt over kors på en trodsig og spottende måde. Hendes kortklippede, solbeskinnede hår var udækket og uredt. Hun var iført en dårligt siddende grå skjorte der var knappet op i halsen. Lommerne var fyldt med sten på størrelse med valnødder.

Drengene sad nede ved åen og ventede mens Mariam og Nana bar tingene ind i kolbaen. De vidste at de gjorde klogt i at holde sig på en afstand af mindst tredive meter selv om Nana sigtede dårligt, og de fleste sten ramte langt forbi deres mål. Nana skreg ad drengene mens hun bar sække med ris ind i huset, og kaldte dem navne som Mariam ikke forstod. Hun forbandede deres mødre, skar hadefulde grimasser i retning af dem. Drengene gav aldrig igen på fornærmelserne.

Mariam havde ondt af drengene. Hvor måtte de være trætte i arme og ben, tænkte hun medfølende, det var et tungt læs at skubbe. Hun ville ønske at Nana gav hende lov til at tilbyde dem lidt vand. Men hun sagde ikke noget, og hvis de vinkede til hende, vinkede hun ikke tilbage. Én gang – for at behage Nana – havde Mariam råbt ad Muhsin og sagt at hans mund lignede røven på et firben, og bagefter havde hun været ved at blive ædt op af skyld, skam og angst for at de skulle sladre til Jalil. Nana havde imidlertid grinet så højt og fuldstændig blottet sine rådne fortænder at Mariam troede hun var ved at få et af sine anfald. Bagefter havde hun set ned på Mariam og sagt: „Du er en god datter."

Når børen var tom, kom drengene tøvende nærmere og hentede den. Mariam blev altid stående i døren og så efter dem indtil de forsvandt mellem det høje græs og det blomstrende ukrudt.

„Kommer du?"

„Ja, Nana."

„De griner ad dig. Jeg kan høre dem."

„Jeg kommer nu."

„Du tror måske ikke på mig?"

„Her er jeg."

„Du ved godt at jeg elsker dig, ikke, Mariam jo?"

* * *

Om morgenen vågnede de til den fjerne lyd af brægende får og det skingre trut i fløjter når Gul Damans hyrder førte deres flokke op til græsning på bakkeskråningerne. Mariam og Nana malkede gederne, fodrede hønsene og samlede æg. De bagte brød sammen. Nana viste hende hvordan hun skulle ælte dejen, tænde op i tandooren og klaske den flade dej op på ovnens inderside. Nana lærte hende også at sy og koge ris og tilberede forskellige retter: *shalqam* med roe, spinat-*sabzi*, blomkål med ingefær.

Nana lagde ikke skjul på sin afsky for gæster – ja faktisk for mennesker generelt – men hun gjorde en undtagelse med nogle få personer.

For eksempel kom Gul Damans øverste, landsby-*arbab*'en, Habib Khan, en skægget mand med et lille hoved og en stor mave, på besøg en gang om måneden fulgt af en tjener der bar på en kylling, en gang imellem en gryde med *kichiri*-ris eller en kurv med malede æg til Mariam.

Og så var der den buttede, gamle kvinde som Nana kaldte Bibi jo, hvis afdøde mand havde været stenhugger og gode venner med Nanas far. Bibi jo kom uvægerligt i selskab med en af sine seks svigerdøtre og et barnebarn eller to. Haltende og pustende arbejdede hun sig hen over lysningen og gjorde et stort nummer ud af at gnide sig på hoften og med et forpint suk sænke sig ned i en stol som Nana trak frem til hende. Bibi jo havde altid noget med til Mariam, måske en æske *dishlemeh*-konfekt eller en kurv med kvæder. Til Nana havde hun klager over sit svigtende helbred og derefter sladder fra Herat og Gul Daman, detaljeret og veloplagt, mens hendes svigerdatter stille og pligtopfyldende sad bag hende og lyttede.

Men den gæst Mariam holdt mest af, ud over Jalil selvfølgelig, var mullah Faizullah, den ældre landsbylærer i koranskolen, Gul Damans *akhund*. Han kom et par gange om ugen nede fra landsbyen for at undervise Mariam i de fem daglige *namaz*-bønner og vejlede hende i Koranens tekster nøjagtig som han havde vejledt Nana da hun var en lille pige. Det var mullah Faizullah som lærte Mariam at læse, som tålmodigt så hende over skulderen mens hendes læber lydløst formede ordene, og pegefingeren tøvede under hvert eneste tegn – en gang imellem sådan at neglen blev lidt hvid – som om hun kunne presse betydningen ud af tegnene. Det var mullah Faizullah der holdt hendes hånd og førte blyanten i opstregen af hvert *alef*, nedstregen i hvert *beh* og satte de tre prikker, der hørte til *seh*.

Mullahen var en mager, rundrygget gammel mand med et tandløst smil og et hvidt skæg der gik ned til midt på brystet. Normalt kom han alene til kolbaen, men en gang imellem havde han sin rødhårede søn Hamza med som var et par år ældre end Mariam. Når mullah Faizullah dukkede op foran kolbaen, kyssede Mariam hans hånd – det føltes som at kysse et bundt kviste under et tyndt lag hud – og han kyssede hende på panden før de satte sig ned til dagens undervisning. Bagefter sad de ude foran kolbaen og spiste pinjekerner og nippede til en kop grøn te mens de med øjnene fulgte en flok nattergale der smuttede fra træ til træ. En gang imellem gik de en tur op ad bjergskråningen, langs åen, hen over orangefarvede blade og rundt mellem elletræer. Mullah Faizullah drejede på perlerne i sin *tasbeh*-krans mens de gik, og fortalte med sprød stemme Mariam historier om alt det han havde oplevet i sin ungdom, som for eksempel dengang han så en tohovedet slange i Iran på en af Isfahans treogtredive broer, eller om en vandmelon han engang havde delt i to uden for Den Blå Moské i Mazar og set at kernerne dannede ordene *Allah* i den ene halvdel og *Akbar* i den anden.

Mullah Faizullah indrømmede over for Mariam at han en gang imellem ikke forstod meningen med Koranens ord, men han sagde at han godt kunne lide den messende lyd af arabiske ord, når de rullede fra hans tunge og ud af munden. Han sagde at de bragte ham trøst, lettede hans hjerte.

„De vil også bringe dig trøst, Mariam," sagde han. „Du vil kunne kalde dem til dig i nødens stund, og de vil ikke svigte dig. Guds ord vil aldrig svigte dig, min pige."

Mullah Faizullah var god til at fortælle historier, men han var også en god lytter. Hans tanker gik aldrig på langfart når Mariam talte. Han nikkede langsomt og smilede næsten taknemmeligt – som om det var et eftertragtet privilegium han havde fået tilstået. Det var let at fortælle mullah Faizullah ting som Mariam ikke turde tale med Nana om.

En dag da de var ude at gå, fortalte Mariam ham at hun ville ønske hun kunne få lov til at gå i skole.

„Jeg mener en rigtig skole, akhund sahib. I et klasseværelse. Ligesom min fars andre børn."

Mullah Faizullah standsede.

Ugen før havde Bibi jo haft nyt med om at Jalils døtre Saideh og Nahid skulle begynde i Mehri-skolen for piger. Lige siden havde tanker om klasseværelser og lærere rumlet rundt i Mariams hoved sammen med billeder af linjerede stilehefter, talrækker, og blyanter der lavede mørke tegn. Mariam længtes efter at lægge en lineal på et stykke papir og lave streger der virkede betydningsfulde.

„Er det det du gerne vil?" spurgte mullah Faizullah og så på hende med sine bløde, fugtige øjne mens han gik videre med hænderne på ryggen, og skyggen fra hans turban faldt på en klynge strunke smørblomster.

„Ja."

„Og du beder mig om at spørge din mor om lov?"

Mariam smilede og tænkte at ingen i denne verden ud over Jalil forstod hende bedre end hendes gamle lærer.

„Jamen, så vil jeg gøre det. Gud har i sin visdom givet alle et blødt punkt, og mit bløde punkt, blandt mange, er at jeg er ude af stand til at nægte dig noget, Mariam jo," sagde han og lod en gigtkroget finger glide ned over hendes kind.

Men senere, da han henvendte sig til Nana, tabte hun kniven som hun var ved at skive løg med. „Hvorfor?"

„Hvis pigen ønsker at lære noget, min kære, så giv hende lov til det. Lad hende få en uddannelse."

„Gå i skole? Og lære hvad, mullah sahib?" spurgte Nana vredt. „Hvad er der at lære?" Hendes blik borede sig ind i Mariam.

Mariam kiggede ned på sine hænder.

„Hvad skulle det nytte at lade en pige som dig gå i skole? Det vil være som at skure en spyttebakke ren. Og man lærer intet af værdi i de skoler. Der er én færdighed som en kvinde som dig og mig har brug for i dette liv, og den underviser de ikke i i skolerne. Se på mig!"

„Du burde ikke tale sådan til hende, mit barn," sagde mullah Faizullah.

„Se på mig!"

Mariam så på hende.

„En eneste færdighed. Og det er denne: *tahamul.*"

„Hvad er det jeg skal udholde, Nana?"

„Åh, det skal du ikke bryde dit hoved med," sagde Nana. „Det vil ikke skorte på ting."

Hun fortsatte med at fortælle hvordan Jalils koner havde kaldt hende grim, en lavtstående stenhuggers datter. Hvordan de havde forlangt at hun vaskede tøj ude i det fri selv om det var så koldt at hun blev følelsesløs i kinderne, og hendes fingre begyndte at svie.

„Sådan er vores lod i livet, Mariam. Kvinder som os. Vi må bide det i os. Det er det eneste vi kan gøre. Forstår du hvad jeg siger? Forresten vil de grine ad dig i skolen. Tro mig. De vil kalde dig harami. De vil sige forfærdelige ting om dig. Jeg vil ikke have det!"

Mariam nikkede.

„Og nu vil jeg ikke høre et ord mere om den skole. Du er den eneste jeg har. De får ikke lov til at tage dig fra mig. Slut med den snak om skolegang."

„Vær nu fornuftig. Hør nu, hvis pigen ønsker…" begyndte mullah Faizullah.

„Og De, akhund sahib, De burde, med al respekt, vide bedre end at opmuntre til den slags tåbelige drømme. Hvis De virkelig holder af hende, må De forsøge at få hende til at indse at hun hører hjemme sammen med sin mor. Der er intet til hende derude i verden. Kun afvisning og hjertesorg. Jeg ved det, akhund sahib. Jeg *ved* det."